Marcin Ciszewski
WWW.1939.COM.PL

WAR BOOK

Redakcja: *Władysław Ordęga*

Redakcja techniczna, skład i łamanie: *Dominik Trzebiński Du Châteaux*
www.duchateaux.pl

Ilustracja na okładce: *Jarosław Wróbel*

Korekta: *Ewa Popławska*

Wydanie II, Ustroń 2010
ISBN 978-83-930066-9-4
(ISBN 978-83-925879-4-1 wyd. pierwsze Warszawa 2008)

Wydawca: ENDER
Sławomir Brudny
ul. Bładnicka 65, 43-450 Ustroń, www.warbook.pl

Dystrybucja: Grupa A5 Sp. z o.o.

ul. Krokusowa 1-3, 92-101 Łódź, tel: 42 676 49 29, handlowy@grupaa5.com.pl

Druk i oprawa: **opol**graf www.opolgraf.com.pl

Chociaż „www.1939.com.pl" jest powieścią wojenno-sensacyjną, a więc zajmuje się „męskimi" tematami, jej powstanie zawdzięczam trzem kobietom:

mojej żonie Kasi, bez której wsparcia przez cały okres pracy na pewno niczego sensownego bym nie napisał; Eli Brodowskiej, która pojawiła się w moim życiu w odpowiednim momencie i odblokowała pokłady twórczej pasji; oraz Monice Luft, która spojrzała na tekst życzliwym okiem i oceniła go pozytywnie, dając mi impuls do dalszego działania.

Reszta mojej Rodziny i Przyjaciół wspierała mnie, wierząc w cały projekt niejako na kredyt.

Ukazanie się książki nie byłoby możliwe bez zaufania, jakim obdarzył mnie mój wydawca. Moniko, Sławku i Mariuszu – dziękuję.

W tekście większość postaci jest fikcyjna. Jednak umieszczenie przeważającej części akcji w realiach 1939 roku spowodowało, iż na kartach książki pojawia się także szereg postaci historycznych: marszałek Edward Rydz-Śmigły, generał Wacław Stachiewicz, pułkownicy Jaklicz, Filipowicz i Kamiński. Faktem była również bitwa pod Mokrą, stoczona 1 września 1939 roku przez Wołyńską Brygadę Kawalerii z oddziałami niemieckiej 4 Dywizji Pancernej.

Pomysł z przejęciem złożonych do depozytu kosztowności z rąk pracowników Urzędu Skarbowego przy ulicy Lindleya w Warszawie zaczerpnięty został z opowiadania Cezarego Chlebowskiego „Polska jest waszą dłużniczką". Za inspirację serdecznie dziękuję.

Marcin Ciszewski jest absolwentem Instytutu Historii Uniwersytetu Warszawskiego, ze specjalizacją historia najnowsza. Od lat, choć nie uprawia historii zawodowo, pasjonuje się przebiegiem II Wojny Światowej, ze szczególnym uwzględnieniem Kampanii Wrześniowej.

I. PROLOG

Londyn, 1989

– Zabij Ruska!

Łatwo powiedzieć!

– Urwij mu łeb!

Aha! Dajcie mi czołg.

– Skop mu jego tłustą, sowiecką dupę!

Skopię, a jakże. Jak będzie mnie czterech. Albo sześciu.

Ryk sali słyszałem jakby zza grubej szyby, właściwie sam nie wiem, jakim sposobem rozróżniałem słowa. Za plecami czułem chłodną stal prętów ograniczających klatkę. Ten dotyk chyba powinien uspokajać. Może uspokajał, a może nie – w każdym razie bez niego pewnie bym zwariował.

Powoli podniosłem głowę. Chociaż klatka była nie najgorzej oświetlona, wszystko było jakieś nieostre, szare i rozmazane. Przede mną kilka metrów wolnej przestrzeni, dalej pręty tworzące przeciwległą ścianę. Na podłodze szara mata z niedoczyszczonymi plamami. Chyba rdzawymi albo szarymi. Albo czarnymi. Krew?

Skupiłem wzrok.

Witalij Geliadze stał naprzeciwko mnie i uśmiechał się – trochę uprzejmie, a trochę łobuzersko – jak dobrze wychowany starszy pan, obiecujący swemu młodszemu koledze same przyjemności tego pogodnego wieczoru. Miał szczere spojrzenie, miły uśmiech, przyjemną fizjonomię, na pewno uczciwych rodziców i wspaniałe dzieci. Porządny z niego gość. Amen.

Gong.

Na dobrych kilkadziesiąt sekund wrzaski publiczności umilkły. W absolutnej ciszy Geliadze bez pośpiechu, dystyngowanym krokiem ruszył do przodu. Powoli podniósł obandażowane ręce, ot tak, aby podkreślić, że szanuje i docenia swoje vis-à-vis.

Podszedł na jakieś dwa kroki i niegłośno, głębokim, niemal aksamitnym głosem zapytał:

– Nu mołodiec, pojechali?

Pojechali, sukinsynu, tylko nie tam, gdzie chcesz.

Gwałtownie odbiłem się od ściany klatki i silnym, niesygnalizowanym ruchem wyprowadziłem płaskie kopnięcie prawą nogą. Miało trafić w bok kolana przeciwnika. I trafiłoby, gdyby nie to, że Wujek Witalij okazał się pomimo swych gabarytów piekielnie szybki i zdołał trochę zejść z linii strzału. Kop doszedł jednak i faceta przestawiło o dobre ćwierć metra w bok. Nawet się nie skrzywił.

Lecz nie miałem czasu na obserwację jego mimiki. Zaraz po kopnięciu posłałem prawego sierpowego na szczękę. Gdyby wszystko przebiegło zgodnie z planem, dwie minuty później popijałbym whisky w garderobie, a Witalija G. odwożono by na pogotowie. Niestety, niestety, Wujek był za stary wróbel na takie szczeniackie zagrywki. Wykonał podręcznikową kontrę bezpośrednią i tak oto, po raz pierwszy tego pięknego wieczoru, wylądowałem na deskach.

Muszę sprawiedliwie powiedzieć, że Wujek wyglądał na szczerze zmartwionego. Walczyłem ze stadem gwiazd tańczących mi przed oczami i ogólnie słabo się czułem, ale on był zmartwiony – głowę daję. Może mu płacono za godziny, a nie za dzieło?

Do roboty! Jureczku, do roboty… No, Dżazi, jak mówią ci nabąblowani whiskaczem Angole, kołatało mi się we łbie. Rusz dupę, ty leniwy sukinsynu, przecież nie będziesz się wylegiwał jak jakaś laska na plaży. Nie za to ci płacą grubą forsę.

Dałem się przekonać i jakoś się podniosłem. Ryk tłumu złożonego z kilkuset dżentelmenów i dam o nieskazitelnych manierach, którzy zapłacili za ten wieczór po tysiąc funtów i chcieli zobaczyć coś więcej niż pięciosekundowe zwarcie, wzmógł się. Chyba wyraźnie byli po mojej stronie.

Witalij, całkiem zadowolony z tego, że zdołałem się podnieść, stał grzecznie nieopodal. Zabawa potrwa dłużej – a dobra zabawa to jest to, na co zawsze warto trochę poczekać. Znów podniósł ręce do bokserskiej gardy. Podniosłem i ja – form przestrzegaliśmy starannie.

Wejście w nogi. Stało się dla mnie jasne, że właśnie tę starą zapaśniczą technikę Wujek zamierza za chwilę wykonać. Patrząc mi głęboko w oczy, odbije się lekko i, jakby skakał szczupakiem do wody, zagarnie ramionami moje nogi pod kolanami, błyskawicznie uderzy barkiem w biodro i obaj pofruniemy w siną dal – z tym, że ja w charakterze podwozia. Po czym, usiadłszy na mnie wygodnie, zbije na kwaśne jabłko w ciągu dziesięciu sekund, a w ciągu następnych dziesięciu pozbawi przytomności. I tak zostanie przegrana pierwsza poważna wojna polsko-sowiecka od 1939 roku.

Nie mam pojęcia, skąd wiedziałem, co zrobi. Szczęśliwy przypływ jasnowidztwa? Intuicja?

W każdym razie wiedziałem i już.

Uprzedził mnie o ataku minimalnym zwężeniem oczu.

Mocno oparł się na potężnych stopach i ułamek sekundy później wystrzelił do przodu z przyspieszeniem startującego odrzutowca. Przygotowując się na spotkanie, cofnąłem lekko biodra i kiedy dojeżdżał już prawie na miejsce, gwałtownie wyrzuciłem nogi w tył – jakbym stał na dywanie i ktoś mi go wyrwał spod nóg. Jednocześnie objąłem Witalija od spodu za szyję, prawą dłoń położyłem na swoim bicepsie i zacisnąłem lewą rękę. Tym samym szyja Wujka znalazła się pod moją prawą pachą i chyba raczej nie było takiej siły, która mogła ją stamtąd wyrwać. Upadliśmy z hukiem na matę.

Wujek na pewno nie spodziewał się takiego obrotu sprawy. Zamiast na górze, niespodziewanie znalazł się na dole, na dodatek zaczął już odczuwać przykre skutki duszenia gilotynowego, bowiem bez zbędnej zwłoki najpierw klęknąłem, a potem ze wszystkich sił – nie bacząc na furię uderzeń, które bębniły po moich żebrach i nerkach – zacząłem się podnosić.

Upływają dekady, zmieniają się pokolenia i ustroje, a jednak istnieje zachowany w naszej pamięci Polski Wrzesień i AK-owska legenda...

Cezary Chlebowski

II. BRYGADA

1.

Polska, 2007

– Panie majorze – dobiegł mnie głos jak z zaświatów. – Panie majorze, chyba lecą.

Był straszny upał, który otulał mnie jak watą cukrową. Zapadłem się w nim tak głęboko, że minęła dobra chwila, nim się ocknąłem ze starych wspomnień i zerknąłem w stronę, z której dochodził głos. Kapral nadterminowy Józef Galaś stał oddalony o dwa metry i mówił coś, pokazując punkt za moimi plecami. Na Brzydko-Przystojnej, szabrawej gębie miał jak zawsze wymalowany ironiczny uśmieszek. Dopasowałem ruch ust do dźwięków i usłyszałem:

– Melduję posłusznie, że lecą te jankeskie patałachy. – Galaś żuł gumę i mrugał do mnie całkowicie nieregulaminowo. – I nawet nic im nie nawaliło ani nie zestrzelił ich afgański scud, i chłopcy od Osamy też im nie dali rady. Widzi pan major? A spóźnili się tylko cztery godziny.

Spojrzałem na niego krzywo. Kevlarowy hełm pokryty maskującą tkaniną, polowy mundur, amerykańska kamizelka kuloodporna, karabinek automatyczny beryl, pas z zapasowymi magazynkami i granatami – kapral wystrojony był jak na wojnę. Stojący za nim żołnierze – trzecia drużyna z piątej kompanii – także. A powagi dodawały dwa opancerzone samochody rozpoznawcze BRDM-2 z groźnie sterczącymi lufami wukaemu 14,5 milimetra i sprzężonym z nim kaemem 7,62 milimetra. Ja również dźwigałem sporo sprzętu i uzbrojenia – byliśmy przygotowani, jakby co.

– Scudy nie służą do zestrzeliwania samolotów, kapralu, nie wiecie o tym? – przygadałem dobrodusznie. – Wątpicie w punktualność najważniejszego sojusznika? Kapitan Sanchez dałby wam popalić, gdyby usłyszał takie opinie o nim i jego ludziach.

– Sanchez? – Mój elokwentny rozmówca skrzywił się z niesmakiem. – Już swoich nie mają? Muszą Meksykańców brać?

– Kapitan Sanchez jest Amerykaninem – powiedziałem autorytatywnie. – Nie martwcie się, kapralu.

Rozkaz dowództwa rzucił nas na lotnisko grubo przed siódmą rano. O ósmej dostaliśmy z wieży meldunek, że samolot, na który czekamy, nieco się opóźni. („Nieco" było właśnie tym sformułowaniem, którego użyły typki z kontroli lotów). Teraz dochodziła jedenasta i jakoś miałem wrażenie, że dźwięk, który usłyszał Galaś, to raczej senne brzęczenie much niż oczekiwana przesyłka. Stąd leniwe pogaduszki, bo naprawdę nie mieliśmy nic do roboty na tym martwym, betonowym placu.

Swoją drogą to skandal trzymać ludzi przez tyle godzin na palącym słońcu. Zwłaszcza jeżeli nieszczęśnikiem, którego rozkaz dowództwa rzucił w ten piekielny upał, byłem przede wszystkim ja: Jerzy Grobicki, major Wojska Polskiego. Lat 36. Oddelegowany przez dowództwo brygady do przeprowadzenia Bardzo Ważnej Misji Służbowej, Która Polegała Na Sterczeniu Na Cholernym Lotnisku Nie Wiadomo Jak Długo.

Kevlarowy hełm, który tkwił na mojej głowie, ma wiele zalet: jest dość lekki, ogromnie odporny na uszkodzenia mechaniczne i dobrze leży na głowie. Ale ma też i wadę: nie został zaprojektowany jako słomkowy kapelusz. Po trzech godzinach prażenia się w temperaturze niewiele mniejszej od tej na równiku, rozgrzał się i zaczął służyć jako dodatkowe, tanie i wydajne źródło energii. Założę się, że gdybym go wstawił w tej chwili do zimowego domu w górach, przez parę godzin byłoby całkiem ciepło.

Nieoceniony kapral, Sokole Oko i Sherlock Holmes w jednej osobie, miał jednak, zdaje się, rację: sojusznicy rzeczywiście lecieli. Na horyzoncie pojawiła się maleńka kropeczka, która, mrucząc energicznie, dość szybko się powiększyła, by w końcu przyjąć gigantyczne rozmiary transportowca C-5 Galaxy. W tkwiącej w moim uchu słuchawce, która była zakończeniem przytroczonego do pasa supernowoczesnego cyfrowego systemu łączności, zatrzeszczało jak w antycznej łącznicy polowej, po czym wśród buczenia i trzasków usłyszałem słaby głosik:

– Orzeł 1, tu wieża, przesyłka podchodzi do lądowania.

Nareszcie się zorientowali. Pewnie myśliwiec rozbijający się o tę cholerną wieżę byłby zaraportowany jako „potencjalna możliwość drobnej awarii".

W każdym razie transportowiec rzeczywiście zbierał się do lądowania. Pilot ostrożnie okrążył lotnisko i starannie ustawiając się pod wiatr, usiadł monstrualną maszyną na lekko wklęsłym i przykrótkim runwayu lotniska.

Amerykanin znał się na rzeczy. Samolot wyhamował i zatrzymał się niemal na wprost mojego oddziałku. Silniki zwolniły bieg, hałas przeszedł w rejony akceptowalne dla ucha. Z lekkim zgrzytem zaczęła opadać rampa ładunkowa – nie zdążyła nawet wykonać do końca swego krótkiego biegu w dół, gdy na jej szczycie pojawiła się grupka ludzi i zaczęła niespiesznie opuszczać samolot.

Kiedy w końcu rampa bezpiecznie zakotwiczyła na betonie lotniska i grupa piechurów znalazła się poza maszyną, z wnętrza doleciał dźwięk odpalanego wielkiego diesla i potężna, ośmioosiowa ciężarówka zjechała na beton.

Dowództwo nie raczyło poinformować mnie o zawartości przesyłki, więc zaskoczenie było adekwatne do niewiedzy. W życiu nie widziałem takiego samochodu. Bardzo szeroki, z maleńką szoferką i umieszczonym na naczepie gigantycznym kontenerem. Na dachu kontenera leżała na płask wielka antena – o ile to była antena – zajmująca całą szerokość i sporą część długości pojazdu. Oliwkowa farba nie odbijała promieni słonecznych, dzięki czemu cała maszyna właściwie wtapiała się w otoczenie.

Tymczasem grupa pieszych podeszła do nas i wtedy zdumiałem się jeszcze bardziej.

Ekipa ubrana była w mundury US Marines i objuczona jak na wyprawę do buszu. Wszyscy, łącznie z idącym na czele oficerem, uzbrojeni byli w karabiny szturmowe M-4, lżejszą i mniejszą wersję słynnego M-16. Ciężkie plecaki zawierały zapewne wszystko, co niezbędne do przeżycia w dalekim i dzikim kraju: zapasową amunicję, tabletki do odkażania wody, błyskotki i paciorki dla tubylców, prezerwatywy dla ochrony przed AIDS i tym podobne akcesoria.

Nie byłem w stanie zgadnąć, czy prowadzący oficer miał w ogóle prezerwatywy w swoim plecaku. Oficer ten był bowiem kobietą. W dodatku najładniejszą kobietą, jaką dane mi było spotkać w swoim krótkim życiu. Workowaty mundur skrywał szczegóły sylwetki, ale i tak można było dostrzec, że figury mogłaby pani oficer pozazdrościć niejedna aktorka. Blond czupryna wymykająca się spod hełmu, niebieskie, roześmiane oczy, lekko nieregularne rysy twarzy i usta jakby stworzone do całowania – wszystko składało się na zapierający dech w piersi obraz. Znieruchomiałem, bojąc się, że najmniejsze poruszenie przegna tę fatamorganę.

Amerykanka też wyglądała na zaskoczoną. Trudno się dziwić – po długiej podróży zobaczyć dzielnych, odzianych w nowe mundury junaków z trzeciej drużyny, sprawnie dowodzonych przez przystojnego i energicznego majora – to dla jankesów musiało być coś!

Choć liderka peletonu zwolniła nieco przed metą, nastąpił w końcu moment prezentacji. Dłonie miała drobne o długich palcach, jednak uścisk należał do silnych i zdecydowanych. W końcu w piechocie morskiej nie tolerują mdlejących panienek o wątłej budowie ciała.

– Kapitan Nancy Sanchez. – Obdarzona przyjemnym dla ucha sopranem, mówiła po angielsku ze śpiewnym amerykańskim akcentem, prosto z dalekiego południa Stanów. – Miło mi.

– Sanchez? – wydukałem. – Nancy… Sanchez? Emmm… mnie również miło panią powitać, kapitan Sanchez. Major Jerzy Grobicki. Mam za zadanie bezpiecznie dostarczyć was do bazy.

Po początkowym zaskoczeniu zdumiewająco szybko odzyskała pewność siebie, czego niestety nie można powiedzieć o mnie. Uśmiechnęła się, więc ja również wykrzywiłem się w grymasie, który od biedy można było uznać za uśmiech. Z boku musiało to wyglądać dziwnie: dwoje oficerów sojuszniczych armii widzi się po raz pierwszy w życiu i patrzy na siebie w sposób daleki od profesjonalnych standardów.

Na ciąg dalszy powitania nie było czasu. Z samolotu na płytę lotniska zjechały dwa terenowe hummery z zamontowanymi nad szoferką sześciolufowymi karabinami maszynowymi minigun oraz ciężarówka z zapasami. Dwunastu marines szybko zajęło miejsca w hummerach, kilku członków załogi samochodu radaru wsiadło do niego przez niewielkie drzwi z boku kontenera, moi ludzie też wskoczyli do transporterów.

– No cóż, kapitan... Sanchez – powiedziałem. – Wygląda na to, że możemy ruszać. Ja pojadę czołowym transporterem. Drugi będzie zamykał kolumnę. Czy zechciałaby pani mi towarzyszyć?

– Dziękuję za propozycję, majorze, ale zostanę ze swoimi ludźmi. – Odmowę złagodziła promiennym uśmiechem. – Muszę ich pilnować. Są pierwszy raz w Polsce, nie chciałabym, żeby się już na wstępie pogubili...

– Dobrze. – Udałem, że biorę wykręt za dobrą monetę. – Jedźmy zatem.

Odwróciłem się i szybkim krokiem podszedłem do transportera.

– Galaś! – krzyknąłem zły jak chrzan. – Gotowi?

Kapral wychylił się z wieżyczki.

– Melduję posłusznie, że tak jest, panie majorze. Jesteśmy gotowi, możemy ruszać, naboje w lufach, a rączki na kołderce, panie majorze. – Pomimo moich surowych reprymend i kar, kapral nie mógł się do końca przestawić na bardziej oficjalny styl.

– Nocna warta za takie odzywki, kapralu. – Jednym susem wskoczyłem na pancerz, a z niego na wieżyczkę. Galasiowi trochę mina zrzedła. Nigdy nie był pewien, czy żartuję, czy mówię poważnie.

– Posuniecie się trochę, czy mam jechać na zewnątrz? – Urażony Galaś przesunął się prawie o pięć centymetrów. Opuściłem nogi do wewnątrz kabiny, uchwyciłem się mocno klapy zamykającej właz i machnąłem ręką. Ruszyliśmy.

2.

– Proszę, majorze, proszę, niech pan wejdzie – sekretarka generała przywołująco skinęła dłonią – ale szef nie bardzo w humorze... – Skrzywiła się.

Hiobowe wieści o złym humorze generała zwykle działały na mnie wysoce niekorzystnie. Z reguły odczuwałem ucisk w żołądku i drżały mi ręce, prezentowałem także podejrzaną chrypkę. Tym razem jednak, dzięki niedawnemu spotkaniu na lotnisku i kwadransowi poświęconemu na rozlokowanie Amerykanów w przydzielonych kwaterach, byłem przekonany, że z każdym nastrojem dowódcy poradzę sobie śpiewająco. Decyzja, dojrzewająca we mnie od wielu miesięcy, właśnie została podjęta.

Bez większego sukcesu spróbowałem wygładzić pogniecione moro i lekko zapukałem do drzwi.

– Wejść – usłyszałem ze środka.

– Panie generale, major Grobicki melduje się…

– Dobra, dobra. – Generał nawet nie podniósł głowy zza biurka.

W niedużym, urządzonym w stylu późnego Gierka gabinecie byłem zaledwie kilka razy. Ustawione pod ścianami regały uginały się od książek – Clausewitz, Sun Tzu, Kutrzeba, biografie Napoleona, taktyka, strategia, filozofia, medycyna. Sporo tego było. Poza książkami pokój prezentował się zgoła nikczemnie. Stare biurko, lampa na cienkim metalowym patyku z poprzepalanym abażurem, dwa krzesła i pokaźnych rozmiarów sejf składały się na to ponure i zakurzone miejsce. Piąta Brygada Pancerna może i była jednostką skazaną na nowoczesność zgodną z NATO-wskimi standardami, dostającą największe przydziały amunicji na ostre strzelania, ale jej dowódca najwyraźniej hołdował zasadzie, że spartański wystrój miejsca pracy pomoże mu w koncentracji. Jedynie stojący na biurku laptop był niechętnym ustępstwem na rzecz nowoczesności. Zacząłem już rozglądać się za telefonem na korbkę, kiedy szef przywołał mnie do porządku.

– No, niechże się pan tak nie czai. – Niecierpliwym ruchem wskazał niewygodne krzesło na wprost biurka.

To, co miałem generałowi do zakomunikowania, można było powiedzieć na stojąco. Usiadłem jednak i zacząłem przyglądać się swojemu dowódcy. Jeszcze wtedy miałem nadzieję, że patrzę na niego po raz ostatni.

Generał Lucjan Dreszer był niewysoki, bardzo szczupły i zwykł mierzyć rozmówców ostrym spojrzeniem wyblakłych oczu. Rozmawiając z nim, za każdym razem czułem się jak student zawalający najważniejszy egzamin na roku. W zamierzchłej przeszłości, będąc świeżo upieczonym absolwentem Wyższej Oficerskiej Szkoły Wojsk Pancernych, snuł się po mocno zapyziałych garnizonach Polski B. Chociaż był – zdaniem peerelowskich generałów wychowanych na sowieckich wzorach – zbyt samodzielny i elastyczny w podejściu do ścisłych rozkazów, udało mu się parokrotnie, jako dowódcy kompanii czy batalionu, błysnąć na ćwiczeniach. Jego kariera nabrała przyspieszenia po osiemdziesiątym dziewiątym roku, a zwłaszcza po wejściu Polski do NATO. Dowódcą Piątej Brygady Pancernej został dwa lata temu. Od tej pory brygada modernizowała się w przyspieszonym tempie.

Na trzecim krześle siedział pułkownik Karski, dowódca pułku. Mój, jak to się mówi, Bezpośredni – Już Nie Tak Długo – Przełożony. Kompletne przeciwieństwo Dreszera – gruby, gęba nalana, włos rzadki. Ten z pewnością niczego nie czytał, może poza donosami na mnie. Mógłby z powodzeniem grywać sowieckich funkcjonariuszy bezpieczeństwa państwowego, podejrzewam zresztą, że nawet był nim swego czasu. Dreszer, podobnie jak ja, serdecznie go nienawidził – Karski był typowym wychowankiem sowieckiej szkoły, tępym, trzymającym się kurczowo rozkazów służbistą. Stanowiło dla mnie nierozwiązywalną zagadkę, jakim cudem dotąd uchował się na stanowisku. Chyba po prostu Dreszer musiał go tolerować, bo taki był układ sił politycznych w brygadzie.

Karski siedział jak mumia egipska i, o ile go znam, będzie tak trwał do końca spotkania. Odbije to sobie później. Sam na sam ze mną.

– Udało się panu dostarczyć naszych amerykańskich przyjaciół bez szwanku? – Dreszer po raz pierwszy podniósł głowę znad papierów i zaczął świdrować mnie tymi swoimi oczkami.

– Tak jest. – Pozwoliłem sobie na poufały uśmiech. – Umieściłem ich w kwaterach drugiej kompanii, tamtejsze toalety chyba jako jedyne nadają się do pokazania komuś obcemu.

Karski poruszył się niespokojnie, ale generał nawet nie zwrócił na to uwagi.

– Świetnie. A... pojazd?

– Zgodnie z rozkazem zamknęliśmy go w hangarze B, którego pilnuje drużyna alarmowa z ostrą amunicją. Oprócz tego Amerykanie zorganizowali sześciogodzinne warty i przynajmniej dwóch z nich na krok nie rusza się od wozu.

Dreszer kiwnął głową, ale myślał chyba o czymś innym.

– Wie pan, dlaczego pana tu wezwałem, majorze?

Pokręciłem przecząco głową, po czym zebrałem się na odwagę.

– Panie generale, chciałbym zameldować, że...

– Poźniej – przerwał, prawie nie słuchając. Zamilkłem. Zacząłem przeczuwać, że ta rozmowa niczego dobrego nie przyniesie. – Słyszał pan o systemie IVIS?

– Czytałem coś w literaturze fachowej i…

– I w „Kawalerii Pancernej" Clancy'ego, prawda? – Dreszer uśmiechnął się uprzejmie, a ja postanowiłem, że przynajmniej do sylwestra
nie będę się w ogóle odzywał.

– Ale o Afganistanie pan słyszał? – Uznałem pytanie za retoryczne
i dalej milczałem obrażony. Minęło pół minuty i już mnie zdążył
wkurzyć. – Niech pan się tak nie nadyma i słucha. Jak pan wie, nasi
chłopcy od niemal pół roku walczą w Afganistanie i choć opinii publicznej wmawia się co innego, dostają niezłe baty, próbując w tych
cholernych górach złapać Osamę. Talibowie ostatnio znacznie się
wzmocnili, zaczęli używać lekkiego sprzętu pancernego i śmigłowców, którymi w nocy przerzucają małe oddziałki piechoty na nasze
tyły. Muszą mieć bardzo dobre źródła finansowania, bo uzbrojenie
nie pozostawia wiele do życzenia. Ich armia coraz bardziej przypomina regularne wojsko, przy czym nie rezygnują z technik terrorystycznych. W związku z tym jankesi doszli do wniosku, że potrzebują
niewielkich, ale potężnych ogniowo oddziałów pancernych, wspar-
tych piechotą, komandosami, artylerią i śmigłowcami bojowymi
do zwalczania komunikacji powietrznej. Tak więc czołgi wracają
do łask. Zaproponowali nam udział w tej zabawie, a nasz rząd
i pan prezydent ochoczo wyrazili zgodę. Amerykanom tak bardzo
zależy na utworzeniu możliwie szerokiej koalicji antytalibskiej, że
są skłonni sfinansować sporą część kosztów polskiego udziału. Już
to zresztą robią od jakiegoś czasu. Dają sprzęt, ludzi i pieniądze.
MDS, który pan tak dzielnie konwojował z lotniska do koszar, jest
właśnie częścią tej pomocy.

W pokoju zapanowała kompletna cisza. Aż się bałem poruszyć, żeby
przypadkowe skrzypnięcie krzesła nas nie zdekoncentrowało.

– Jak pan wie, od pewnego czasu intensywnie pracujemy w jednostce
nad podniesieniem standardów szkolenia i uzbrojenia. W ramach przygotowań do afgańskiej operacji dostaliśmy specjalne dotacje na sprzęt –
zmodernizowane czołgi twardy, rosomaki z nowymi wieżami artyleryj-
skimi, haubice krab, moździerze AMOS i tak dalej. Większość to proto-
typy. Najlepsi mechanicy dopinają ostatnie szczegóły. Przydzielono nam
również szturmowe śmigłowce wyposażone w nową awionikę, uzbrojenie i silniki. Słowem – będziemy, w przybliżeniu, dysponowali tym,
czym dysponują Amerykanie.

Cisza.

– Jest pewne, że do Afganistanu nie wyślemy całej brygady. Mimo wszystko nie stać nas na to. Pojedzie oddział wydzielony, w sile wzmocnionego batalionu, który po odpowiednim przeszkoleniu i zgraniu zostanie podporządkowany operacyjnemu dowództwu któregoś z amerykańskich korpusów. Chociaż formalnie oddział otrzyma status batalionu, chcemy, aby był uniwersalny taktycznie i naprawdę potężny. Żeby mógł sobie poradzić co najmniej z brygadą. W tym celu otrzyma własną artylerię i śmigłowce. Jednostka zostanie całkowicie zintegrowana systemem IVIS – między innymi po to przyjechali Amerykanie. Dzięki IVIS-owi i nowym systemom łączności batalion będzie w pełni kompatybilny z wojskami amerykańskimi.

Karski i ja pokiwaliśmy głowami. Taki oddział to było coś. Dreszer wstał zza biurka i podniósł z niego papierową teczkę.

– Majorze, zapadła decyzja, aby powierzyć panu dowództwo tej jednostki. Otrzyma ona nazwę Pierwszy Samodzielny Batalion Rozpoznawczy, a pan awansuje na podpułkownika. Gratuluję.

Stanął przede mną – już w trakcie poprzedniego zdania poderwałem się na równe nogi – i energicznie potrząsnął moją dłonią. Upał mocno zwolnił moje możliwości percepcyjne, może dlatego nie zdążyłem nawet pomyśleć, że poważny oficer na wysokim stanowisku robi sobie bolesne żarty.

– Dziękuję … – wydukałem. – To jest, ku chwale ojczyzny, panie generale! Ale…

Nie zwrócił najmniejszej uwagi na to, co mu miałem do powiedzenia.

– Awansu panu gratuluję, chociaż od razu muszę powiedzieć, że dowództwo daję bez entuzjazmu. Z ludzi, których mam pod ręką, pan jeden zna biegle angielski i może poradzi sobie z naszymi amerykańskimi przyjaciółmi, aczkolwiek pewności nie mam. Pańscy poprzedni zwierzchnicy piszą, co prawda, o pana dużych zdolnościach taktycznych i charyzmie, równocześnie jednak wspominają o skłonnościach do samowoli i improwizacji, a także kilku istotnych niesubordynacjach. No cóż, znając pana prawie dwa lata, jakoś tych zdolności nie zaobserwowałem, ale może nie znam się na ludziach, co, pułkowniku Grobicki? Naprawdę mocno się zastanawiałem, czy przydzielić panu to zadanie…

Przezornie milczałem, chociaż przez głowę przebiegało mi tysiąc myśli na sekundę. Niestety, żadna z nich nie nadawała się do przekazania wysokiemu rangą oficerowi Najjaśniejszej Rzeczypospolitej. Dreszer westchnął i kontynuował:

– W teczce znajdzie pan specyfikację wyposażenia i strukturę batalionu. W jego skład wejdą: sztab, kompania twardych, kombinowany dywizjon artylerii, kompania piechoty na rosomakach, klucz śmigłowców Mi-24, bateria przeciwlotnicza, pluton rozpoznawczy, pluton komandosów z GROM-u, pluton saperów, nasi Amerykanie, czyli MDS wraz z drużyną ochrony, pluton łączności i kompania logistyczna. Zresztą ze szczegółami zapozna się pan później. Załogi ukończyły już szkolenie, ale w warunkach bojowych będą tego sprzętu używały pierwszy raz, zatem zapowiada się niezła zabawa.

A więc to były te nieustanne korowody starannie zamaskowanych transportów, wjeżdżających co noc na teren koszar. Stąd znikanie najlepszych ludzi oraz tłumy cywilnych i mundurowych ekspertów, pętających się po całej jednostce.

Dreszer zamilkł na chwilę jakby dla zebrania myśli, a ja przypomniałem sobie o oddychaniu. Wdech, wydech. Wdech, wydech. Pomogło, chociaż upał w pokoju nadal był nie do zniesienia. Po mojej stanowczej decyzji sprzed piętnastu minut zostało tylko odległe wspomnienie.

– Specyfikację IVIS-a znajdzie pan w dokumentacji. Mówiąc ogólnie, to system monitorujący stan wszystkich pojazdów, które są do niego włączone. Nasi amerykańscy przyjaciele zainstalują oprogramowanie IVIS w wozach batalionu. Sprzęt całe szczęście został już zamontowany, a niektóre załogi nawet wiedzą, jak się nim posługiwać.

W głowie regularnie rozbłyskiwało mi czerwone światło: „Alarm! Kłopoty! Alarm! Kłopoty!". Generał jednak nie zwracał uwagi na panikę w moich oczach i dalej spokojnie pogrążał mnie i siebie:

– To jeszcze nie koniec, pułkowniku. W ciągu najpóźniej miesiąca, o ile wcześniej nie wyruszycie na wojnę, na poligon przyjedzie delegacja, która oceni stan przygotowań jednostki oraz przydatność sprzętu. Musimy udowodnić, że umiemy się posługiwać IVIS-em, że haubice krab to nie były wyrzucone pieniądze, że warto wyposażyć wozy bojowe w nowe wieże artyleryjskie, a moździerz AMOS jest tym, czego trzeba polskiej armii. Że tworzenie małych oddziałów, wysoce mobilnych, które będą działały zgodnie z nowymi zadaniami i nową doktryną, ma sens. Krótko mówiąc, trzeba politykom dać do ręki argument, który podniesie wartość naszego kraju jako niezłomnego ogniwa w walce ze światowym terroryzmem. – Dreszer uśmiechnął się, ale nie wiedziałem, czy żartował, czy mówił poważnie. – Na pokazie zabraknie tylko Claudii Schiffer, poza tym będą wszyscy: prezydent, premier, minister obrony, reszta zainteresowanych i niezainteresowanych ministrów. Generałów na pewno wystarczy na średniej wielkości wojnę. Przyjadą też Amerykanie z Szefostwa Połączonych Sztabów i kto tam jeszcze tylko zdoła wepchnąć się do autobusu.

Cudownie. Kupa nieznanego sprzętu, jacyś Amerykanie ze swoimi tajemniczymi technologiami, do tego banda umundurowanych tyłowników i cywilnych polityków, którzy nie przepuszczą żadnej okazji, żeby wściubić nos w nie swoje sprawy. Pomyślałem, że muszę szybko coś zrobić, na przykład przebiec dwadzieścia okrążeń dookoła placu apelowego albo udać się na długotrwałe zwolnienie lekarskie. Może wtedy spojrzałbym na świat nieco optymistyczniej. Generał jednak nie zarządzał żadnej przerwy i niezrażony moim wymownym milczeniem, kontynuował:

– Chcę, aby pan osobiście dopilnował montażu IVIS-a w pojazdach, upewnił się, że wybraliśmy najlepsze załogi do obsadzenia twardych, przejrzał składy pozostałych oddziałów, wybrał dowódców, osobiście dopilnował wszelkich szkoleń, a także przeglądów i napraw. Większość załóg już jest gotowa. Szef sztabu batalionu, major Łapicki, powie panu, czego i kogo jeszcze brakuje. W teczce znajdzie pan dokładny spis sprzętu i amunicji. Jednostka ma najwyższy status tajności i będzie od nas całkowicie niezależna. Zabierzecie ze sobą kompletne zapasy – łącznie z amunicją – na dwa miesiące pobytu na poligonie. Możliwe, że do Afganistanu wyruszycie bezpośrednio stamtąd, a wiadomo, jak u nas jest z logistyką. Radzę wziąć więcej niż potrzeba, ma pan w tej kwestii wolną rękę. Na miejscu zostały już zorganizowane kwatery oraz zainstalowane kontenery z amunicją i cysterny z zapasami paliw. Poligon będzie silnie ubezpieczany przez żandarmerię i oddziały naszej brygady. Rozkaz o wyjeździe do Afganistanu może nadejść w każdej chwili. Niniejszym wychodzi pan z podporządkowania służbowego pułkownikowi Karskiemu. Szefem sztabu batalionu mianowałem majora Łapickiego, pańskiego dobrego znajomego z pułku. Raporty proszę składać bezpośrednio mnie. Codziennie o ósmej wieczorem oczekuję meldunku o wykonaniu zadań ku chwale ojczyzny. Proponowaną obsadę oficerską batalionu chcę zobaczyć na swoim biurku dziś po południu. Podkreślam, że wszyscy żołnierze jednostki mają być ochotnikami i muszą podpisać oświadczenie, że w misji biorą udział dobrowolnie, a także specjalne zobowiązanie o dochowaniu tajemnicy. Wyjazd na poligon – jutro. To wariactwo, ale myślę, że da się zrobić. Sprzęt i większość ludzi jest gotowa. Od pojutrza rano proszę zarządzić ostre strzelanie i jakąś próbę zgrania tych oddziałów. Ma pan Amerykanów do pomocy – na czas misji będą panu podlegać – i dwa, najwyżej trzy tygodnie na szkolenie. Jakieś pytania?

Tak! Dlaczego ja??? Co ja takiego, kurwa, zrobiłem?!

– Jaka jest rola tego MDS-a i Amerykanów?

– No, pułkowniku, jestem z pana dumny. Świetne pytanie.

Dreszer podniósł z biurka jakiś dokument i wstał. Był niższy ode mnie o głowę. Wyczułem, że jest lekko zdenerwowany, co było zastanawiające, bo ten facet zwykle miał nerwy ze stali.

– MDS to skrót od Mobile Defence System. System wykrywania, identyfikacji i śledzenia celu, naprowadzania własnych rakiet i antyrakiet, a jednocześnie, a nawet przede wszystkim, tarcza chroniąca macierzyste oddziały. Technologiczny przełom, o czym nikt nie ma prawa wiedzieć, bo, rzecz jasna, urządzenie objęte jest ścisłą tajemnicą wojskową. Nie znam szczegółów, ale w skrócie: tarcza w kształcie kopuły tworzona jest z pola magnetycznego o ogromnej mocy. To tak, jakby skupiony w jednym miejscu oddział przykryć miednicą o półkilometrowej średnicy. Z tym, że ta akurat miednica wykonana jest z czegoś znacznie lepszego niż stal; pola magnetycznego materialna siła przebić nie może, tak więc żadne konwencjonalne środki nie zagrażają ukrytym pod parasolem ludziom i sprzętowi. Tarcza wytrzymuje nawet eksplozję nuklearną do 20 megaton z odległości kilometra. Niech mnie pan nie pyta, co z promieniowaniem, bo nie wiem. Zresztą i tak nie będziemy się na razie bawić w żadną wojnę atomową, prawda? – Generał uśmiechnął się krzywo. – Przysłanie nam MDS-a jest dowodem sojuszniczego zaufania do Polski w ogólności, Piątej Brygady w szczególności, no a pan stanowi clou tego zaufania.

Zbędna ironia. I tak byłem out.

– Eemmm – wyjąkałem, całkowicie przytłoczony spoczywającą na mnie odpowiedzialnością. – To oczywiście wielkie wyróżnienie dla mnie, panie generale, ale… czy dwa tygodnie na nauczenie się nowej taktyki walki, obsługi sprzętu i tych cholernych systemów nie jest, eemm, troszkę za krótkim okresem? Zwłaszcza że mamy walczyć w górach?

– Oczywiście, że jest. – Dreszer zaczynał być zniecierpliwiony. – Tyle że nie mamy innego wyjścia. Wszystkim zależy na czasie. I albo zrobimy wszystko w terminie, albo nie zrobimy w ogóle i zapewniam pana, że wtedy zarówno moja, jak i pańska kariera nie będą warte złamanego grosza. A teraz, jeżeli pan nie ma mądrzejszych pytań, proszę się odmeldować i zabierać do roboty.

Posłuchałem tej światłej rady. Niestety, skorzystał z niej także Karski. Miałem taki kołowrotek myśli w głowie, że dopiero na schodach zorientowałem się, że generał nawet nie zapytał mnie, czy zgadzam się na tę cholerną awanturę. Po prostu dał dowództwo, krzyknął: „wykonać!", a ja jak idiota posłusznie się zgodziłem. Z tego wszystkiego nie zauważyłem, kiedy weszliśmy do pokoju Karskiego.

Było to pomieszczenie znacznie bardziej od gabinetu Dreszera naznaczone osobistym piętnem. Maleńki, ciasny pokoik wszędzie udekorowany zdjęciami, świadczył o świetnej przeszłości bojowej mojego pułkownika. Przepraszam. Mojego byłego pułkownika. Karski z towarzyszami radzieckimi. Karski wśród radzieckich czołgistów. Karski z radzieckim generałem. Karski w radzieckim czołgu. Roześmiany Karski z roześmianymi towarzyszami radzieckimi. Poważny i marsowy Karski z poważnymi i marsowymi towarzyszami radzieckimi. I tak dalej.

– Słuchajcie no pan, panie majo…wniku Grobicki. – U niego brzmiało to jak „towariszcz majownik Grobickij". – Wiecie, jaki was zaszczyt spotkał, a? Ja zupełnie nie wiem czemu, zupełnie. – Bezradnie rozłożył ręce. – Wy jesteście lawirant i anarchista. Ja nie wiem, co wy w ogóle w wojsku naszym polskim robicie. Ale gienierał was wybrał i w ogóle argumentów moich słuchać nie chciał. Trudno.

Patrzyłem na tego grubego osła i zachodziłem w głowę, o co mu może chodzić. Nie była to pierwsza taka rozmowa. Przed każdymi ćwiczeniami, przed każdym najdrobniejszym zadaniem albo po każdym najdrobniejszym incydencie, Karski wygłaszał do mnie przemowy, przeważnie zresztą tej samej treści. Że, jego zdaniem, kompletnie się nie nadaję. Zaczął typowo, ale teraz już mógł mnie cmoknąć, z czego zresztą nie zdawał sobie najprawdopodobniej sprawy, bo z namaszczeniem zaczął wyłuszczać swój plan:

– Tak, ja myślę, wiesz pan, panie Grobicki, że wy nie powinniście tak odpowiedzialnego zadania brać, bo rady sobie na pewno nie dacie i wstyd ojczyźnie naszej polskiej przyniesiecie. Ale skoro się stało, trudno mówi się. Wy dobrać macie sobie dowódcę kompanii czołgów. Dobrego żołnierza wziąć musicie, odpowiedzialnego. Takiego, co to przed rządem naszym i prezydentem – tu pułkownik skrzywił się nieznacznie, dając do zrozumienia, że taki on tam prezydent – was i nas nie skompromituje. Taki, co wam pomoże oddziałem dowodzić.

Oho.

– Więc wy wiecie, że najlepszy tankista u nas to Poklewski porucznik jest, ha? Więc wy go dowódcą kompanii czołgów zrobicie i on wam to zadanie pięknie przygotuje.

Bingo.

Porucznik Stanisław Poklewski był ukochanym oficerem Karskiego. Świeżo upieczony absolwent szkoły, podejrzanie szybko awansował na pełnego porucznika. Stanowił doskonałe ucieleśnienie popularnego hasła „nie matura, lecz chęć szczera…”. Chłopski syn, gęba rumiana, niebieskie oczka pod wiechą jasnych włosów. Był tak tępy, że chyba od pryncypała swego głupszy, co, zważywszy na kondycję intelektualną Karskiego, było nielichym osiągnięciem. Tylko ambicji mu nie brakowało. Karski wcisnął go na dowódcę plutonu w moim batalionie i musiałem jakoś to znosić. Poklewski, ufny w siłę protekcji i swój chłopski rozum, nawet ze mną swego czasu wojenkę chciał wszczynać, ale szybko go usadziłem. Od tej pory pałał do mnie żywą i bezinteresowną nienawiścią, a ja ignorowałem go kompletnie.

– Panie pułkowniku, oczywiście, również uważam porucznika Poklewskiego za najlepszego kandydata na tę funkcję… chociaż ranga nie za wysoka…

– To go tu zaraz zawołać każę – Karski aż podskoczył z zadowolenia, bo pewnie spodziewał się większego oporu z mojej strony – i szybciutko się dogadacie.

– …i sądzę, że doskonale da sobie radę z obsługą systemu GPS i IVIS. Jak pan wie, panie pułkowniku, ten dowódca czołgistów będzie kluczową postacią w naszym oddziale. Będzie obsługiwał główny komputer i wszystkie zainstalowane na nim aplikacje: NavStar, Positioning Block, drugą wersję IVIS-a, mapy cyfrowe w formacie Mapinfo, cały program sterujący i tak dalej. No i wie pan oczywiście, że ci cholerni Amerykanie nie kwapili się specjalnie, aby wszystkie instrukcje obsługi przetłumaczyć na polski. Więc to jest parę grubych książek po angielsku do przeczytania na jutro.

Trudno sobie wyobrazić, z jaką wściekłością patrzył mój były bez-pośredni przełożony. Nie zauważył nawet, że połowę nazw i funkcji zmyśliłem – bo skąd niby mogłem je znać pięć minut po wyjściu od Dreszera?

– Przecież wy świetnie wiecie, że Poklewski angliskij zna ledwo co i kompiuter obsługiwać umie też ledwo co. Nie róbcie sobie jaj, dobra?

Pewnie, pewnie. Po co czołgiście obsługa komputera. On tylko „odłamkowym ładuj" i „ognia" krzyczeć głośno umieć musi.

– No, ja nic na to nie poradzę. – Bezradnie rozłożyłem ręce. – Więc myśli pan, panie pułkowniku, że porucznik Poklewski nie nadaje się? – Spojrzałem na niego z obawą.

– A niech was chaliera jasna!! Idźcie wy do diabła!

– To ja, jeśli pan pułkownik pozwoli, odmeldować się chciałbym…

– Woooooooon!! – ryknął Karski. – Wy mi się na oczy nie pokazujcie, won, ale już.

Wyprostowałem się dziarsko, bardzo starannie oddałem honory wojskowe, odwróciłem się i wyszedłem. Po przejściu bezpiecznego dystansu roześmiałem się głośno. Łatwo poszło. Za łatwo – powinno mi to dać do myślenia.

3.

Popołudnie upłynęło pod hasłem „job overtime". Dopiero potem zaczęły się kłopoty.

Najpierw musiałem ochłonąć.

Nominacja spadła na mnie jak grom z jasnego nieba. Jeszcze wczo-raj nie za bardzo przejmowałem się wojskiem i moją karierą. Po sie-demdziesiątej w tym miesiącu awanturze z Karskim i po wiadomości, którą dostałem od adwokata mojego ojca, postanowiłem wziąć rozwód z armią. Wiem, wiem. Taką decyzję podejmowałem ostatnio dwa razy dziennie po każdym pokazie głupoty i niekompetencji prezentowanej przez moich przełożonych lub podwładnych. Wczoraj jednak zdecy-dowałem definitywnie. Składam dymisję.

Moje plany dziś nad ranem pokrzyżował zwykły aparat telefoniczny. Na ogół wyłączam w nim dźwięk, aby nie można się było do mnie dodzwonić. Jednak wczoraj zapomniałem to zrobić, zmęczony i zły po ciężkim dniu. I dziś, o piątej rano, telefon zadzwonił, postawił mnie w dziesięć sekund na baczność, a wydobywający się ze słuchawki podejrzanie rześki głosik tonem niepozostawiającym jakiegokolwiek marginesu twórczej interpretacji rozkazał zerwać na nogi drużynę alarmową, uzbroić jak na jakiś Blitzkrieg, wystroić niczym do kościoła i o wpół do siódmej rano stawić się na pobliskim lotnisku w celu przyjęcia i bezpiecznego dowiezienia do bazy „dowodzonego przez kapitana Sancheza sojuszniczego oddziału, wyposażonego w sprzęt podlegający najwyższym klauzulom tajności". Za wykonanie zadania odpowiadacie głową, sąd polowy w razie niepowodzenia, życzę szczęścia, majorze, baczność, spocznij, odmaszerować.

Hymn państwowy. Orkiestra – tusz!

Był to dość niefortunny moment, aby poinformować zirytowany głos w telefonie, że już jestem właściwie passé i niech mnie cmoknie tam, Gdzie Ja Mogę Pana Majstra W Dupę Pocałować. Potem też nie było ani kiedy, ani komu zwierzyć się z moich hamletowskich dylematów. Spotkanie na lotnisku Nancy Sanchez, wraz z jej oddziałem i kosmicznym samochodem, spowodowało chęć natychmiastowej ucieczki, chociaż powody nie były bezpośrednio związane ze służbą.

Jazda pancernymi pojazdami po ulicach miasteczka z maksymalną przewidzianą przez producenta szybkością, wizyta u generała i jego nieodpowiedzialna propozycja, sprawiły, iż moja niezachwiana wiara w decyzję odejścia z armii przestała już być taka niezachwiana.

W końcu dowództwo takiego oddziału jak Pierwszy Samodzielny Batalion Rozpoznawczy to było coś. Amerykanów mogłem ignorować.

Ale dlaczego Dreszer – pomimo starań mojego byłego przełożonego – na dowódcę oddziału wybrał akurat mnie? Nie słyszałem, żeby specjalnie za mną przepadał. Znałem dobrze angielski, wiadomo było, że przynajmniej pod tym względem będę gładko współpracował z sojusznikami. To, że występowałem w charakterze koła ratunkowego, które gwałtownie zatonie w wypadku niepowodzenia, było oczywiste. Ale co jeszcze, co jeszcze? Miałem kompletny mętlik w głowie.

Czy to w końcu ja, do cholery, wymyśliłem wojnę z talibami? Jeżeli Dreszer, zapewne przy akceptacji wyższych dowództw, wyznaczył mnie na wodza wyprawy, musi jakoś tam wierzyć, że sobie poradzę, w końcu też bierze za tę nominację odpowiedzialność. Jeśli ktoś tak nie uważa, chętnie przekażę dowodzenie batalionem kapralowi nadterminowemu Galasiowi. Będzie równie skutecznie, a o ileż śmieszniej.

Uff, jak gorąco.

A może w końcu, po tylu latach szkoleń, moknięcia na poligonach i znoszenia wszechogarniającej głupoty, mógłbym się czymś wykazać? I to samodzielnie, z dala od tysięcy oczu „życzliwych" i jawnie nieżyczliwych kolegów. A jako ukoronowanie zadania – mała zwycięska wojenka. Człowiek jest jednak krwiożerczym bydlęciem.

Roześmiałem się cichutko w duchu. Byłem niepoprawnym, chorobliwym hipokrytą. Wystawiałem nadwątloną przez starczy wiek pierś po ordery i chwałę wojenną, a nie umiałem sam przed sobą przyznać, o co w tej awanturze naprawdę chodzi.

Nawet nie zauważyłem, kiedy doszedłem do budynku, w którym kwaterował mój „stary" batalion. Trzech żołnierzy, ubranych w pełne stroje przeciwchemiczne i maski przeciwgazowe, biegało dookoła placu apelowego. Wyglądało na to, że mają już za sobą wiele okrążeń. A przypominam – był potworny upał. Na środku placu postawny oficer, w nienagannie odprasowanym mundurze wyjściowym, miłym, acz nieco teatralnym głosem zachęcał biegaczy do wzmożonego wysiłku.

– Wróbel! Czy ty myślisz, że mam czas czekać do Bożego Narodzenia, aż zrobisz tych marnych trzydzieści okrążeń? Trzeba się było tyle nie zabawiać siusiakiem pod kołdrą, tobyś miał więcej siły. Jankowski! A tobie chyba przepiszę specjalną dietę, bo ci tyłek za bardzo urósł. Próbujesz, próbujesz, a więcej jak trzydzieści centymetrów nad ziemię nie jesteś w stanie go podnieść. Ruszaj się.

I tak dalej.

Podszedłem do prowadzącego to pouczające ćwiczenie i zagaiłem:

– Cóż te nieboraki przeskrobały?

– Ochotnicy – obruszył się, ale na wszelki wypadek stanął w sposób, który od biedy można było uznać za postawę zasadniczą. – Melduję, że szlifują formę.

– Ochotnicy? – Podniosłem brew. – Przecież zaraz padną na udar mózgu.

– Wtedy już nie będą ochotnikami – zgodził się. – Wie pan major, każdego dnia, o każdej godzinie dbam o podnoszenie umiejętności naszych żołnierzy.

– Jasne. Puść ich tymczasem, chcę pogadać.

Oficer jedną komendą wyzwolił w żołnierzach ukryte zapasy energii. Pocwałowali w stronę kwater, już w biegu pozbywając się kombinezonów. Ich dowódca odwrócił się i stanął w wyczekującej pozie. Wojtek Kurcewicz, kapitan. Według nomenklatury tego pacana Karskiego – tankista. Kawał chłopa – blisko metr dziewięćdziesiąt w skarpetkach, do tego waga z pewnością przekraczająca sto kilogramów i odpowiednia muskulatura. Z trudem mieścił się w ciasnej wieży twardego. Odczuwaliśmy obaj pewną wspólnotę facetów słusznego wzrostu i wagi. Miał dwadzieścia dziewięć lat i swoim emploi przypominał trochę Kmicica z pierwszego tomu „Potopu" – nieposkromiony temperament, niewyparzony język, czyn czasami szybszy niż myśl i nieustanna chęć wszczęcia awantury. Ale do tego był inteligentny, zdolny jak cholera i bardzo ambitny; podwładni go lubili – w przerwach, kiedy nie klęli na niego z powodu wlepionej dodatkowej służby. Ja też go lubiłem. Jeżeli mam z kimś jechać na wojnę, to na pewno z nim.

– Chciałbyś powojować? – spytałem.

– Proszę?

– Normalnie. Strzały, wybuchy, napalm. Wiesz, jak w filmach.

– Jureczku, zawsze cię prosiłem, żebyś z gołą głową nie wychodził na słońce. Nie posłuchałeś mnie i teraz masz efekty – zatroskał się fałszywie.

– Poważnie. Stary właśnie wyznaczył mnie na dowódcę jednostki, która ma pojechać do Afganistanu na wojnę z Osamą. Wchodzisz?

Udało mi się zwrócić jego uwagę, bo tym razem spojrzał nieco uważniej.

– Mówisz serio?

– Serio, serio – odparłem. – Podowodziłbyś sobie kompanią twardych. Nowa optyka, nowe oprogramowanie, nowe silniki, amunicji ile chcesz. W ogóle cały oddział ma być tak uzbrojony i nowoczesny, że Terminator przy nim to pikuś.

– A ciebie jak ten zaszczyt spotkał? Karski przeniósł się na łono Abrahama? Dreszer cię usynowił?

Puściłem złośliwości mimo uszu i streściłem mu rezultaty spotkania z Dreszerem. Powoli zaczęło do niego docierać, że jednak się nie wygłupiam.

– Super! Wchodzę w ten interes.

– Coś podobnego?! Zawsze miałem cię za pacyfistę – odegrałem się. I on też się uśmiechnął. – Ale dobrze. Załogi podobno są już skompletowane i przeszkolone. Musisz dobrać tylko dowódców plutonów. Możesz szukać w całej brygadzie. Do wieczora podaj mi nazwiska.

– Tak jest. A masz już kandydatów na artylerię, piechotę, śmigłowce i całą resztę tego szajsu?

– Jeszcze nie. A ty co myślisz?

– Ależ panie majorze, ja nie jestem od myślenia...

– Pułkowniku, panie kapitanie. Dostałem awans.

– Gratulacje – ucieszył się szczerze. – Ku chwale ojczyzny.

– Dzięki. Więc jak?

– Na pewno Wieteska. Wariat, ale najlepszy. Jak Amerykanie zobaczą go przy robocie, dadzą nam wszystkie swoje apacze za darmo, a sami zaczną latać na kukuruźnikach, bo stwierdzą, że się do niczego innego nie nadają. Na zaopatrzenie – Sawicki. Nie lubię skurwysyna, ale jak go weźmiesz, wszystko będzie chodziło jak w zegarku. Piechota, hm... Lubosz jest dobry, ale dupek. Jak pojedzie z nami, będzie ciągle płakał do mamusi. Wyda majątek na telefony. Weź Borka, celnie strzela skubany i mówi po angielsku. Artyleria? Diabli wiedzą, to wszystko będzie jedna wielka improwizacja. A skoro tak, to bierz Wójcika, w życiu nie widziałem większego bałaganiarza. Na resztę nie mam pomysłu.

Taaaa, bardzo ciekawe kandydatury. Poza Sawickim, banda pijaków i obiboków, traktujących wojsko jako doskonałą odskocznię do robienia rozmaitych podejrzanych geszeftów. W najlepszym przypadku – dobrze płatne wakacje. Problem polegał na tym, że ci ludzie, odpowiednio zmotywowani, byli najlepszymi żołnierzami w brygadzie. Wszyscy bez wyjątku inteligentni, odważni, obdarzeni wyobraźnią i zdolnościami taktycznymi. Z pewnością łączyło ich nieprzesadne trzymanie się regulaminu.

Lista Kurcewicza całkowicie pokrywała się z moją – w końcu przyjaźniliśmy się i poglądy na ludzi mieliśmy podobne. Oto nasi bohaterowie:

Mały, chudy, małomówny, czterdziestoletni porucznik Tomasz Sawicki. Powinien już dawno być kapitanem albo nawet majorem, ale kompletnie się o to nie starał. Chyba mu po prostu nie zależało. Jako dowódca kompanii logistycznej perfekcyjny – nikt nigdy nie słyszał, aby kolumna Sawickiego gdzieś się spóźniła, miała awarię czy czegoś nie dostarczyła na czas. Po prostu wojsko było jego życiem. Będzie dowodził kolumną czterdziestu dwóch potężnych, czternastotonowych starów, ośmioma cysternami, zmotoryzowanym parkiem naprawczym, warsztatem helikopterów, kuchnią i polowym lazaretem.

Porucznik Jakub Borek – dowódca kompanii piechoty i dziesięciu rosomaków, czyli transporterów piechoty. Podobnie jak Sawicki dość nikczemnej postury. Nieśmiały jak panienka na wydaniu, kochał się beznadziejnie w jednej Basi z sąsiedztwa. W ogóle – romantyk. Ale jakoś w niego wierzyłem, bo był uparty jak muł i zawsze osiągał to, co sobie założył.

Kapitan Dariusz Wójcik – kandydat na dowódcę ad hoc skleconego dywizjonu wsparcia artyleryjskiego – czyli czterech haubic krab, czterech wielolufowych wyrzutni rakietowych BM-21 i dwóch moździerzy AMOS. Ten będzie miał jeszcze gorzej od Borka, bo swoje działa widział do tej pory głównie w telewizji. Szwedzi od AMOS-a wyszkolili co prawda dwie załogi u siebie, ale obsada haubic krab, choć podobno postrzelała trochę na przyfabrycznym poligonie, nie prezentowała oszałamiająco wysokiego poziomu. Wójcik to artylerzysta z dziada pradziada – jego cała rodzina od trzech pokoleń związana była z wojskiem, począwszy od bitwy warszawskiej – i fanatyk, który kocha swój zawód.

Kapitan Jan „Johny" Wieteska, dowódca klucza helikopterów – może nawet większy wariat niż Kurcewicz. Wypowiadał się z prędkością dwustu słów na minutę, zawsze miał coś do powiedzenia. Powoził swoim Mi jak pijany stangret dorożką; mistrz w swoim fachu – nie widziałem w życiu lepszego pilota. Jego załogi też były warte dowódcy – banda chyba największych pijaków w jednostce, ciągle wszczynali burdy z miejscowymi. Szkopuł w tym, że na ćwiczeniach zawsze mieli dziesięć trafnych strzałów na dziesięć możliwych. Latali – pomimo permanentnego kaca – z nieprawdopodobną wprawą.

I wreszcie porucznik Karol Stańczak – dowódca plutonu zwiadowczego. Miał dowodzić trzema opancerzonymi samochodami rozpoznawczymi BRDM-2 i czternastoma ludźmi oraz przydzielonym plutonem saperów. Małomówny, uparty, rzeczowy do bólu. Potrafił zniknąć ze swoimi ludźmi bez śladu, pojawić się siedemdziesiąt kilometrów dalej i ostentacyjnie wziąć do niewoli sztab wraz z dowódcą.

Po czym znowu znikał i wynurzał się w następnym nieoczekiwanym miejscu. Jak on to robił, pozostawało dla wszystkich – łącznie z rozjemcami ćwiczeń – nieodgadnioną tajemnicą.

Skład uzupełniali porucznicy: Wacław Grabowski, dowódca baterii przeciwlotniczej, i Janusz Wojtyński, dowódca plutonu GROM-u. O tym ostatnim nie wiedziałem dosłownie nic – nie znałem go wcześniej, lecz nie miałem żadnego wyboru. Dreszer po prostu mi go przedstawił i kazał włączyć do oddziału. Pluton GROM-u, liczący dwudziestu ludzi – trzy drużyny po sześciu plus strzelec wyborowy plus Wojtyński – miał podróżować wynajętymi od Amerykanów czterema hummerami.

Pożegnałem się z Kurcewiczem i poszedłem na spotkanie z nieznanym. Dumałem o tym i owym, jednocześnie przygotowując w głowie listę argumentów, którymi przekonam przełożonych tych oficerów, którzy rzecz jasna nie będą chcieli się pozbywać swoich najlepszych ludzi. Rzeczywiście – w ciągu reszty popołudnia musiałem odbyć kilka naprawdę ciężkich walk. W jednym przypadku odwołałem się do pomocy Dreszera.

W końcu zebrałem tę doborową grupkę w obskurnej stołówce w przydzielonym batalionowi baraku i wygłosiłem krótki, ale efektowny spicz, w którym jasno przedstawiłem, w co się pakujemy. Niestety wszyscy kandydaci, nie wiedzieć czemu, radośnie podniecili się faktem, że stali się elitą polskiej armii, awangardą światowej wojny z terrorem i terrorystami. Według mnie byli oderwani od rzeczywistości i mieli skłonności samobójcze, jakoś bowiem słuch ich zawiódł, kiedy tłumaczyłem, ile mamy czasu na przygotowania i że umiejętności będziemy prezentować wobec ludzi, dla których złamać nasze kariery to tyle, co pstryknąć palcami. Kompletnie również zignorowali fakt, że będziemy użyci w prawdziwych działaniach wojennych. Może usłyszeli tylko część o splendorach i zaszczytach. Oczywiście jednogłośnie zadeklarowali chęć uczestniczenia w tym cyrku.

– A więc dobrze – westchnąłem. – Od tej chwili podlegacie mnie, z waszymi przełożonymi zostało to już formalnie załatwione. Proszę natychmiast objąć dowództwa podległych pododdziałów. Zdaje się, że to w dużej większości wasi ludzie. Gotowość do odjazdu: jutro, godzina 13.00. W tej chwili najważniejsze jest pobranie reszty sprzętu, dopilnowanie montażu IVIS-a oraz koniecznych przeglądów. Sprawdzić listy zaopatrzeniowe. W razie uwag – natychmiast meldować. Ma nam brakować tylko ptasiego mleka, więc wykorzystajcie to. Są pytania? Nie ma. A więc, panowie oficerowie Samodzielnego Batalionu Rozpoznawczego, rozejść się!

– Tak jest!

Nastąpił mały korek przy wąskich drzwiach, bo chłopcy, niesieni entuzjazmem, chcieli jak najszybciej przystąpić do odciskania osobistego piętna w rozprawie z tym rzeźnikiem Osamą. Wyszedłem za nimi dostojnym krokiem. Mnie nie wypadało biegać jak byle gówniarzowi.

Poszedłem w stronę kwater amerykańskich sojuszników. Z nimi był, niestety, osobny problem. Już rano odebrało im mowę, gdy zobaczyli, w jakich warunkach będą mieszkać, a w końcu przed ich przyjazdem drużyna służbowa przez pół dnia sprzątała i pucowała przydzielony barak. Potem krzywili się przy jedzeniu i, o ile dobrze podsłuchiwałem, główny sierżant zaklinał się na wszystko, że jego noga więcej w stołówce nie postanie i pytał o McDonalda.

Wszedłem do obszernego hangaru, uważnie zlustrowany przez pełniących wartę marines. MDS stał na samym środku i chociaż pomieszczenie było naprawdę wielkie, nie mogę powiedzieć, że zostało dużo miejsca. Obok MDS-a przycupnął opancerzony star, czyli moje miejsce dowodzenia. Przy sojuszniczym gigancie wyglądał jak ubogi krewny. Nancy Sanchez stała przed wozem i energicznie tłumaczyła coś swoim ludziom.

– Jak postępy robót, pani kapitan? – Miałem ochotę powiedzieć coś zupełnie innego, ale ponieważ nie byliśmy sami, musiałem starannie trzymać się służbowych tematów.

– Posuwamy się do przodu – odparła równie oficjalnym tonem. – Utworzyłam trzy zespoły informatyków i łącznościowców. Instalujemy oprogramowanie we wszystkich pojazdach i helikopterach. Chcemy dziś skończyć instalację, a jutro, jeszcze przed wyjazdem, przetestować cały system. Bardzo pomaga nam ten wasz kapral... Galas.

– Galaś. – Pokiwałem głową. – On się wszędzie wepchnie.

– Zauważyłam – powiedziała pogodnie. – W tej chwili poucza naszego głównego informatyka, jak instalować oprogramowanie w pana samochodzie.

Uśmiechnąłem się uprzejmie.

Błękitnochabrowe oczy patrzyły na mnie z życzliwością. Uśmiech był czymś więcej niż zwykłym służbowym grymasem. Poczułem coś w rodzaju złośliwej satysfakcji, że nie robi to na mnie specjalnego wrażenia.

Weszliśmy do stara. Na małym stołeczku siedział amerykański specjalista, w moim wygodnym fotelu rozpierał się Galaś. Brakowało mu tylko cygara i lampki koniaku. Od razu zauważyłem, że kapral, mimo pokaźnych braków językowych, dochrapał się zaszczytnej funkcji alfy i omegi w kwestiach dotyczących prozy życia polskiej jednostki wojskowej. Co dla Amerykanów było oczywiste, u nas trzeba było załatwiać – często na lewo – czego z kolei Amerykanie kompletnie nie rozumieli. I Galaś właśnie to robił. Sprzęt komputerowy zakupiony zgodnie z wymaganiami systemu był pierwszej klasy, ale oczywiście okazało się, że brakuje kilku transformatorów i przejściówek. System za kilkaset tysięcy dolarów nie działał z powodu braku części za kilkaset złotych. Galaś popatrzył, pokombinował, pogadał ze znajomymi z kwatermistrzostwa i sposobem domowym wszystkie brakujące części uzupełniono. Kapral osobiście podłączył je wielką lutownicą, a monter z oddziału remontowego, który był bodajże z wykształcenia hydraulikiem, połączył kable. Wszedłem w momencie, kiedy Galaś ruchem prestidigitatora przekręcał główny włącznik mocy. Zanim przerażeni Amerykanie zdołali w ogóle zareagować, monitory w wozie dowodzenia rozjarzyły się setką różnokolorowych światełek i, ku zdumieniu naszych gości, program IVIS wraz z towarzyszącymi mu aplikacjami ruszył. Moim skromnym zdaniem honor polskiej armii został uratowany, niestety nasi amerykańscy sojusznicy mieli odmienne zdanie. Zdaje się, że od tej pory zaczęli nas traktować jak bandę groźnych szaleńców, którym śmiercionośną broń dano do ręki tylko przez poważne niedopatrzenie Wuja Sama. Ta śmiercionośna broń niewątpliwie posłuży – w opinii Amerykanów – do zrobienia sobie i wszystkim dookoła nieodwracalnej krzywdy. Co, jak się niedługo okaże, nie było znowu tak odległe od prawdy.

Tak więc od początku współpracy ekipa kapitan Sanchez patrzyła na nas dość podejrzliwie. Nawet ja, mający wszelkie możliwe upoważnienia i autoryzacje do posługiwania się IVIS-em, a także wgląd w tajemnice MDS-a, byłem przez nich traktowany nieufnie; sierżant-szef Wilson, oglądając moją legitymację, miał taką minę, jakby chciał ją podrzeć, a potem połknąć (lub może odwrotnie: połknąć, a potem podrzeć) i pokazać mi środkowy palec, mówiąc z lubością

„fuck yourself". Niestety moja legitymacja była w porządku, więc sierżant z westchnieniem wpuścił mnie do środka MDS-a. Jak sądzę, zaczął od tej pory uważać, że bezpieczeństwo Stanów Zjednoczonych będzie nieustannie zagrożone. Pogadałem z operatorami systemu, pogapiłem się chwilę na kolorowe okienka aplikacji – i wyszedłem. IVIS i MDS to były moje najmniejsze problemy. Nancy pomachała mi na pożegnanie. Mój puls niebezpiecznie przyspieszył.

Wojtek Kurcewicz stał przed hangarem i patrzył na mnie spod oka. Miał wyraźnie zadowoloną minę.

– Na co się gapisz? – burknąłem. – Wybrałeś ludzi?

– Wybrałem. – Kiwnął głową. – Już się uczą programu. Mechanicy robią gruntowny przegląd wszystkich podzespołów. Chłopakom też nieźle idzie. – Mówił o dowódcach pozostałych pododdziałów. – Nawet nie mieli specjalnie kłopotów ze skompletowaniem załóg, chociaż wydaje mi się, że główną motywacją tych pieprzonych gemajnów była mamona, jak zwykle zresztą. Wyglądasz, jakbyś miał za chwilę zemdleć.

– Nic mi nie jest. Dopilnuj, aby w każdym wozie bojowym był przynajmniej jeden człowiek, który wie, o co chodzi z IVIS-em. Nie chcę słyszeć, że ktoś czegoś nie wie. Muszę jeszcze pogadać z logistyką. Stary chce nam załadować tyle amunicji, że będziemy musieli strzelać bez przerwy przez miesiąc, żeby wszystko zużyć. Swoją drogą to dziwne – prawie w ogóle nie mamy amunicji ćwiczebnej, tylko samą ostrą. I wszystko najnowsze patenty – pociski kasetowe, samonaprowadzające, sidewindery... Cuda, mówię ci.

– No i bardzo dobrze – ucieszył się, nie zwracając uwagi na moje wątpliwości i nie przestając mi się przyglądać. – Nareszcie będziemy mogli popracować na ostro, zwłaszcza w ruchu. À propos ruchu: robimy imprezkę?

– Chyba tak. – Westchnąłem. – W tej sytuacji pozostaje tylko porządnie się upić.

– Ależ panie pułkowniku, proszę nie dramatyzować. Dzisiaj się nawalimy, a potem ze śpiewem na ustach pokażemy kościanym dziadkom z Warszawy, kto tu rządzi.

– Spadaj, dobra? Powiedz oficerom, że spotykamy się o ósmej w „Kolorowej". Aha, chcę zaprosić kapitan Sanchez, więc bez wygłupów!

– Kapitan Sanchez? – Kurcewicz uśmiechnął się domyślnie. – Panie pułkowniku, doskonały pomysł. Jednak chciałbym panu pułkownikowi zwrócić uwagę, że pan pułkownik to za wysoka szarża dla pani kapitan. Pan pułkownik ma za dużo obowiązków i w ogóle. Co innego dowódca kompanii czołgów… Ot, skromny oficer, w sam raz, aby pani kapitan Sanchez zaproponować – całkowicie bezinteresownie – intensywne szkolenie na przykład z polskich regulaminów albo z systemów celowania… Niezła laska z tej Nancy, no nie? Połowa wojska o niej gada.

Sprawdzał mnie, ale pomimo to nie mogłem się opanować:

– Baczność!

– Tak jest!

– Kapitan Sanchez jest stara, kulawa i brzydka. Zrozumiano?

– Tak jest!

– Nawet jeżeli nie jest, wam ma się wydawać, że jest! Zrozumiano?

– Tak jest!

– Jeżeli wy albo któryś z waszych ludzi na nią spojrzy, każę was rozstrzelać! Zrozumiano?

– Tak jest!

– Odmaszerować!

– Tak jest! Zrozumiano. Odmeldowuję się. – Kurcewicz wykrzywił twarz w grymasie udawanej rozpaczy, zasalutował i defiladowym krokiem odmaszerował w stronę kwater. Miałem ochotę kopnąć go w tyłek.

4.

L. to była licząca pięć tysięcy mieszkańców straszna, prowincjonalna dziura, która słynęła w świecie z dwóch rzeczy: naszej brygady i największego centrum przemytniczego w Polsce południowo-zachodniej. Podobno nieprawdopodobne ilości alkoholu, papierosów i ludzi kursowały przez nieodległą granicę. W obie zresztą strony. Po miasteczku snuły się często grupki barczystych łysych, co ważniejsi przemykali z rykiem silnika luksusowymi brykami. Było parę spięć między nami a nimi, Dreszer wydał nawet specjalne zarządzenie, w którym pod groźbą najsurowszych kar zakazywał prowokowania jakichkolwiek burd. Może sądził, że wojna brygady z mafią nie jest nam potrzebna. W każdym razie zarządzenie nie było ściśle przestrzegane – Wojtek

Kurcewicz ze swoimi ludźmi nawet się kiedyś omal nie postrzelał z jakimiś typkami.

Po bardzo ciężkim dniu, kiedy udało się mniej więcej podopinać najważniejsze sprawy, kiedy batalion zaczął z grubsza przypominać jednostkę wojskową, kiedy sukcesem zakończyło się pobieranie sprzętu i zaopatrzenia, miałem już tylko ochotę paść na łóżko i spać dwie doby bez przerwy. Pomyślałem jednak o czekającym mnie spotkaniu z Nancy i jakoś przestałem odczuwać zmęczenie. Przebrałem się w cywilne ciuchy i poszedłem w stronę kwater Amerykanów. Ciepły, letni wieczór aż się prosił o spacer pod rękę z piękną kobietą. Nawet odrapane budynki koszar i popękany beton na placu apelowym wydawały się ładniejsze niż zwykle. Ech, romantyk ze mnie.

Nancy oczywiście spóźniła się parę minut. Była oficerem elitarnej jednostki wojskowej, świetnie wyszkolonym żołnierzem, ale przede wszystkim była kobietą, i to kobietą w pełni świadomą swojej urody. Musiała po prostu mieć entrée, które nawet na takiego rozkojarzonego osobnika jak ja nie mogło nie podziałać. Wyglądała oszałamiająco, chociaż ubrana była w dżinsy i zwyczajny T-shirt.

– Pięć minut spóźnienia – powiedziałem z przyganą – choć niechętnie przyznam, że warto było poczekać. Wyglądasz wspaniale…

– No, no. Cóż za miłe powitanie. – Leciutko się uśmiechnęła. – Spóźniłam się, bo musiałam przywrócić Wilsona do pionu i wyrwać z korzeniami tego twojego kaprala, bo najchętniej by u nas nocował.

Poszliśmy w stronę bramy.

– Miałaś kłopoty z Galasiem? – zdziwiłem się obłudnie. – Trzeba było dać mi znać.

– Ależ panie pułkowniku, w końcu szkolą nas po to, abyśmy umieli radzić sobie z krnąbrnymi kapralami wojsk sojuszników. – Westchnęła. – Z własnymi sierżantami zresztą też. A przy okazji: gratuluję awansu i nominacji.

– Dziękuję. Wcale nie wiem, czy się cieszyć. A Wilsonowi o co właściwie chodzi?

– Nagły atak złego humoru. – Machnęła ręką. – Przejdzie mu.

– Ten zły humor ma coś wspólnego z nami?

– Owszem, trochę – przyznała. – Nie przejmuj się. On jest pierwszy raz w Europie i pierwszy raz będzie współpracował z wami, Polakami. Jest strasznym pedantem, a MDS to jego wypieszczone, ukochane dziecko. Uważa, że nikt, może poza prezydentem Stanów

Zjednoczonych, nie powinien mieć wstępu na jego pokład, a sam MDS nie powinien służyć niczemu innemu jak bezpieczeństwu Stanów Zjednoczonych.

– Przecież będzie służył – wtrąciłem. – Wojna z talibami...

– Wiem – przerwała mi – i dlatego nie przejmuj się. Przejdzie mu. To dobry żołnierz i zastosuje się do rozkazów.

Doszliśmy do bramy koszar. Wartownik na nasz widok zakrztusił się z wrażenia. Patrzył na Nancy takim wzrokiem, że szczerze współczułem mu nadchodzącej nocy. Przez bramę będzie mogła wjechać wroga kolumna pancerna, a oddany marzeniom szeregowy niczego nie zauważy.

– A więc nazywasz się Nancy Sanchez – zmieniłem temat.

– Tak.

– Od dawna?

– Od sześciu lat.

Wyszła za mąż, jak miała dwadzieścia osiem.

– A kim jest ów szczęśliwiec?

– Ernesto. – Zarumieniła się lekko. – Major Ernesto Sanchez. Sto pierwsza powietrznodesantowa.

Fiu, fiu. To ta, co nie dała rady w operacji Market Garden w czterdziestym czwartym. Ale majora Ernesta Sancheza, niech jak najszybciej zejdzie nagłą i niespodziewaną śmiercią, przy tym oczywiście nie mogło być.

– No i?

– Co – no i?

– Kochasz go? – Czułem, że brnę beznadziejnie, ale słuchanie o jej mężu sprawiało mi jakąś masochistyczną przyjemność. Pytanie swoją drogą było ryzykowne, wszak wchodziłem na cudze wody terytorialne. Nancy odpowiedziała jednak, nie zwracając uwagi na moje rosnące zdumienie:

– Trzy lata temu poleciał z misją. Nawet nie wiem gdzie. – Mówiła cicho, z jakąś rezygnacją w głosie. – Wrócił po trzech miesiącach. Ranny. Zmieniony nie do poznania. Od tej pory było tylko źle i coraz gorzej. Odsunął się ode mnie. Mijaliśmy się jak dwoje obcych ludzi. Nie chciał żadnej pomocy, chociaż rany bardzo źle się goiły. W końcu zaproponowali mu rentę inwalidzką. Od tej pory siedzi na fotelu i patrzy w morze. Od dwóch lat. Zdążył mi tylko, przez adwokata, przysłać pozew rozwodowy.

Byłem zaskoczony, gdy tak bez owijania w bawełnę powiedziała mi, że jest wolna i w zasadzie do wzięcia. Nie bardzo widziałem, czy się cieszyć, ale na wszelki wypadek zachowałem odpowiednio poważną minę. W końcu rozpad udanego małżeństwa to smutna sprawa, czyż nie?

– Nancy, nie martw się. Jesteś bardzo silna, dasz sobie radę.

– O kurczę, ale byłem oryginalny.

– Nie musisz mnie pocieszać. – Uśmiechnęła się z przymusem.

Miałem inne zdanie w tej kwestii, nie zdążyłem go jednak wyartykułować, bo właśnie doszliśmy do celu naszej podróży, czyli najelegantszego lokalu w mieście.

Najelegantszy lokal gastronomiczny w L., nazwany odkrywczo „Kolorowa", w żadnym innym mieście nie spełniłby standardów najelegantszego, eleganckiego czy choćby przyzwoitego. Była to spelunka w pełnym tego słowa znaczeniu. Jednak podawali tam dobre i tanie piwo. Nam, oficerom Pierwszego Samodzielnego Batalionu Rozpoznawczego, nie było na razie więcej trzeba. A zwłaszcza mnie. To miała być długa noc.

Wejście do „Kolorowej" mieliśmy efektowne. Gdy ukazaliśmy się w drzwiach, siedzący przy stołach i barze mężczyźni zamilkli i otaksowali nas bezczelnymi spojrzeniami. Przechodząc koło jednego ze stołów, spojrzałem znacząco na pięciu potężnych, wygolonych na łyso facetów, ale mogłem sobie darować. Po prostu pożerali Nancy wzrokiem. Przyzwyczajeni do swoich cycatych blond kurewek z tipsami w stylu Freddiego Krugera, na widok naturalnej i niebanalnej urody kapitan Sanchez zareagowali osłupieniem. Wśród kompletnej ciszy podszedłem do stołu, przy którym zasiedli moi ludzie.

– Ja pierdolę, ale dupa! – rozległo się z tyłu, i to proste stwierdzenie jakby rozładowało sytuację. Gwar wrócił do poprzedniego poziomu, choć jestem pewien, że temat rozmów krążył konsekwentnie koło zalet urody mojej towarzyszki i skoncentrowany był na wymienionej części ciała.

– Panowie – oznajmiłem niegłośno – mam przyjemność przedstawić wam kapitan Nancy Sanchez. Kapitan Sanchez dowodzi amerykańskim oddziałem wsparcia, który został czasowo włączony w skład naszego batalionu. Bardzo panów oficerów proszę o niewygłupianie się, nieskładnie propozycji matrymonialnych i ogólne zachowywanie się. Spocznij.

No, muszę powiedzieć, że chłopcy zachowali się naprawdę na poziomie. Każdy miał ochotę trzasnąć obcasami i zasalutować, ale w porę zorientowali się, że nie mają na sobie mundurów, więc ograniczyli się do krótkiej prezentacji. Kilku, w tym Kurcewicz i Wojtyński, mówiło znośnie po angielsku, nie byłem zatem skazany na tłumaczenie non stop. Początkowe onieśmielenie zmniejszało się w miarę wypijanych kolejek. Wszyscy chcieli zaimponować naszej sojuszniczce, więc rozmowa aż skrzyła się od, koszarowego niekiedy, humoru.

Wesołą atmosferę zakłóciło na moment przybycie kolejnego gościa. Miał na sobie motocyklowe, skórzane spodnie, starą motocyklową kurtkę i czapkę pilotkę zawadiacko wsadzoną na bakier. Facet podszedł do nas niedbałym krokiem, podzwaniając głośno milionem sprzączek i skuwek.

– Ja serdecznie i szczegółowo pierdolę, panie pułkowniku, takie naprawy – powiedział kapitan Jan Wieteska i rzucił na stół jakiś podłużny kawał żelastwa, prawie rozłupując wysłużony mebel na pół i wywracając szklanki oraz butelki po piwie, na co zresztą nie zwrócił najmniejszej uwagi. – Tych głupków ze Świdnika, pozwoli pan pułkownik, osobiście zbombarduję. Dali mi wadliwy wał korbowy, rozumie szanowny pan pułkownik? Nowy wał, który jest pęknięty. Wiadomo, co by było, gdybyśmy na tym wale chcieli gdzieś polecieć... Ouupppps! – Zająknął się, bo dopiero teraz zobaczył Nancy. – Najmocniej, eeemm, to znaczy, bardzo szanowną panią przepraszam, że pozwoliłem sobie na takie brzydkie słowa i ten, tego – jąkał się w sposób zupełnie do niego niepodobny. Jakoś nigdy nie miał śmiałości do kobiet.

– Daruj sobie – powiedziałem, starając się opanować wesołość i bałagan na stole – to Amerykanka. Kapitan Nancy Sanchez, która będzie nas wspierać.

– Aj em sory, miss kapitan – dukał Wieteska. – It is wery najs to mit ju. – Reszta zebranych, łącznie z samą zainteresowaną, wybuchnęła śmiechem. – Ja pierdzielę, Jureczku, chętnie bym ją osobiście powspierał, wiesz? Panie pułkowniku kochany, zrobi pan uprzejmość swojemu ulubionemu oficerowi i przydzieli ją jako wsparcie dzielnemu dowódcy lotników – cykał półgębkiem w moją stronę – a ja już ją ugoszczę. O Jezu, co to za babka, anioł po prostu.

– Daj spokój – ostudziłem go.

– Aaaaaa, rozumiem. – Spojrzał na mnie bystro. – Pan pułkownik, zdaje się, według zasady starszeństwa, dla siebie ją...?

– Daj spokój, Johny – powtórzyłem, wpadając w nieoczekiwaną nawet dla mnie samego złość. – Ona jest mężatką i przede wszystkim żołnierzem. A Amerykanie nie mają zbytniego poczucia humoru w kwestii molestowania w pracy.

– Jakiej kurna pracy, prywatnie tu jesteśmy, no nie? – zaperzył się. – Jeżeli picie wódki w towarzystwie nazywają pracą, to co jest dla nich odpoczynkiem? Wojteczku, polejesz mi, czy tak będziemy patrzeć na siebie?

– Panowie, zdaje się, rozmawiacie o mnie? – wtrąciła Nancy. – Mogę wiedzieć, o czym?

– Nasing important miss kapitan – ubiegł mnie Johny Mistrz Językowy. – Aj sed to mister kolonel dzet it is wery gud dzet amerykan army lil saport as in Afganistan operejszyn włer li lil saport amerykan army.

– Och, doprawdy? – rozpromieniła się Nancy, udając, że bierze gadaninę Wieteski za dobrą monetę. – Afganistan to będzie pierwsza nasza wspólna operacja, ale mam nadzieję, że nie ostatnia.

– Tak jest. – Kurcewicz wyprostował się i trzasnął obcasami. – Razem za wolność naszą i waszą! – Podniósł ocalały kufel i jednym haustem opróżnił go do końca.

– Pierdolenie, panie pułkowniku, no nie? – po polsku nadawał Wieteska. – A tak à propos: czy już piliśmy za ten awans? Jeszcze nie? No, panowie, co z wami? Wasz ukochany dowódca dostał dzisiaj poważną podwyżkę, a wy nic? Życzeń nie składacie? Nie podlizujecie się, palanty? – Wstał i chwiejąc się nieco, zaproponował: – Za zdrowie najjaśniej nam panującego pułkownika Grobickiego!

– Niech żyje! – krzyknęła ta wesoła gromadka, o której wszystko można by teraz powiedzieć, ale nie to, że są zawodowymi oficerami Wojska Polskiego. I wszyscy osuszyli swoje szklanki do dna.

– A wracając do tematu: czy wiadomo, o co Amerykańcom tym razem chodzi? Saddama powiesili, bo Irak ma ropę, ale w tym Afganistanie to tylko kamienie i kozy, zdaje się... Więc po cholerę tam się pchają? Bo że dla idei i bezpieczeństwa narodowego, to za cholerę nie uwierzę. – Wieteska był uparty i tak łatwo z polityki zrezygnować nie zamierzał.

– Jak zwykle dyplomata z ciebie, Johny – powiedziałem. – Spróbuj nikogo nie wkurzać, dobra?

– Że niby jestem polityczne niepoprawny? Takiej uroczej dziewczyny nie będę wkurzał, obiecuję. – Rozmarzył się. – Zaproszę ją na maleńki locik, ot, taki zapoznawczy. A jak już ją przelecę, eeemmmm, to znaczy przewiozę, to potem się zobaczy.

Znowu lekko się nastroszyłem, ale umknęło to zarówno jemu, jak i reszcie towarzyszy.

Nancy bawiła się doskonale. Patrzyłem, jak uśmiecha się do Kurcewicza, flirtuje z Wieteską, jak zagaduje pozostałych. Nawet Sawicki, który zwykle odzywał się dwa razy na dobę, próbował opowiedzieć jakiś kawał. No cóż, byliśmy młodzi i uważaliśmy, że czeka nas wspaniała przygoda.

W pewnym momencie Nancy wstała, przeprosiła nas i wyszła do toalety. Powiodłem za nią wzrokiem. Zresztą nie ja jeden – znowu rozmowy w knajpie ucichły i stu samców wyobrażało sobie, co by było, gdyby.

Przy naszym stole rozmowy toczyły się wartko, chłopcy jednocześnie rozmawiali o Nancy, o Osamie, śmiali się z Wójcika i jego armat i w ogóle nie przejmowali się obecnością swojego dowódcy w randze podpułkownika. Lubiłem ich i dobrze się czułem w ich towarzystwie, choć właśnie wtedy przysiągłem sobie, że misja w Afganistanie będzie ostatnią moją przygodą w mundurze. Definitywnie ostatnią. W końcu mogłem się z nimi kumplować po cywilnemu.

Spojrzałem ponad głowami kompanów i zobaczyłem stojącą przy barze Nancy. Najwyraźniej próbowała coś zamówić. Dwa stoliki od nas podniosło się dwóch dużych facetów i też podeszło do baru. Pewnie chciało im się pić. Ja także wstałem.

– Poczekajcie tu chwilę – powiedziałem do oficerów – zaraz przyjdę.

Nawet nie zwrócili na mnie uwagi. Przepchnąłem się przez zatłoczone przejście i zobaczyłem Nancy, która odpowiadała coś gniewnie jednemu z dużych. On, nie przejmując się specjalnie jej gadaniem, którego pewnie i tak nie rozumiał, gwałtownym ruchem szarpnął ją za ramię. Jednak nie z US Marines takie numery! Kapitan Sanchez złapała prawą ręką dłoń napastnika i odgięła ją na zewnątrz, jednocześnie lewą mocno naciskając na łokieć. Zrobiła to całkiem łagodnie, ale faceta zgięło i musiał ją puścić. Najwyraźniej nie chciała kłopotów, gość jednak poczuł się obrażony. Gwałtownie szarpnął się w tył, wyrwał rękę i wierzchem dłoni, prawie bez rozmachu, uderzył Nancy w twarz.

To znaczy, mówiąc szczerze, chciał uderzyć, Nancy bowiem wykonała nieznaczny ruch w lewo, zeszła z linii ciosu, ugięła nogi i rąbnęła go pięścią w dół brzucha. Facet stęknął, zrobił niezdarny ruch do przodu i natknął się na zmierzający w górę but. Gościa odgięło do tyłu i poleciał z hukiem między krzesła.

Jednocześnie wydarzyło się kilka innych rzeczy. Ja przyspieszyłem ostro, prawie biegiem pokonując ostatnich kilka metrów, natomiast paru dużych, do tej pory z zaciekawieniem obserwujących sytuację, wstało od stolików i zaczęło przejawiać niezdrową chęć, by wziąć udział w dalszym ciągu awantury.

Ale najszybciej zareagował kolega pobitego.

Stał blisko, więc tylko wychylił się nieco do przodu i zaciśnięta pięść wylądowała na szczęce Nancy. Nie na darmo w walce sportowej przeważnie stosuje się kategorie wagowe. Przeciwnicy mają wtedy mniej więcej równe szanse i o wyniku decyduje wyszkolenie. W naszej sytuacji wyszkolenie Nancy nie miało znaczenia – przeciwnik był od niej dwa razy cięższy. Dlatego, chociaż uderzenie było wyprowadzone prawie bez zamachu i nie miało wielkiej siły, poleciała w tył i ciężko uderzyła plecami o kontuar.

Wykonałem szybko dwa ostatnie kroki i nie bawiąc się w dyplomatyczne pogaduszki, kopnąłem napastnika mocno w bok stawu kolanowego. Damski bokser, pomimo poważnej kontuzji, zareagował szybko. Odwrócił się do mnie, jednocześnie sięgając za pazuchę po argument, który pozwoliłby mu uzyskać przewagę w naszym sporcie. Rzecz jasna nie mogłem do tego dopuścić, więc szybkim i mocnym lewym prostym posłałem go w stronę baru. Cios mi dobrze wyszedł, czujność i czas reakcji na moment nieco osłabły. Nie pozostawało mi nic innego, jak to wykorzystać, zrobiłem więc jeszcze jeden krok i z półobrotu rąbnąłem łysego łokciem w twarz. Mocny był, bo zachwiało nim potężnie, ale jednak utrzymał się na nogach. Żeby definitywnie przeciąć ewentualne późniejsze dyskusje na temat zwycięzcy naszego małego nieporozumienia, złapałem oponenta obiema rękami za głowę, ściągnąłem mocno w dół i kopnąłem kolanem w nos.

Kolejne kości tego wieczoru zostały trwale uszkodzone. Patrzyłem na leżącego w kałuży krwi człowieka i miałem wrażenie, że cały lewy policzek wpadł mu mocno do środka. Z nosa też, jak na razie, nie będzie miał większego pożytku. Czekają go spore wydatki na nową szczękę i rewitalizację kości jarzmowej, ale w końcu chirurgia plastyczna zrobiła ostatnio wielkie postępy, więc nie martwiłem się zbytnio.

Jak się można było spodziewać, kolegom leżących na ziemi nieboraków bardzo nie spodobał się rozwój sytuacji. Jeszcze w trakcie uspokajania pierwszego z napastników przez Nancy, kilku wstało i energicznie przegrupowało się na pole bitwy. Szef ekipy, który do tej pory całkiem obojętnie obserwował rozwój wydarzeń, dobiegł jako pierwszy. Nie był tak wielki jak inni, ale okrutna twarz i nieruchome spojrzenie pozwalały bez pudła zgadnąć, dlaczego właśnie on jest przywódcą. Na pewno nie będzie miał skrupułów, żeby posiekać mnie na kawałki, w ręku trzymał bowiem sporych rozmiarów battle knife, czyli nóż bojowy armii amerykańskiej. Najwyraźniej postanowił rzucić autorytet przywódcy na szalę zwycięstwa.

Złapałem Nancy za rękę i pomimo oporu wepchnąłem za siebie. Teraz, żeby się do niej dostać, musieli pokonać mnie. A przysiągłem sobie, że to nie będzie proste.

– Już nie żyjesz, skurwysynu! – zaczął opryszek.

– Wierzę. Ale schowaj nóż. Za napad z użyciem noża pójdziesz siedzieć – odpowiedziałem spokojnie, chociaż tylko Bóg wiedział, ile mnie ten spokój kosztował.

– Już nie żyjesz – powtórzył.

W czasie rozmowy kilku łysych podeszło do nas na odległość wyciągniętej ręki. Zrobiło się niewesoło: za sobą miałem Nancy i bar, przed sobą herszta lokalnej mafii z nożem – noża używał pewnie tylko dlatego, że nie chciało mu się wyciągać pistoletu – a z pozostałych stron otaczali mnie jego ludzie, każdy o wyglądzie ośmiotonowej ciężarówki.

– Najmocniej panów przepraszam – rozległ się zza pleców łysych uprzejmy głos. Był bardzo dobrze słyszalny, bo od rozpoczęcia bójki, czyli mniej więcej od pół minuty, cisza w lokalu zapadła absolutna, przerywana tylko jękami pobitych. – Mam serdeczną prośbę. Czy mogliby panowie pozostawić naszego przyjaciela w spokoju?

Opryszki zareagowały prawidłowo i wszyscy, łącznie z przywódcą, odwrócili się na pięcie w kierunku nowego uczestnika zdarzeń. Metr od nich stało trzech dżentelmenów i uśmiechało się uprzejmie. Na plac boju przybyła kawaleria, czyli Johny Wieteska, porucznik Wojtyński oraz Wojtek Kurcewicz, trzymający się dyskretnie o krok z tyłu, ale gotów do akcji. On był zresztą zawsze gotów.

Ot, doigrali się bandyci, nie ma co.

– Wypierdalać na zbity pysk! – warknął szef. – Nie wasza sprawa.

– Nasza – zaprotestował Wieteska – ale widzę, że normalnie nie rozumiesz, więc powiem ci tak, żebyś zrozumiał.

Jeszcze w trakcie ostatniego zdania błyskawicznym ruchem sięgnął do kieszeni i wyciągnął broń. Izraelsko-amerykański desert eagle nie jest pistoletem – jest kieszonkową odmianą ciężkiej artylerii. Strzelanie z tego urządzenia wymaga ogromnej wprawy, zważywszy na siłę pocisku .44 magnum i dwukilową wagę pistoletu. Ten akurat egzemplarz sprawiał wrażenie, że znajduje się w granitowo pewnych i wprawnych rękach. Ulokowany przez lotniczego asa piętnaście centymetrów od twarzy hersztа, wywarł odpowiednie wrażenie na wszystkich zgromadzonych. Wojtyński wyciągnął broń – o ile mnie wzrok nie mylił glocka 17 – i także dał do zrozumienia, że żarty się skończyły.

– Zabierzesz swoich kolegów, łącznie z tymi połamanymi pierdołami z podłogi, wyjdziesz z lokalu i znikniesz mi z oczu. Zrozumiałeś?

Bandzior milczał. Odchylił w bok rękę z nożem, żeby Wieteska sobie czegoś niewłaściwego nie pomyślał, ale w żadnym stopniu nie dawał po sobie poznać, że nie panuje nad sytuacją. Zerknął na mnie, ale ja również patrzyłem na niego od dobrej chwili przez szczerbinkę pistoletu, korzystając bowiem z klasycznego manewru odwrócenia uwagi wykonanego przez kolegów, wyciągnąłem zza pazuchy swoją broń – całkowicie prywatny i mocno nieregulaminowy heckler&koch USP expert kaliber 9 milimetrów. Takim samym często posługują się „operatorzy" z GROM-u. W ten sposób mafioso zostali całkowicie okrążeni. Szef kalkulował, jego ludzie gapili się to na niego, to na nas.

– Posłuchaj. Zaczepiliście kobietę, która była z nami – kapitan postanowił dać hersztowi szansę wycofania się z twarzą – a my stanęliśmy w jej obronie. Nie traktuj tego osobiście. Po prostu zabierz swoich i wyjdź.

– Pobili moich ludzi. – Podbródkiem wskazał na mnie i Nancy. – Tego nie daruję.

Zatem szef traktował sprawę honorowo. Nie mógł puścić płazem, że na oczach tylu świadków – większość była z „branży", jak sądzę – jego ludzie dostali lanie, i to na dodatek częściowo od kobiety.

– Ale to wyście zaczęli. – Wieteska za wszelką cenę chciał z tego uczynić transakcję handlową. – Uderzyliście naszą koleżankę.

– Czego się szarpała, dziwka głupia! – Mafioso zawarczał jak zły pies. – Oni chcieli...

– Dość tego! – Teraz ja się wkurzyłem. Żeby dobitnie podkreślić stan mojego ducha, trzasnąłem kurkiem, podniosłem pistolet nieco wyżej i kontynuowałem: – Wypierdalać. Macie dziesięć sekund.

– Bo co, zastrzelisz nas? – Herszt próbował być ironiczny, ale chyba jednak trochę się przejął.

– Sprawdź, gnojku. Masz jeszcze sześć sekund.

Pomedytował i po chwili, która miała udowodnić jego ludziom, że się mnie nic a nic nie boi, zakomenderował cicho:

– Zwijamy się. Łysy i Rekin biorą ziomali i już nas nie ma. A ty – zwrócił się do mnie – pójdziesz do piachu.

– Kiedyś na pewno. Do widzenia.

W akompaniamencie jęków i zawodzenia podnieśli kolegów z podłogi i w końcu sobie poszli. My też uznaliśmy, że limit atrakcji na ten wieczór się wyczerpał. Niestety, byliśmy w błędzie.

5.

– Kurwa, kurwa, kurwa – powiedział Wieteska, kiedy szybkim krokiem oddalaliśmy się od sympatycznej knajpki. – Po jaką cholerę się wtrącałeś? Facet już był urobiony, jeszcze chwila i wyszlibyśmy z tego bez strat.

Wieteska był bardzo zły, ale miałem wrażenie, że głównie z powodu Nancy. Nancy bowiem – w mniemaniu Wieteski – nie wykazała się nawet odrobiną wdzięczności i zaraz po wyjściu najpierw przytuliła się do mnie, a potem złapała mocno za rękę, jakby w obawie, że ucieknę. Nie miałem zamiaru nigdzie uciekać. Wiedziałem, że to nie było z jej strony tylko zwykłe odreagowanie stresu, ale miałem ochotę wyrwać dłoń z uścisku i właściwie nie bardzo rozumiałem, dlaczego tego nie robię.

– Johny, nie denerwuj się – powiedziałem łagodnie. – Nic nam nie zrobią. Jutro wyjeżdżamy, nie będzie nas co najmniej przez miesiąc. Sprawa przyschnie do tego czasu.

– Gówno prawda – odburknął, za nic mając mój autorytet dowódcy. – Tacy nie zapominają.

– Eee tam – lekceważąco machnąłem wolną ręką. – Poradziliśmy sobie dzisiaj, poradzimy sobie i jutro.

Wieteska na dobre się wściekł. Nawet nie przypuszczałem, że akurat on będzie się przejmował takimi drobiazgami, jak groźby pozbawienia życia.

– Wiesz co? Nie mogę słuchać tych pierdół. Chodźcie, chłopaki. Pan pułkownik najwyraźniej stracił głowę.

Kurcewicz spojrzał na mnie pytająco, a ja leciutkim skinieniem głowy dałem mu znać, żeby się nie krępował.

– Idziemy – rzucił krótko i cała gromadka karnie skręciła w boczną uliczkę, prowadzącą okrężną drogą do koszar.

– Dżazi – moje imię, wymawiane z amerykańska przez Nancy, brzmiało naprawdę słodko – co się stało? Pokłóciliście się?

– Och nie – zaprzeczyłem. – Są naburmuszeni, bo wydaje im się, że źle rozegrałem końcówkę spotkania z tamtymi typkami w knajpie.

– No właśnie. Miałam cię zapytać. Wtedy przez cały czas byłeś bardzo spokojny. Dopiero na samym końcu się zdenerwowałeś. Co się stało?

– Nic takiego. – Nie sądziłem, żeby to był najlepszy moment, aby jej wszystko szczegółowo tłumaczyć. – Rozmowa poszła nie w tę stronę, co chciałem.

Ale oczywiście nie doceniłem jej. Kobiety mają najczulsze radary na świecie, wyczuwające kłamstwo nawet podczas międzykontynentalnej rozmowy telefonicznej o drugiej nad ranem. A co dopiero stojąc twarzą w twarz z kłamcą.

– To było coś ważnego – nawet nie bawiła się w pytania, tylko stwierdziła fakt – i poszło o mnie.

Popatrzyłem na nią. Zaróżowiła się lekko z emocji, co było nawet dobrze widoczne pomimo ciemności i opalenizny. Uśmiechnęła się, po czym powiedziała po prostu:

– Dziękuję. – Zredukowała dzielące nas pół metra do zera, objęła mnie delikatnie i pocałowała. Muszę przyznać, że jakość i długość pocałunku nie pozostawiały nic do życzenia. Był tak namiętny i pełen oddania, że zaparło mi dech.

Z najwyższym trudem oderwałem się od niej, odstąpiłem o krok i powiedziałem:

– Nie tak szybko!

– Naprawdę? – zdziwiła, niezbyt zresztą szczerze. Oczy jej błyszczały. – Odkąd to szybkość ci przeszkadza?

– Przeszkadza mi – powiedziałem stanowczo, próbując opanować chaos w głowie. – Od jakiegoś czasu mi przeszkadza.

Byłem tak zaaferowany, że moja czujność spadła do zera. Zbyt późno usłyszałem ryk silnika i pisk opon. Coś potężnie uderzyło mnie w plecy. Poleciałem do przodu, przewracając Nancy i siebie. Starałem się złagodzić skutki upadku, ale nie do końca mi się to udało. Nancy uderzyła ciężko plecami o asfalt, a ja spadłem na nią. Przeturlałem się gwałtownie w bok, próbując jednocześnie wyciągnąć pistolet zza paska. Już byłem blisko, ale czyjaś noga, całkiem solidnie obuta, kopnęła mnie z rozmachem w nadgarstek i drogocenny wyrób szacownej niemieckiej firmy Heckler&Koch poleciał w siną dal. Zanim zdążyłem się zmartwić, dostałem kolejnego kopa w twarz. Tego już było za dużo. Trochę zamroczony, przewróciłem się na brzuch i podjąłem heroiczną próbę wstania. Słabo widziałem, zdaje się, że krew zalewała mi oczy. Chociaż poruszałem się jak mucha w smole, jakimś cudem dostrzegłem tę samą cholerną nogę w tym samym cholernym bucie lecącą w kierunku moich żeber. Zdołałem lewą ręką sparować kopnięcie, po czym złapałem za stopę, klęknąłem i szybkim ruchem, pomagając sobie drugą ręką, skręciłem tę nogę w bok. Trzask łamanego stawu i ryk bólu dobitnie świadczył o tym, że strzeliłem bramkę wyrównującą – kopacz wyleciał z gry.

Jednak przeciwnicy byli dobrze przygotowani do rozgrywki. Za plecami usłyszałem niedwuznaczny trzask odwodzonego kurka i spokojny głos, należący niewątpliwie do szefa knajpianych znajomych, zakomenderował:

– Dosyć zabawy. Wstawaj.

Ktoś szarpnął mnie do góry, ktoś inny wykręcił ręce i pchnął w stronę samochodu. Drzwi pasażera były otwarte – to nimi dostałem na dzień dobry. Walnęli moją głową z rozmachem o maskę, więc znowu mnie zamroczyło. Byłem jednak na tyle przytomny, żeby całkiem wyraźnie zobaczyć wściekle walczącą Nancy, której nawet udało się jednemu z napastników coś złamać, o czym świadczyły przekleństwa i wrzaski. Ale drugi szybko sobie z nią poradził – po prostu wykręcił jej ręce do tyłu i skuł kajdankami.

– Dziwkę do samochodu – zakomenderował szef. – Zabawimy się z nią później. A z tobą nie będziemy czekać – zwrócił się do mnie. – Pójdziesz do piachu, ale najpierw przestrzelę ci kolana. Trochę będzie bolało.

– Zostawcie ją – wycharczałem. – Macie mnie.

– Wzruszające – zaśmiał się. – Mamy i ciebie, i ją. Z niczego nie muszę rezygnować. Zresztą szkoda czasu na rozmowy.

Opuścił pistolet, celując w moje prawe kolano. Znane z filmów i książek sensacyjnych półgodzinne rozmówki odbywane przed każdą egzekucją najwyraźniej nie były dla niego żadnym godnym naśladowania wzorem. Czas się kończył, podjąłem więc ostatnią, rozpaczliwą próbę. Szarpnąłem się gwałtownie w bok, chcąc kopnąć do tyłu w rękę z pistoletem. Chybiłem, ale akcja miała ten skutek, że szef sfuszerował strzał. Kula o włos minęła nogę i śpiewając, wysoko odbiła się od asfaltu, nie czyniąc nikomu krzywdy. Nie miałem nadziei, że tak doświadczony gangster zmarnuje drugi strzał. Pomyślałem wtedy całkiem przytomnie, że to już koniec.

A jednak nie.

Za plecami usłyszałem ciche puknięcie i szef zacharczał boleśnie. Kolejne puknięcie i ręce, które mnie trzymały, nieoczekiwanie poluzowały chwyt. Odwróciłem się gwałtownie. Szef leżał na ziemi, trzymając się za zmasakrowany łokieć. Wylatująca kula zamieniła go w krwawą miazgę. Obok niego bez ruchu leżał drugi z napastników, z rozszerzonymi z przerażenia i szoku oczami. Dostał w udo i zdaje się, że miał przed sobą co najmniej półroczną rehabilitację. Podniosłem wzrok w momencie, kiedy oddalony o jakieś trzydzieści metrów Wojtyński składał się do następnego strzału, a stojący obok niego Wieteska właśnie pociągał za spust.

Straszna jest ta izraelska armata. Pocisk magnum kalibru .44 z wyciem przeleciał obok mnie i trafił w faceta próbującego wsadzić Nancy do samochodu. Kapitan nie bawił się w żadne półśrodki, ale biorąc pod uwagę stan jego upojenia alkoholowego oraz fakt, że była ciemna noc, strzał mu wyszedł pierwszorzędnie. Napastnik puścił Nancy i odleciałby pewnie do sąsiedniego powiatu, gdyby nie to, że zatrzymał się na drzwiach samochodu, wyłamując je z trzaskiem. Myślę, że jeżeli kiedykolwiek w przyszłości wstanie z wózka inwalidzkiego, powinien do końca życia co niedziela dawać na mszę, a i tak nie spłaci długu wobec Najwyższego.

Pozostałych dwóch napastników postanowiło pobić rekord życiowy w sprincie, co, zważywszy na ich liczne złamania i kontuzje, stanowiło nie lada wyczyn. Oddalali się z taką prędkością, że gdyby utrzymali narzucone tempo, mieli szanse w ciągu godziny dotrzeć do Berlina. Wieteska znowu podniósł pistolet. W ostatniej chwili krzyknąłem:

– Zostaw! Musimy się jak najszybciej zwijać.

Nancy klęczała na drodze. Chyba jeszcze nie mogła uwierzyć w to, co się stało, wkładała jednak wiele wysiłku, by nad sobą zapanować. Od naszego namiętnego pocałunku nie minęły więcej jak dwie minuty. Teraz w promieniu metra od niej leżało trzech ciężko rannych ludzi, a ja też nie wyglądałem lepiej.

– Nic ci nie jest? – zapytałem ochryple.

– Nie. Chyba nie. – Popatrzyła na mnie. W oczach miała łzy, ale to w końcu normalna reakcja. – A tobie?

– Do wesela się zagoi – próbowałem dodać jej otuchy. – Musimy się jak najszybciej stąd zmywać.

– A policja? Nie wezwiesz policji? – zdumiała się.

Ech, ci Amerykanie. Ledwie żyjemy, a ona gada o praworządności.

– Sama przyjedzie – mruknąłem. Delikatnie pomacałem nos. Nie wyglądał na złamany.

– Ale przecież musimy im wszystko opowiedzieć. Złożyć zeznania.

– Nie możemy. Jesteśmy poza jednostką i po służbie. Ciężko zraniliśmy siedmiu ludzi, wliczając tych w knajpie. Jak zaczniemy gadać z policją, to zapomnijmy o jutrzejszym wyjeździe. Sprawa będzie się ciągnęła i ciągnęła. Miesiącami. Stary się wścieknie. Jeszcze nie wiadomo, co zeznają świadkowie z knajpy. Mogą się bać tamtych bardziej niż nas. Skąd wiesz, że nie pójdziemy siedzieć?

W tym czasie podeszli do nas nasi wybawcy. Już nikomu nie było do śmiechu. Wojtyński wprawnym ruchem odkręcił tłumik od lufy pistoletu.

– Mogłem sobie darować – mruknął. – Nie przypuszczałem, że pan kapitan Wieteska zechce postawić na nogi całą okolicę.

– A co pan kapitan Wieteska miał robić? Czekać, aż naszą uroczą panią kapitan posiekają na kawałki?

– Dzięki za pomoc – wymamrotałem przez rozbite wargi. – Nie mogliście strzelać trochę mniej skutecznie?

Wojtyński tylko się uśmiechnął, ale Wieteska oczywiście uznał mnie za niewdzięcznika.

– Człowieku! Myślisz, że z tej odległości mieliśmy czas na zabawy w snajperów? Żyją przecież. Ciesz się, że nie trafiliśmy w was, całuśniki jedne.

Miał rację. Żyłem. I Nancy też żyła.

Kurcewicz, nie zwracając uwagi ani na naszą rozmowę, ani na jęki napastników, wyciągnął jednemu z nich z kieszeni kluczyki od kajdanek. Po paru sekundach Nancy była wolna.

– Idziemy – powiedział Wojtyński. – Zaraz tu będzie pół miasta.

– Też tak sądzę. Musimy znaleźć mój pistolet. I dobrze byłoby, gdybyśmy wszyscy nocowali na terenie koszar i jutro raczej się w mieście nie pokazywali.

Nie było sprzeciwu. Poszukiwania trwały krótko. Zatknąłem odzyskaną spluwę za pasek, krótkim spojrzeniem ogarnąłem pobojowisko i pobiegliśmy w noc.

III. OBÓZ

1.

Następnego dnia rano obudziłem się w tak niepokojąco błogim nastroju, że dopiero po dobrych dziesięciu minutach przypomniałem sobie o mniej sympatycznych wydarzeniach poprzedniego wieczoru. Byłem skończonym idiotą: miałem potwornego kaca, niemal złamany nos, rozbite wargi i zapewne poszukiwała mnie policja połowy województwa. Moi koledzy, którzy postrzelili wczoraj trzy osoby, mieli znacznie gorzej. Ich zapewne poszukiwała policja trzech województw i doborowe oddziały Centralnego Biura Śledczego. W całą zabawę zamieszani byli prominentni gangsterzy, którzy finansowali połowę oficjalnych i nieoficjalnych struktur w regionie, można się zatem było spodziewać, że śledztwo prowadzone będzie bardzo energicznie.

Pomimo to uśmiechałem się do swoich myśli. Moja niekonsekwencja była porażająca.

Niespiesznie wstałem, doprowadziłem się do jakiego takiego stanu i wychynąłem na światło dzienne. Praca w batalionie wrzała jak w ulu. Warkot silników czołgowych, zgrzyt gąsienic, krzyki, śmiechy, przekleństwa – idealny kamuflaż. Przed wejściem do budynku stał Kurcewicz i doglądał załadunku czołgów na lawety transportowe. Wyglądał świeżo i dziarsko. No, ale w końcu do nikogo wczoraj nie strzelał.

– Czołem – mruknąłem. – Coś mnie ominęło?

– Nie bardzo – odpowiedział. – Karski się trochę kręcił i wściubiał nos tu i tam, ale w sumie cisza.

– Może nam się upiecze. Widać, że dostałem w zęby?

Przyjrzał mi się uważnie.

– Wargi trochę spuchnięte. I nos też. Ale złamany chyba nie jest.

– Wiem. – Skrzywiłem się. – Mogło być gorzej. Widziałeś Nancy?

Spojrzał na mnie z zaciekawieniem.

– Nie. Pewnie jest ze swoimi ludźmi.

Westchnąłem.

– Jesteś gotowy?

– W zasadzie tak. Za godzinę wszystko będzie zapięte na ostatni guzik.

– To dobrze. Na razie.

O Kurcewicza nie musiałem się martwić. Był urodzonym improwizatorem, ale jak go okoliczności przycisnęły, potrafił się świetnie zorganizować.

W ogóle miałem nosa do ludzi. Wszyscy dowódcy wstali znacznie wcześniej ode mnie i odwalili kawał dobrej roboty. Nawet Sawicki, którego kompania w stosunku do stanu etatowego urosła prawie trzykrotnie, zameldował gotowość do odjazdu. Łapicki, szef sztabu batalionu, pewnie trzymał wszystko w garści. Nie miałem wpływu na tę nominację, ale było jasne, dlaczego Dreszer jej dokonał. Major był dokładnym przeciwieństwem mnie: mogli z Sawickim iść w zawody, który jest bardziej uporządkowany, dokładny i zdyscyplinowany.

Właśnie dochodziłem do wniosku, że wszystko gładko pójdzie i nie wadząc nikomu, odjedziemy na poligon, kiedy zadzwoniła moja komórka. Myślałem właśnie o kilku rzeczach naraz, z których tylko nieznaczna część miała coś wspólnego z wojskiem, i dlatego nieopatrznie odebrałem połączenie.

– Pałkownik Grobickij? – O kurna! Karski. Gdybym wiedział, wrzuciłbym ten cholerny telefon do najbliższej studzienki ściekowej.

– Tak.

– Pan pałkownik znajdzie dla mnie dziesięć minut czasu, a?

– Jestem bardzo zajęty. Może po przyjeździe z ćwiczeń, dobrze?

– Teraz, panie pałkownik, teraz. Dużo czasu nie zajmę, a sprawa ważna jest.

Pomyślałem chwilę. Mimo wszystko mógł mi nieźle nabruździć podczas mojej nieobecności.

– Dobrze. Przyjdę zaraz.

– Tak ja czekam. – Rozłączył się.

O Jezu. A tak miło dzień się zaczął.

Poszedłem do budynku dowództwa. Na obszernym palcu apelowym pojazdy batalionu ustawiały się pomału w szyku marszowym. Mijani oficerowie – ci, którym nie było dane załapać się na wyższe diety i przyszłe medale – patrzyli na mnie niechętnie. No cóż, dostałem awans i samodzielne dowództwo, więc mnie nie lubili. Tajemnica wojskowa nie była najwyższą świętością w Piątej Brygadzie Pancernej.

Szybko pokonałem schody i na zakręcie zderzyłem się z Galasiem. Zbiegał z góry, gdzie mieścił się tylko gabinet i sekretariat Dreszera.

– Dzień dobry, panie pułkowniku. Gratuluję awansu.

– Dziękuję. A co ty tu robisz? Nie powinieneś być na placu apelowym, gotowy do odjazdu?

– Melduję posłusznie, że tak jest, panie pułkowniku. Ale sekretarka generała mnie wezwała, bo miała dla pana pułkownika jakieś papiery, a nie mogła się do pana pułkownika dodzwonić.

– A gdzie te papiery? – zapytałem podchwytliwie.

– No...yyyy... tego, melduję posłusznie, panie pułkowniku, że jeszcze się okazały niegotowe. Powiedziała, że pan generał sam je panu przyniesie przed odjazdem.

Spojrzałem na niego surowo.

– Coś kręcisz, Galaś.

– Jak Boga kocham, panie pułkowniku, w życiu. Tak powiedziała.

– Wątpię. Idź do oddziału i czekaj tam na mnie.

– Tak jest. – Zbiegł szybko po schodach.

Dziwne. W ogóle nie powinno go tu być.

Zatopiony w myślach pokonałem krótki dystans dzielący mnie od gabinetu niegdysiejszego szefa, zapukałem i nie czekając na zaproszenie, wszedłem do środka. Siedział za swoim biurkiem i uśmiechał się wyczekująco. Niestety, nie sam. Pod jedyną wolną ścianą stało dodatkowe krzesło, na którym zasiadał mój ulubieniec, porucznik Stanisław Poklewski. On również uśmiechał się miło.

– Niech pan siada, pałkownik Grobickij.

– Dziękuję, postoję. Nie mam czasu.

– A więc dobrze. – Karski bynajmniej nie zamierzał wstać, tylko rozwalił się na krześle jeszcze wygodniej. Poklewski poszedł w jego ślady. – Widzi pan pałkownik, pan czasu nie ma i ja czasu też nie mam, to ja od razu z mostu powiem: dowódca trzeciego plutonu, porucznik Drecki, nie czuje się dobrze. Zwierzył mi się, że on tak się źle czuje, że on na misję naszą wojskową jechać nie może. Jak nie może, to nie może, nikt go na siłę ciągnąć nie będzie. To ja panu mówię, pluton trzeci obejmie Poklewski porucznik i pan pałkownik problem ma z głowy.

Spojrzał na mnie porozumiewawczo, a ja w duchu śmiałem się gorzko z własnej głupoty. Gdy tylko usłyszałem głos Karskiego w telefonie, byłem pewien, że szykują się kłopoty. Teraz zobaczyłem obu tych durni razem i wiedziałem już, jakie. Sobie tylko znanym, cudownym sposobem załatwili Dreckiego. I dziesięć minut przed odjazdem złożyli mi propozycję nie do odrzucenia. Po co? To proste. Poklewski będzie miał prywatny kanał łączności z Karskim i zadanie meldowania o wszelkich wpadkach podczas ćwiczeń. Relacjonowania wszystkiego co powiem. A może mały sabotażyk? Kto wie? Dobrze zgrana w czasie kontrola na poligonie załatwia mnie i z powrotem wprowadza Karskiego do gry. Sprytne. Ale nie zamierzałem poddawać się bez walki.

– Nie zgadzam się. Generał Dreszer dał mi wolną rękę w doborze dowódców, a ja porucznika Poklewskiego w składzie swojego batalionu nie widzę.

– Gienierał, powiadasz pan, panie pałkownik? – jakoś tak zasyczał nieprzyjemnie i podniósł się zza biurka. Po jego dobrotliwym uśmieszku nie zostało ani śladu. – A co pan pałkownik powie, jak ja pójdę do gienierała i powiem, co pan pałkownik z kolegami wieczorem wczoraj wyrabiał, a? Tych trzech postrzelonych i pół szpitala połamańców, co o nich gadają na mieście, to jest, za przeproszeniem, czyja robota, a? Co pan pałkownik myślisz, że ja kumpli na policji nie mam i nie wiem, co się święci? Jakby tak telefonik był, ot, malutki, toby żandarmeria i policja się zainteresowały, co pan pałkownik taką porozbijaną mordę ma. I jakby kto kule policzył w rewolwerach tego i owego, toby się mógł ciekawych rzeczy dowiedzieć, prawda, pan pałkownik?

Chaotycznie gadał, ale z sensem. Dobry był z niego gracz, skuteczny. Stara sowiecka szkoła. Dał mi czas do zastanowienia. Nie naciskał. Wiedział, że ma mnie na widelcu. Najchętniej wyjąłbym pistolet i zastrzelił obu.

– Dobrze – powiedziałem przez zęby – za dziesięć minut widzę porucznika Poklewskiego na placu apelowym.

I wyszedłem, zamknąwszy za sobą drzwi. Były zrobione z solidnego drewna i porządnie osadzone we framudze. Tylko dlatego nie wyleciały z zawiasów. Zaraz po moim wyjściu od Karskiego Poklewski rzeczywiście szybko się zameldował u Kurcewicza i pobiegł objąć dowództwo trzeciego plutonu. Był cichutki jak myszka i jak na razie starał się wszystkim schodzić z celownika. Mojego przyjaciela tankisty za to omal szlag nie trafił. Próbował wyładować swą furię na mnie, a potem odszukał Dreckiego i zrobił mu taką awanturę, że wrzaski słychać było na całym placu apelowym, i to pomimo włączonych silników. Poklewskiego na razie nie tykał – pewnie zostawił go sobie na deser.

Ja też byłem wściekły, nie da się ukryć. Już wczorajszy wieczór dostarczył mi do licha niepotrzebnych emocji. Mordobicie lubiłem, to fakt. Każda dobra bójka podnosiła ilość adrenaliny we krwi, zazwyczaj dzięki monotonii koszarowego życia występującej na skandalicznie niskim poziomie. Ale mimo że wyjazd na poligon dawał okazję do legalnego i dyskretnego zniknięcia z oczu różnym poszukiwaczom prawdy, zdałem sobie sprawę, że popełniłem błąd, przyjmując dowodzenie batalionem. Przegrana potyczka z Karskim to był kolejny cholernie wyraźny znak, że czekają mnie nielche kłopoty.

Tak się zezłościłem, że przez nieuwagę kopnąłem w krawężnik. Bolał mnie nos, bolały mnie zęby, bolała mnie głowa i do tego bolał mnie palec u nogi. Wtedy właśnie przypomniałem sobie, że gówno mnie obchodzi wojna z Osamą i dowodzenie. Że gdzieś mam wojsko i wojaczkę, a jedyny powód, który mnie skłonił do wplątania się w tę idiotyczną awanturę, jest zupełnie inny i nie ma nic wspólnego z ambicją zostania generałem, którego czyny zapiszą się złotymi zgłoskami w annałach historii świata.

Jako się rzekło, powód był inny, choć jeszcze wtedy nie umiałem go precyzyjnie określić. Wygląda na to, że mi odbiło na starość. Aż się skrzywiłem.

Musiałem trochę się wziąć w garść, bo doszedłem do placu apelowego i pięciuset żołnierzy, wyciągniętych jak struny w postawie na baczność, patrzyło na mnie uważnie. Łapicki zgrabnie zasalutował, złożył krótki i treściwy meldunek, że wszyscy gotowi, że możemy odjeżdżać i czekają tylko na sygnał swojego Słonecznego Pułkownika Niestety Nie W Stanie Spoczynku. Spocznij. Nie chciałem być gorszy od jakiegoś majora Łapickiego, więc też wygłosiłem mowę do żołnierzy, zapowiadając mniej więcej, czego się mogą spodziewać. Moim skromnym zdaniem zwięzłością i precyzją sformułowań przewyższyłem mowę majora co najmniej o dwie długości. W tym czasie nadszedł Dreszer i też powiedział parę słów. Było wzruszająco.

– No, pułkowniku. Nie pozostaje mi nic innego, jak życzyć panu powodzenia – generał zwrócił się do mnie, uśmiechając się życzliwie i dając do zrozumienia, że naprawdę tak myśli. – Możecie odjeżdżać.

– Tak jest, panie generale, dziękuję. – Zasalutowałem, po czym krzyknąłem, aż echo odbiło się od stołówki trzeciego batalionu, a może nawet od budynku dowództwa: – Żołnierze! Do wozów!

Nie ma wątpliwości, że zebrana przeze mnie ekipa do czołgów i transporterów trafiła w czasie zbliżonym do rekordu świata. Pewnie chcieli się popisać przed generałem. Myślałem, że zamienię jeszcze z Dreszerem parę słów, ale ryk grubo ponad setki przegazowywanych silników chwilowo uniemożliwił jakąkolwiek konwersację. Właściwie powinienem jechać przeznaczonym dla mnie honkerem z klimatyzacją, ale postanowiłem wsiąść do otwierającego kolumnę transportera plutonu rozpoznania. Wyobraziłem sobie, że będę tam wyglądał równie malowniczo i filmowo, jak dowódcy z czasów ostatniej wojny, którzy prowadzili bitwy, stojąc w wieżach czołgowych przy otwartych klapach.

Dreszer jednak znalazł sposób na udzielenie ostatniego namaszczenia. Po prostu nachylił się do mnie i prosto do ucha powiedział:

– Niech pan pamięta, pułkowniku, że nie dowodzi pan batalionem przez przypadek i cokolwiek się zdarzy, ma pan moje pełne poparcie. Niech pan skupi się na zadaniu i nie myśli o kłopotach.

Spojrzałem na niego uważnie, ale nie pozwolił mi się domyślić, czemu miała służyć ta ostania uwaga. Przez jakiś czas sądziłem, że doszły go słuchy o wczorajszych przygodach dzielnych knajpianych rycerzy i próbuje dać do zrozumienia, żebym się zbytnio nie martwił, bo on wie, rozumie, nie potępia i na pewno nie ułatwi odnośnym władzom poszukiwań. Po czterdziestu ośmiu godzinach zgrzytałem zębami na taką naiwność.

Pożegnałem się, wziąłem od generała grubawą teczkę z listą zadań, wytycznymi i procedurami, po czym zgrabnym skokiem wylądowałem na wieżyczce BRDM-a. Poszukałem wzrokiem Nancy, ale trzymała się swoich ludzi. MDS zajmował miejsce w środku kolumny i raczej nie był to dogodny moment, aby wspólnie analizować wczorajsze zdarzenia.

Nie wiem, czemu roześmiałem się jak wariat, klepnąłem mocno zdziwionego Stańczaka w ramię i pokazałem mu, że możemy jechać. Kierowca zgrzytnął biegiem, wóz skoczył do przodu i ruszyliśmy. Cała kolumna, o dziwo bez najmniejszej rysy na lakierze, wyjechała z koszar i w ciągu pięciu minut byliśmy na szosie.

2.

– Stooooooooop! – niczym szalony czołgista Oodball ze „Złota dla zuchwałych" rzuciłem dziarsko do mikrofonu, rozkoszując się prostym faktem, że wszyscy dowódcy mnie słyszą. Uniosłem rękę w górę. – Parkujcie ładnie i żeby mi który namiotów nie porozjeżdżał. Pan będzie łaskaw, kapitanie Wieteska, posadzić ten złom w takiej odległości, żeby podmuchy wiatraka nie potargały nam fryzur.

Oczywiście to były żarty – zarówno miejsca parkowania pojazdów, jak i lądowisko dla helikopterów były starannie wyznaczone i dowódcy dobrze o tym wiedzieli. Jednak w odpowiedzi usłyszałem jakieś niecenzuralne trzaski, które zdecydowanie wolałem zrzucić na karb zakłóceń atmosferycznych. Ubolewając w duchu nad upadkiem dyscypliny, zeskoczyłem z wieżyczki transportera i zwróciłem się do wyprężonego przepisowo Galasia:

– Przypomnij dowódcom, żeby od razu uzupełnili paliwo. Jutro z samego rana nie będziemy tracić czasu. Kuchnia ma zacząć przygotowywać kolację. I niech zaraz przyjdą na odprawę.

– Kucharze? – Galaś kpiąco się uśmiechnął, więc posłałem mu najbardziej surowe spojrzenie z repertuaru dowódcy batalionu w randze podpułkownika, i kaprala wywiało sprzed moich oczu w czasie krótszym niż ułamek sekundy. Nawet przepisowego „tak jest" nie zdążył powiedzieć. Z ulgą rozprostowałem plecy i rozejrzałem się dookoła.

Piękna, słoneczna pogoda, towarzysząca nam w czasie podróży, była właściwie wspomnieniem. Zachmurzone niebo i parne powietrze zapowiadały nadchodzącą burzę. Nawet już słyszałem odległe grzmoty. Może dlatego urokliwa leśna polana, nasza baza, nabrała posępnego kolorytu. Otaczał ją sosnowy las z cudownym aromatem, ciszą i spokojem. Gdyby nie kilka tysięcy ton żelastwa, które swoją obecnością zakłóciło harmonię przyrody, mógłbym w pełni rozkoszować się oderwaniem od cywilizacji. Ale i tak uśmiechnąłem się szeroko i dobrotliwie obserwowałem poczynania moich podopiecznych.

Czołgi z chrzęstem gąsienic zjechały z naczep transportowych i ustawiły się w krótkim szeregu. Szesnaście płaskich, barczystych sylwetek, pokrytych kamuflującymi kolorami, prawie zupełnie wtopiło się w tło. Obok przycupnęły transportery. Bardziej niezgrabne i mniejsze od czołgów, śmiesznie przy nich wyglądały z cienkimi lufami trzydziestek. Dalej haubice krab, moździerze AMOS, z wyglądem trochę à la „Wojny Gwiezdne", wyrzutnie rakiet, działa przeciwlotnicze, masa ciężarówek, cystern, wozów sztabowych, radarowych, inżynieryjnych i innego ciężkiego sprzętu. Aż dziwne, że wszyscy się pomieścili i nikt nikogo nie przejechał. Wozy ustawiły się w całkiem regularne „u", otwarte w kierunku drogi, którą przyjechaliśmy.

Za tym stalowym majdanem czyjaś dobrotliwa ręka rozbiła w równym rządku kilkadziesiąt namiotów. Na samym końcu obozu ulokowane były cztery stacjonarne kontenery z amunicją i kilka cystern z paliwem.

Oczywiście kapitan Wieteska nie byłby sobą, gdyby nie zemścił się na mnie za publiczne kpiny. Prowadzony przez niego klucz ciężko opancerzonych śmigłowców z rykiem silników nadleciał nad obozowisko na takiej wysokości, że omal nie strącił mi hełmu, i z mistrzowską precyzją, jakby od niechcenia, wylądował na wytyczonym nieopodal lądowisku. Zawsze lubiłem patrzeć na Mi-24, zwłaszcza jak latał nim Wieteska. Przydzielone nam egzemplarze były zdaje się maksimum modernizacyjnym, które dało się wyciągnąć z tej starej konstrukcji. Przezbrojone w amerykańskie supernowoczesne pięciolufowe zestawy artyleryjskie GAU-12 kalibru 25 milimetrów i przystosowane do przenoszenia rakiet sidewinder, były dzienno-nocnymi drapieżcami, w rękach kapitana i jego kumpli zdolnymi zapewnić batalionowi przewagę w dowolnej sytuacji. A na pewno dostarczyć nieocenionej rozrywki.

Załogi krzątały się pracowicie, uzupełniając paliwo, układając swój skromny, żołnierski dobytek w namiotach oraz łażąc bez celu tu i tam.

Usłyszałem za sobą kroki i wiedziałem, że to Nancy Sanchez.

– Jak minęła podróż, pani kapitan?– zagadnąłem, dokładając wszelkich starań, żeby nie wypadło to zbyt uprzejmie. Ot, służbowa rozmowa.

– Wszystko w porządku – odparła niezrażona. – Pięknie tu. Aż strach pomyśleć, co będzie, jak zaczniemy strzelać.

– Strzelać nie będziemy w lesie, tylko dalej, w szczerym polu. – Machnąłem ręką na zachód. – Ale to prawda, jesteśmy barbarzyńcami. Nie zmieniaj tematu.

– Nie zmieniam – odparła i zmieniła temat: – Nawet nie zdążyliśmy pogadać o wczorajszym wieczorze. Muszę z ręką na sercu powiedzieć, że czułam się jak na diabelskim młynie: najpierw mnie emablują, potem biją, potem całują, a na końcu chcą porwać i znowu biją. U was w Polsce tak zawsze?

– Na ogół. Staramy się dostarczyć cudzoziemcom maksimum atrakcji…

– Rozumiem. Taka lokalna odmiana przemysłu turystycznego…

– Coś w tym guście. Poza tym to ty całowałaś, nie ja.

Uśmiechnęła się, po czym spoważniała.

– Trochę tych gnojków za bardzo poturbowaliśmy, nie uważasz? A wszystko z mojego powodu.

– Nie z twojego, Nancy – zaprzeczyłem, również poważniejąc. – To bandyci. Zasłużyli sobie.

– Możliwe – zgodziła się niechętnie. – Są jednak ludźmi… Wiem, że Wieteska i Wojtyński nie mieli wyboru. I jestem im bardzo wdzięczna za to, co zrobili. – Westchnęła. – Nie było żadnych konsekwencji?

– Na razie nie. Ale dobrze, że zniknęliśmy.

– Nie czuję się z tym najlepiej. – Znowu westchnęła głęboko.

Cała złość mi przeszła, ale zacząłem mieć obawy, czy Nancy ze swoją wrażliwością poradzi sobie w sytuacji, w której się znaleźliśmy. W końcu czeka nas wojna, a ona jest jedyną kobietą wśród pięciuset facetów. Nawet mi na myśl nie przyszło, że niedługo z rozkoszą będę wspominać obecne rozterki, a pani kapitan schowa wrodzoną wrażliwość niczym zimową kurtkę do szafy.

– Dobrze, pogadajmy o sprawach zawodowych – naprowadziłem ją na bezpieczniejsze tory.

– No właśnie – z wdzięcznością podchwyciła temat. – Chciałabym zrobić test systemów łączności IVIS-a oraz próbne uruchomienie pola siłowego. Muszę poprosić, aby wszyscy żołnierze znaleźli się wewnątrz obozu. Moi ludzie zaznaczą żółtymi markerami linię, poza którą kategorycznie nie można wychodzić.

Zimna profesjonalistka, szybko się przestawiła. Tak było nawet lepiej. Nie chciałem więcej gadać o strzelaninie ani o tym, co się dzieje w mojej głowie. Powiedziałem do mikrofonu:

– Uwaga, wszyscy dowódcy. Za chwilę rozpoczną się testy IVIS-a i systemu bezpieczeństwa. Dowódcy oraz łącznościowcy mają znajdować się w swoich wozach. Nikomu, powtarzam, nikomu nie wolno wyjść na zewnątrz obozu, poza linię wyznaczoną przez żółte markery ostrzegawcze. Potwierdzić wykonanie rozkazu!

Słuchając kolejnych meldunków, wszedłem do wozu dowodzenia. Star komfortem i wyposażeniem w żadnym stopniu nie dorównywał MDS-owi. Prosty blat roboczy, na którym stały solidnie umocowane komputery i sprzęt łączności, zwykłe i niezbyt wygodne fotele, moje skromne stanowisko – to wszystko od początku budziło uprzejme zdziwienie Amerykanów. Przy monitorach siedzieli Galaś i Cupryś. Stanąłem za nimi. Nancy podeszła bardzo blisko, czułem nawet delikatny zapach jej perfum. Tak mały dystans z pewnością nie był wymuszony ciasnotą pomieszczenia. Wiedziałem to na pewno, gdy, niby przypadkiem, dotknąłem jej dłoni. Mogła ją cofnąć – i nie cofnęła. Za nami stanął główny informatyk odpowiedzialny za systemy łączności, Rick Holden, a obok Wojtek Kurcewicz i Łapicki.

– Zaczynaj, Galaś – powiedziałem, kątem oka zezując na Nancy. – Tylko bez wygłupów.

Kapral z poważną miną kliknął myszą w okienko na monitorze. Ukazała się kolorowa mapa, której centralny punkt stanowiły polana i obóz. Na polanie rozlokowanych było kilkadziesiąt kropeczek, tworząc zgrabny prostokąt. Pochyliłem się w stronę ekranu i zobaczyłem, że te kropeczki to maleńkie symbole czołgów, transporterów i helikopterów, całkiem zresztą realistycznie oddające rzeczywistość. Kapral kliknął w jedną z sylwetek i natychmiast rozwinęło się obszerne menu przedstawiające rodzaj pojazdu, stan paliwa, amunicji i kilkadziesiąt innych parametrów. Jeszcze jedno kliknięcie i ujrzeliśmy obraz naszej polany widziany okiem kamery zamontowanej na jednym z czołgów.

– Fantastyczne – powiedziałem po angielsku, kiwając głową z uznaniem. – Przypomina trochę grę komputerową.

– Twórcy gier komputerowych nie nadążają za nami – uśmiechnął się z wyższością Holden. – Zapewniam, że daliby każde pieniądze, żeby móc poznać kody źródłowe do tego tam. – Machnął podbródkiem w stronę komputera.

– Czyli to łatwe i szybkie źródło dużych pieniędzy, powiada pan? – zapytałem poważnie. – Muszę się nad tym zastanowić...

Holden obrzucił mnie poirytowanym spojrzeniem. Jego poziom poczucia humoru niebezpiecznie stuknął o dno. Poczułem lekki uścisk chłodnych palców Nancy i powiedziałem:

– Pozycja pojazdu nanoszona jest na mapę przy pomocy GPS-a?

– Nie tylko – odparł Holden. – System jest dualny, bo sam GPS czasami zawodzi, zwłaszcza w górach czy w lesie. Dlatego każdy z pojazdów ma dodatkowo zamontowany nadajnik cyfrowej łączności i prosty pozycjoner, który niezależnie od GPS-a przekazuje położenie pojazdu. Tak jest znacznie mniej dokładnie, ale pewniej.

– Fajnie. Wojskowy „Matrix", co? – Uśmiechnąłem się. – Dowódca doskonale wie, o której godzinie kichnął kapral z trzeciej drużyny i umie podać współrzędne geograficzne tego kichnięcia oraz skład chemiczny śliny. Super.

– Zobaczysz, polubisz go. – Nancy jakoś nie podzielała mojego sarkastycznego stosunku do tego cudu techniki. – W Iraku wielokrotnie ratował nam życie.

– Wierzę – powiedziałem trochę rozbawiony, a trochę zły. Raczej nie miała na myśli kaprala z trzeciej drużyny. – Nie lubię tylko, gdy technika jest ważniejsza ode mnie. Rozumiem, że system możemy uznać za uruchomiony?

– Owszem – potwierdził Holden. – Tutaj schodzą się wszystkie nitki informacji. Ma pan na swoim komputerze dane dotyczące żywotnych składowych batalionu.

Nic więcej nie potrzebowałem. Byłem zmęczony, miałem ochotę na kubek gorącej kawy i na pewno nie chciało mi się już gadać na temat zaawansowanej techniki wojskowej. Liczyłem na to, że wymknę się dyskretnie z wozu, szybciutko użyję zaawansowanej techniki wojskowej, żeby na ucho szepnąć Nancy, gdzie i o której się spotykamy, i pomknę w las (przejściowo zostawiając Pierwszy Samodzielny Batalion Rozpoznawczy na łasce losu), aby raz na zawsze wyjaśnić stan naszych relacji.

Zwykle przeczucia mnie nie zawodzą, lecz tym razem zawiodły kompletnie.

Na zewnątrz huknęło mocno. Byliśmy tak zaaferowani sztuczkami systemu, że nie zauważyliśmy burzy, która była już prawie nad nami.

Pierwsze krople deszczu uderzyły o dach samochodu i pomysł spotkania – przynajmniej na świeżym powietrzu – musiałem uznać za nieco przedwczesny. Lub, w zależności od punktu widzenia, za spóźniony. Zresztą Nancy nie miała głowy do żadnych spotkań. Najwyraźniej usłyszała coś w słuchawkach, bo powiedziała cicho do mikrofonu:

– W porządku. Poczekajcie na nas! – Po czym zaproponowała: – Może chcecie zobaczyć na własne oczy, jak to działa?

Pewnie, że chcieliśmy.

Wyszliśmy na zewnątrz. Nieźle lało, ale nie zmokliśmy specjalnie, bo w końcu nie było daleko: cztery schodki w dół, kilkanaście metrów biegiem, sześć schodków w górę i już byliśmy w MDS-ie. Wnętrze wozu urządzone było jak rakieta kosmiczna: niekończące się rządki lampek kontrolnych, głębokie, wygodne fotele operatorów i mnogość ekranów komputerowych i telewizyjnych. Na największym z nich zobaczyłem graficznie wyrażoną sylwetkę MDS-a. Właśnie z jego dachu powoli wysuwał się dwudziestometrowy, teleskopowy maszt, zakończony potężnym elipsoidalnym urządzeniem, o którym na lotnisku myślałem, że to antena radarowa, a które okazało się emiterem wytwarzającym pole siłowe. Wszyscy technicy zasiadający przed komputerami byli bardzo skupieni, marsowymi minami dając jasno do zrozumienia, abyśmy się przypadkiem nie wychylili z jakimiś pytaniami. Kurcewicz, jako mój zastępca posiadający upoważnienie wstępu do MDS-a, stał za mną i z nabożnym skupieniem wpatrywał się w ekran. Nie zwracał nawet uwagi na stojącą obok Nancy.

Maszt zakończył krótką podróż w górę. Z emitera trysnęło kilkanaście laserowych wiązek, które połączyły się z wyznaczającymi okrąg naziemnymi markerami niczym szprychy olbrzymiego parasola. Holden spojrzał pytająco na Nancy.

Skinęła głową i Holden przekręcił niepozorny pstryczek. Króciutkie drżenie, niczym iskra elektryczna, przebiegło przez moje ciało. W sumie nic nadzwyczajnego. Na ekranie do sylwetki MDS-a, markerów i laserowych wiązek dołączyła błękitna kopuła pola siłowego. Muszę przyznać, że widok był piękny: ogrom poskromionych mocy natury i maleńkie mróweczki pojazdów i ludzi poniżej. Szybko jednak zdałem sobie sprawę, że w gruncie rzeczy fascynuję się komputerowym obrazkiem. Głęboko odetchnąłem.

– Wyjdziemy? – zaproponowałem.

Wyszliśmy.

Nadal lało, ale przezroczysty parasol pola siłowego skutecznie ochraniał nas przed takim drobiazgiem, jak krople deszczu. Drobinki wody dolatywały do elipsoidalnej kopuły, a potem z nieznacznym błyskiem wyparowywały. Miałem wrażenie, że oglądam sen szalonego projektanta dekoracji świątecznych: tysiące rozbłysków w idealnym geometrycznym kształcie. Widok był niesamowity – czułem się jak w gigantycznym teatrze, osłonięty od sceny niewidzialna szybą.

Huknęło jeszcze mocniej. Ostatnią rzeczą, jaką zapamiętałem, był przeraźliwie jasny błysk u szczytu kopuły, dokładnie w miejscu, gdzie potężne urządzenie na końcu wysuwanej kolumny emitowało pole siłowe. Błysk trwał mgnienie oka, poczułem silne, ale bezbolesne uderzenie, gwałtownie straciłem ostrość widzenia, poczułem, że zapadam się w bezdenną otchłań, mocno zabolała mnie głowa – po prostu uderzyłem nią o ziemię – i straciłem przytomność.

3.

Przez dłuższy czas nie byłem pewien, czy nieregularny warkot, podobny do brzęczenia natrętnego komara, był wytworem wyobraźni, czy jednak dochodził z zewnątrz mojego na wpół świadomego umysłu. Po jakimś czasie zorientowałem się, że raczej jestem już po tej stronie jawy, bo poczułem ból. Nie bardzo wiem, co mnie bolało, ale tak właśnie to zapamiętałem: brzęczenie i ból. Spróbowałem otworzyć oczy.

Skutek okazał się mizerny, bo oczy uznałem za otwarte, a efekt wizualny był żaden. Po prostu nic nie widziałem. Doskonale natomiast poczułem, co mnie boli: głowa doszła do wniosku, że na nic więcej mi się nie przyda, i postanowiła pęknąć na pół. Mięśnie miałem pełne płynnego żelaza. Zamknąłem oczy i otworzyłem je powtórnie. No, tym razem było lepiej. Stwierdziłem, że leżę na wznak na ziemi, nieopodal wozu dowodzenia. Widziałem jak przez mgłę.

Warkot nasilił się. Kątem oka dostrzegłem rozmazany kształt. Mrugając gwałtownie, aby przywrócić ostrość widzenia, odwróciłem głowę i zobaczyłem samolot, lecący niespiesznie, najwyżej kilkanaście metrów ponad koronami drzew. Nic dziwnego, że lotnik miał kłopoty: silnik przerywał i wydobywały się z niego kłęby dymu. Aparat jednak utrzymywał się w powietrzu. Zataczając się jak pijany, przedefilował nad naszymi głowami i zniknął za zachodnią lizjerą lasu. Kształt samolotu ożywił we mnie niejasne wspomnienia.

– Co jest, do ciężkiej cholery? – Oprócz bólu w głowie pojawił się szum. Z trudem wymawiałem słowa. – Co to było?

Odpowiedzi nie usłyszałem.

Podniosłem się na łokciu i popatrzyłem na ludzi dookoła. Na twarzach tych, którzy byli już przytomni, malował się wyraz oszołomienia. Większość nie poruszała się. Obok mnie leżała z oczami wbitymi w niebo Nancy, a po drugiej stronie niezgrabnie podnosił się na łokciu Wojtek.

– Piorun? – Kurcewicz też mówił niewyraźnie. – Piorun uderzył w obóz?

– Niby światło i drgania to od pioruna? – wymamrotałem. – Pytałem o samolot. Przeleciał nad nami samolot z uszkodzonym silnikiem. Nad poligonem nikomu nie wolno…

– Chrzanić samolot – przerwał opryskliwie mój ulubiony kapitan. – Zastanawiam się, co nam tak dało po łbie?

Z trudem, stękając i pojękując jak para osiemdziesięciolatków cierpiących na lumbago, dokonaliśmy próby podniesienia się na równe nogi. Sukces był połowiczny: wstać się nie udało, ale usiąść już tak. W tych warunkach to było coś.

– Tego samolotu nie miało prawa tu być – upierałem się, z trudem łapiąc oddech. – Poza tym on był jakiś historyczny.

– Eee tam – skrzywił się. – Co ty z tym samolotem? Mnie ciekawi moje samopoczucie. I tych, co tu leżą.

W sumie miał rację. Chrzanić samolot. Rozejrzałem się dookoła, chociaż zważywszy na mój stan, nie była to zbyt dokładna lustracja. Na szczęście ludzie, przynajmniej ci, którzy w momencie uderzenia przebywali na zewnątrz, powoli odzyskiwali świadomość: siadali bądź wstawali, kręcili głowami, jakby otrząsali się z resztek snu. Wyglądali na nietkniętych. Nie zauważyłem też żadnych widocznych uszkodzeń parku maszynowego.

Tylko…

Ponownie zamrugałem, żeby uwolnić się od przemożnego poczucia nierealności. Czułem mrowienie w całym ciele, płynne żelazo z mięśni powoli wyparowywało, nawet ból głowy osłabł nieco. Poza tym nie dostrzegłem u siebie innych niepokojących objawów. To, że mnie boli, to akurat znaczy, że żyję i jestem świadomy. Zatem to, co widzę, nie jest wytworem mojej chorej wyobraźni ani tym bardziej obrazów z życia po życiu. To skąd te omamy...?

Jakiś oberdekorator w czasie antraktu, czyli utraty przytomności – ile to trwało? Pięć minut? Godzinę? – zmienił dekoracje teatralne. Przedtem niebo było ciemnogranatowe i lało. Pstryk. Świeci piękne słońce, a kolor nieba nie pozostawia nic do życzenia. Przedtem nasze pojazdy zajmowały może jedną trzecią wielkiej leśnej polany. Pstryk. Polany właściwie nie ma, pojawiło się za to lekkie przerzedzenie niezbyt gęstego lasu. Droga dojazdowa wyglądała też jakoś inaczej. Poza tym od początku mojego „przebudzenia" rejestrowałem dudniące dźwięki dochodzące z bardzo daleka, ale dość wyraźne i całkiem znajome. Zacząłem sobie niejasno uświadamiać, co mi przypominają, ale na razie musiałem odłożyć szczegółową identyfikację.

Nancy wstała i nie zaszczyciwszy mnie nawet pożegnalnym spojrzeniem, pokuśtykała do MDS-a i swoich ludzi. Pewnie, przede wszystkim należy sprawdzić, czy powierzony przez Wuja Sama majątek wart pół miliarda dolarów nie doznał uszczerbku na urodzie i kondycji.

Minęło parę minut.

Ludzie wstawali pomału, zdradzając podobne do moich objawy: mętny wzrok, niepewny chód, ogólna niezborność ruchów. Ja również wstałem, aczkolwiek wszystko, na co mnie było stać, to dwa chwiejne kroki i wsparcie się o burtę najbliższej ciężarówki.

Kiwając się jak miś polarny w czasie upału, dumałem sobie właśnie nad niesprawiedliwością tego świata, kiedy energiczne wołanie wyrwało mnie z użalania się nad sobą.

– Panie pułkowniku. – To ciekawe, że tak piękna dziewczyna jak Nancy Sanchez, zwykle pogodnie uśmiechnięta, mogła jednak wyglądać jak chmura gradowa. Była zła, obolała i nieszczęśliwa, ale i tak doszła do siebie znacznie szybciej niż ja. – Dżazi – przerzuciła się szybko na formę adekwatną do stanu naszych stosunków. Było to dziwne, bo przy ludziach zawsze przestrzegaliśmy form. – Stało się coś bardzo dziwnego. Nigdy czegoś takiego nie widzieliśmy. Cały sprzęt łączności oślepł – mówiła tak szybko, że nawet moja sprawna angielszczyzna zaczęła mnie zawodzić – i pole siłowe samoczynnie się wyłączyło.

– Oślepł? – Nie byłem pewien, czy właściwie zrozumiałem. Dobrze, że wcześniej zdołałem się podnieść, bo przecież nie wypadało rozmawiać z kobietą, siedząc. –To znaczy popsuł się? A IVIS?

– IVIS i radar działają, komputery są sprawne. Chodzi o łączność. Po prostu nie widzimy ani jednego satelity. GPS umarł. Próbujemy wywołać kogokolwiek przez radio, ale panuje głucha cisza. W ogóle w całym paśmie UKF – nic. No i na razie nie działa MDS.

Jakoś nie nadążałem. Jeżeli elementy systemu są sprawne, to dlaczego nie ma łączności – ani satelitarnej, ani na UKF-ie, ani w ogóle żadnej? Dlaczego nie widzimy satelitów GPS-a? O Jezu! Miałem ochotę wyłącznie na położenie się do łóżka i nieprzerwany, długi sen. Jednak byłem tu szefem i wszyscy oczekiwali ode mnie mądrych i dalekowzrocznych decyzji. Skupiłem się więc.

– Cupryś! – zawołałem łącznościowca. – Żyjesz?

– Tak jest. – Chudziutki kapral wychylił się z kabiny stara. On zawsze wyglądał, jakby go prąd potarmosił.

– Wywołaj dowództwo.

– Tak jest. – Cupryś zniknął we wnętrzu wozu i po chwili rozległo się nerwowe popiskiwanie radiostacji.

– No dobrze, Nancy – wróciłem do rozmowy. – Powiedz, co się dokładnie stało?

– W momencie uderzenia pioruna w emiter pola komputer zarejestrował chwilowy, ale skokowy wzrost napięcia w systemie. Stabilizatory nie dały rady utrzymać tego w ryzach, bo skok wielokrotnie przekroczył normy. Poszły zabezpieczenia. Holden już je zresztą przywrócił do porządku. W każdym razie urządzenia są sprawne, mogą się komunikować i ze sobą, i z waszym sprzętem, ale na zewnątrz – cisza. Niczego nie słyszymy i nie widzimy. Dlaczego tak jest, nie wiem. Wszystko mamy zarejestrowane na twardym dysku, więc w końcu dojdziemy przyczyny.

– Jakieś to dziwne. – Kurcewicz wstał. Wyglądało na to, że wraca do dawnej formy. – Łączność była, a teraz nie ma, polana była i nie ma, burza była i nie ma. Co jest, kurna? Generał nam przygotował ekstrator przeszkód?

– Panie pułkowniku. – Tym, który zdecydował się przerwać naszą zajmującą rozmowę i przestawić ją na jeszcze bardziej fascynujące tory, był Galaś, który pojawił się znienacka przede mną. – Melduję posłusznie, że kapral Gębala poszedł na chwilę w las za potrzebą i rozumie pan, spotkał kogoś. Jakichś dwóch cywili...

– Cywili? – zdziwiłem się uprzejmie. – Ależ zapraszamy, proszę się nie krępować. Nie ma łączności, ludzie zachowują się, jakby byli chorzy na chorobę świętego Wita, latają nad nami jakieś strupieszałe wraki, więc dwaj dodatkowi cywile nie robią mi żadnej różnicy. Dawaj ich tu!

– Panie pułkowniku – Cupryś wychylił się ze stara – melduję, że nie ma żadnej łączności. Na wszystkich kanałach cisza.

Sapiąc ze złości, wyciągnąłem prywatny telefon komórkowy. Pobieżne zerknięcie na display poinformowało mnie, że zasięg wynosi zero. Nic. Nie możemy połączyć się z dowództwem, komórki nie działają, GPS nie działa. Ogólna cisza w eterze.

Nadal jeszcze myślałem, że to należy do planu generała. Ot, taki skok na głęboką wodę.

W tym momencie powinienem wydać szereg rozkazów, mających na celu zabezpieczenie batalionu w niespodziewanej sytuacji. Już otwierałem usta, kiedy zza ostatniego czołgu wynurzył się kapral Gębala, prowadząc przed sobą dwóch mężczyzn. Na oko ojca i syna. Starszy miał może czterdzieści, młodszy – piętnaście lat. Ubrani byli w buty za kostkę, przypominające stare narciarki, spodnie i marynarki o kroju, tak mi się przynajmniej wydawało na pierwszy rzut oka, mocno już niemodnym. Stanęli przede mną, rozglądając się dookoła. Było w tych spojrzeniach zdumienie, niedowierzanie i… strach. Zdarzało mi się na poligonie widywać rozmaitych grzybiarzy, których ku uciesze żołnierzy dostarczała żandarmeria, ale tak nie wyglądali żadni okoliczni grzybiarze. Jacyś byli tacy… niedzisiejsi.

– Już się cieszę na samą myśl o raporcie, który wyślę Dreszerowi w sprawie czujności naszych kolegów z żandarmerii. Ochraniają nas, nie ma co! – mruknąłem do Kurcewicza.

– Gnojki – przytaknął kapitan. – Nie są w stanie upilnować własnych spodni. Baw się tutaj, idę do moich ludzi. Sprawdzę, czy wszystko gra.

Odwrócił się na pięcie i poszedł. Tą decyzją uratował nam życie. W każdym razie mnie na pewno.

– Co wy tu robicie, do cholery? – Nie miałem zamiaru bawić się w konwenanse i dlatego powitanie nie należało do specjalnie wyszukanych. – To jest teren wojskowy. Wstęp surowo wzbroniony. I karalny. Nazwisko? – zwróciłem się do starszego mężczyzny.

Ten po prostu gapił się na mnie baranim wzrokiem, ale cały czas zezował na stojące parę kroków dalej czołgi. Nie odpowiedział.

– Panie, ogłuchł pan? Nazwisko!

I wtedy się odezwał. Była to długa tyrada, pełna z trudem tłumionej złości. Wygłoszona po niemiecku.

– Co pan? – Moja irytacja pomału, ale konsekwentnie zbliżała się do kreski alarmowej – Galaś!

– Tak jest!

– Chwaliłeś się, że znasz niemiecki, to zapytaj o nazwisko i jacy diabli ich tu nadali?

Galaś zaszwargotał szybko, a tamten odpowiedział mu natychmiast.

– On mówi, panie pułkowniku, że, melduję posłusznie, w Niemczech nie ma obowiązku znać polskiego i może gadać w swoim ojczystym języku. I pyta się, że tak powiem, co tu robimy.

– My? Zwariował, czy z twoim szwabskim jest coś nie tak?! W jakich, do diabła, Niemczech? Zapytaj go, skąd jest.

I znów krótka wymiana zdań.

– Powiedział, że po dobroci nic nie powie. Tak się wyraził: po dobroci.

– Dokumenty – warknąłem. – Ausweis! – ryknąłem bezpośrednio do Niemca.

Tamten szarpnął się w tył, ale Gębala, który z otwartymi ustami przysłuchiwał się tej wymianie zdań, mocno go trzymał. Kątem oka dostrzegłem, jak coraz bardziej zdumioną minę robi Nancy, jak Gębala gapi się głupio, niczego nie rozumiejąc, ale w tej chwili pochłonięty byłem tylko nieproszonymi gośćmi.

Galaś przyskoczył do unieruchomionego Niemca, szybkim ruchem sięgnął mu za pazuchę i wyciągnął mocno podniszczony portfel. Wziąłem go ostrożnie, cały czas nie spuszczając oka z nieproszonego gościa. Jego twarz wykrzywiona była wściekłością i mocno pracował, próbując wyrwać się Gębali. Młodszy z intruzów stał nieruchomo, nie mogąc zdecydować się na jakąś bardziej stanowczą akcję. Zajrzałem do portfela i już pierwsza rzecz, którą z niego wyjąłem, spowodowała, że wstrzymałem oddech. Trzymałem w ręku banknot pięciomarkowy z 1938 roku. Całkiem niezniszczony.

– Co to jest?

Nie kierowałem tego oryginalnego pytania specjalnie do nikogo, ale oczywiście Galaś poczuł się upoważniony do udzielenia odpowiedzi:

– Melduję posłusznie, panie pułkowniku, że o ile mnie wzrok nie myli, autentyczny banknot sprzed wojny. Pięć Reichsmarek. Jakiś kolekcjoner, czy jak?

Nie bardzo jeszcze zdążyłem zarejestrować to zdarzenie, kiedy moja ręka, jakby samorzutnie, wyciągnęła mocno sfatygowaną książeczkę z napisem „Ausweis" na okładce i wizerunkiem hitlerowskiej gapy poniżej. Otworzyłem ją i na pierwszej stronie zobaczyłem zdjęcie przedstawiające niewątpliwie mężczyznę, który stał przede mną. Owszem, młodszego o jakieś dziesięć lat, ale to był on, bez dwóch zdań.

– Hans Bregnitz – dukałem – geboren in Dresden in 1897 Jahr. Co to jest? – Nie byłem oryginalny i miałem wrażenie, że mój zasób słów skurczył się ostatnio do kilku wykrzykników. – Żart?

– Ależ skąd, panie pułkowniku – obruszył się Galaś. – Tam stoi, że facio urodził się w Dreźnie w 1897 roku. Znaczy się, ma, niech policzę, sto dziesięć lat!

– Taaa, jasne. Zapytaj młodszego, czy ma dokumenty!

Galaś, nic nie mówiąc, sięgnął za pazuchę dzieciaka, ale tamten sam wyciągnął z kieszeni podniszczoną legitymację. Kapral przyjrzał się jej dokładanie i z krzywym uśmieszkiem rzucił w przestrzeń:

– To samo. Jürgen Bregnitz, urodzony w 1925 roku w Breslau, we Wrocławiu znaczy się.

Przyznaję, zaczął mnie trafiać szlag. Popatrzyłem na uśmiechającego się krzywo Galasia, na dwóch Niemców jakby żywcem wyjętych z tandetnych dekoracji teatralnych, Nancy z wyrazem niezrozumienia na swojej ślicznej buzi, Gębalę wpatrującego się we mnie tępo, i krzyknąłem:

– Ludzie! Czy wy naprawdę chcecie, abym uwierzył, że ni stąd, ni zowąd znalazłem się w Niemczech i mam przed sobą dwóch facetów, z których jeden według metryki powinien dawno nie żyć, a drugi, co ma w papierach wiek powyżej osiemdziesiątki, wygląda na piętnaście lat??? Skąd ci dwaj się tu wzięli?

Na co Gębala odparł z prostotą:

– Melduję, panie pułkowniku, że stali w lesie i gapili się na obóz. No to tego starszego łapsnąłem za kark i przytaszczyłem tutaj, a młody sam przyszedł.

Jakoś nikt nie kwapił się, aby coś dodać. W końcu oficjalnym tonem odezwała się kapitan Sanchez:

– Pułkowniku, nie bardzo rozumiem, co się tu dzieje, ale bardzo mi się to nie podoba.

– No brawo, brawo. Ta uwaga popycha nam sprawę do przodu, no nie? – Nancy chyba trochę się obraziła, ale chwilowo miałem to gdzieś. Odetchnąłem parę razy bardzo głęboko i, pomimo zaciśniętych zębów, całkiem wyraźnie powiedziałem: – Podsumujmy: mamy przed sobą dwóch genetycznie zmodyfikowanych dziadków posługujących się papierami sprzed wojny. Burza skończyła się, jak nożem uciął. Ze wschodu słyszę odgłosy wydawane przez artylerię. Nie ma żadnej łączności. Piękna leśna polana, na której zaparkowaliśmy godzinę temu, zmieniła się nie do poznania. Ktoś ma jakiś pomysł?

Wszyscy wykazali się inteligencją i przezornie milczeli. W końcu mówiłem do dwóch niewykształconych kaprali, Amerykanki i Niemców. Może akurat Niemcy mieliby w tej sprawie coś do powiedzenia, ale zapewne niespecjalnie rozumieli moje pytania. Poza tym już nie zdążyłem kontynuować przesłuchania.

Bo wtedy usłyszeliśmy jeszcze coś. Cała nasza grupa zrobiła przepisowy w tył zwrot i zaczęła się gapić w ten kąt naszej polany, który był zakończony wylotem drogi. Z oddali doszedł bowiem warkot silników i znajomy zgrzyt gąsienic.

– Świetnie – niemal odetchnąłem z ulgą. – Odnalazła się pieprzona żandarmeria?

– Albo ten trzeci kogoś wezwał. – Gębala nadal trzymał w objęciach starszego z Niemców. – Jak wpadłem na tych dwóch, to tamten zawinął się, wsiadł na rower i zwiał. No, nie miałem go jak gonić.

Nie zdążyłem zareagować na tę rewelację, bo zza zakrętu drogi, jakieś dwieście metrów od nas, wynurzył się transporter opancerzony, za nim następny, a potem jeszcze dwie ciężarówki. Odległość zamazywała szczegóły, ale dałbym sobie głowę uciąć, że te kształty na pewno kiedyś widziałem, i to wielokrotnie.

– O kurwa, panie pułkowniku, Niemcy! – Galaś albo miał lepszy wzrok, albo szybciej kojarzył fakty. – O ja pierdolę, oryginalny niemiecki SPW. Nie wiedziałem, że takie są jeszcze na chodzie. Film jakiś kręcą czy jak?

– To jest w ogóle kiepski film, całe te manewry od siedmiu boleści – mruknąłem bardziej do siebie niż do niego. – Świetny mamy początek, nie ma co.

Chciałem coś jeszcze dodać w tym stylu, ale od tej chwili wypadki zaczęły się toczyć jak dla mnie zdecydowanie za szybko.

Czołowy transporter zatrzymał się na skraju polany, mniej niż sto metrów od nas. Nad opancerzoną szoferką szczerzył zęby cekaem, nawet całkiem wyraźnie widziałem pochylonego nad nim strzelca. Wóz pokrywały nieregularne ciapki maskujące. Chociaż przybysze nie wyłączyli silników, zapadła jakaś taka znacząca cisza. My gapiliśmy się na nich, oni na nas, i jeżeli zdumienie jest do zmierzenia, obie grupy zbliżały się do końca skali.

Tamci zareagowali trochę szybciej. Zza cekaemisty wynurzył się drugi facet – pewnie dowódca – odwrócił się w stronę następnego transportera i ciężarówek, po czym krzyknął niezrozumiałą dla nas komendę. Kilka tuzinów żołnierzy całkiem sprawnie rozsypało się po obu stronach wozów, zajmując stanowiska strzeleckie. Zdążyłem zanotować tylko, że na końcach krótkiej tyraliery rozlokowały się dwa następne kaemy, a mundury tych żołnierzy – bo to bez dwóch zdań byli jacyś żołnierze, nie wiem, może aktorzy udający żołnierzy – były szarostalowe. Oficer odwrócił się znowu do nas i krzyknął:

– Wer sind sie?

– Co on gada? – Spojrzałem na Galasia.

– Melduję posłusznie, panie pułkowniku, że pyta, cośmy za jedni.

– My? Powiedz mu, że wjechał na poligon należący do armii i ma pół minuty na zrobienie w tył zwrot. Nie chcę ich wszystkich więcej widzieć!

Galaś nabrał powietrza w płuca i wolno wyskandował po niemiecku treść komunikatu.

Tamten lekko zbaraniał. Po chwili jednak znowu coś krzyknął.

– Pyta, jaka armia. – Galaś był podejrzanie ubawiony całą sytuacją i niestety, podobnie jak ja, nie podejrzewał w ogóle, co się święci. Chociaż może podejrzewał, kto go tam wie.

– Jaka armia? Kurwa, tureccy janczarzy! – wybuchnąłem. – Polska, polska w dupę kopana armia, do ciężkiej cholery. Polnische Wehrmacht, du dummkopf! – wrzasnąłem na użytek tych udających wojsko filmowców moją, pożal się Boże, niemczyzną.

Ale tamten zrozumiał bez pudła.

– Die Polen? – upewnił się. – Ach so! – Po czym odwrócił się do swoich i spokojnym, ale stanowczym głosem wydał komendę:

– Feuer!!!

4.

Jeszcze sekundę wcześniej na polanie panowała względna cisza, zakłócana tylko odległymi grzmotami ze wschodu i burczeniem czterech silników tamtych pojazdów.

W następnej sekundzie ciszy już nie było. Została podarta na strzępy ogłuszającym hukiem salwy z kilkudziesięciu karabinów, pistoletów maszynowych i kaemów. Zarejestrowałem świst kuli przelatującej tuż obok mojej głowy i odruchowo upadłem na ziemię, wykazując zręczność skaczącej pantery. Wewnętrznym okiem i szóstym zmysłem wyczułem, że za mną padają Galaś i Nancy. Miałem nadzieję, że robią to z własnej woli, a nie grawitacja robi to za nich.

Niestety nie wszyscy zareagowali równie szybko. Z miejsca, w którym leżałem, wyraźnie widziałem, jak jedna z pierwszych serii przecięła na pół Gębalę i trzymanego w objęciach Niemca. Krew trysnęła z co najmniej kilkunastu ran na ciele jednego i drugiego i Gębala wraz z towarzyszem wywrócił się w tył z wyrazem komicznego – gdyby nie groza sytuacji – niezrozumienia na twarzy. Nieustanne, ogłuszające staccato wystrzałów i przeciągłe wizgi rykoszetów spowodowały, że nie słyszałem nawet własnych myśli. Jeżeli ktoś tu kręcił film, to Oscara za efekty specjalne miał w kieszeni.

Strzelanina zaskoczyła żołnierzy w różnych miejscach obozowiska. Nie wszyscy doszli jeszcze do siebie po wstrząsie wywołanym uderzeniem pioruna. Niektórzy byli wewnątrz pojazdów, inni na zewnątrz i żaden nie miał przy sobie broni. Atak był zaskoczeniem tak wielkim, że większość nie zdała sobie dokładnie sprawy z tego, co się działo. Serie bębniły po maskach samochodów, wybijały szyby, odbijały się od pancerzy. W drzwiach MDS-a pojawił się jeden z Amerykanów z eleganckim M-4, ale nawet nie zdążył rozłożyć kolby, bo któraś z kul trafiła go prosto w twarz i poleciał na dół ze schodków.

Wciśnięty w ziemię, głębiej niż by to się wydawało możliwe, widziałem wszystko naprawdę bardzo wyraźnie. Wyciągnąłem z kabury nieregulaminowego heckler&koch USP expert kalibru 9 milimetrów – a jakże – ale aż mi się śmiać zachciało na myśl, że będę strzelał z pistoletu do celu oddalonego o sto metrów.

Szczerze mówiąc, w pierwszej chwili nie byłem w stanie odpowiednio zareagować. W głębi mnie profesjonalna część jestestwa wykrzykiwała precyzyjne komendy, ochoczo i sprawnie dostosowując się do sytuacji, do której, jakkolwiek by na to patrzeć, była szkolona. Szkopuł w tym, że druga część mojego ja zdała sobie sprawę, że kule, karabiny, transportery, przeciwnik, który wyskoczył jak diabeł z pudełka – wszystko to jest prawdziwe i ktoś naprawdę do mnie strzela, próbując zabić. Ta właśnie część objęła tę pierwszą w niepodzielne władanie. I na dobrą chwilę sparaliżowało mnie. Zupełnie nie wiem, jakim cudem udało mi się wyciągnąć pistolet. Wczoraj też byłem o włos od śmierci, ale jednak okoliczności były zupełnie inne. Wtedy jakoś bałem się mniej.

Moja ze strachu wywinięta na drugą stronę zajęcza dusza przycupnęła w mysiej norze, ale to niestety nie znaczyło, że straciłem wzrok. Gdybym go bowiem stracił, nie zauważyłbym, że prawe skrzydło nieprzyjaciela podrywa się i wrzeszcząc coś niezrozumiale, pędzi w naszą stronę, cały czas strzelając ze wszystkich luf. Widziałem to niestety bardzo dobrze i szybko zdałem sobie sprawę, że gdy ta drużyna wpadnie pomiędzy wozy i wybiegnie na plac, zanim my zdążymy dopaść broni, wystrzela nas w ciągu minuty.

Ale – jak często bywa – sytuacja dynamicznie się rozwijała, nie bacząc na kiepskich aktorów, którym przyszło grać w tej scenie. Drugą odsłonę potyczki zainicjował maestro Wojciech Kurcewicz, który w przeciwieństwie do swego ukochanego dowódcy i przyjaciela, czyli mnie, nie stracił głowy.

Kapitan poszedł do siebie jeszcze przed rozmową z Bregnitzami i najwyraźniej odnalazł swoich ludzi w najlepszym porządku. Początek strzelaniny zastał go bowiem w momencie, kiedy, stojąc obok jednego z czołgów, opierniczał kierowcę za znaleziony w jego rzeczach pokaźny zapas alkoholu. Zapewne chodziło o niesprawiedliwy, zdaniem Kurcewicza, podział tegoż alkoholu pomiędzy załogę i dowódcę. Rzecz jasna rozpoczęcie bitwy zakończyło awanturę, której z lubością oddawał się krewki kapitan. Jako żołnierz inteligentny i przezorny, padł na ziemię i wyglądając ostrożnie zza gąsienicy, fachowo ocenił sytuację. Cofnął się, krzyknął na kierowcę – problem nielegalnej wódki zszedł nieco na dalszy plan – i korzystając z faktu, że czołg był zasłonięty od ostrzału przez opancerzonego stara dowodzenia, który jest sporo wyższy od twardego, szybko wskoczył do środka.

Pomimo hałasu – choć może mniejszego niż na początku, bo strzelanina nieco osłabła, pewnie tamci zmieniali magazynki – dobiegł mnie warkot odpalanego tysiąckonnego silnika. Leżałem nie więcej niż pięć metrów od czołgu, więc odebrałem to jako małe trzęsienie ziemi. Usłyszałem podzwanianie gąsienic, wizg elektrycznego silniczka obracającego wieżę twardego i raczej wyczułem, niż zobaczyłem, że ciężka maszyna, niczym rewolwerowiec na Main Street w Tombstone, stanęła pośrodku polany. Kule bezsilnie odbijały się od reaktywnego pancerza czołgu, nie czyniąc mu najmniejszej krzywdy. Kurcewicz skorygował ustawienie lufy, wieża przesunęła się jeszcze parę stopni w prawo i zastygła. Sądzę, że wszyscy zarówno w naszym, jak i nieprzyjacielskim obozie wstrzymali oddech. Szczerze mówiąc, sam byłem ciekaw, jak się sprawy potoczą.

Huk wystrzału i ryk powietrza rozdzieranego przez ciężki pocisk kalibru 125 milimetrów prawie urwał mi głowę. Kurcewicz jak to Kurcewicz, efekciarz i pozer, zamiast podkalibrowego, który przez cienki pancerz starego transportera przeleciałby jak przez muślinową zasłonkę, użył pocisku odłamkowo-burzącego, w sam raz do rozbijania murów Bastylii. Czołowy transporter, razem z dowodzącym oficerem i kaemistą, w ciągu ułamka sekundy zamienił się w ogromną pomarańczową kulę ognia oraz poskręcanych odłamków i w tej postaci pofrunął w powietrze. W wozie dodatkowo eksplodowała amunicja i paliwo, więc wybuch był tak silny, że nawet mnie, oddalonego o prawie sto metrów, rzuciło w tył. Po chwili na ziemię zaczęły spadać kawałki rozżarzonego żelastwa, próbując dokonać tego, czego nie zdziałały kule.

Twardy, oprócz studwudziestopięciomilimetrowej armaty, ma, poza kaemem przeciwlotniczym kalibru 12,7 milimetra, sprzężony z ową armatą karabin maszynowy kalibru 7,62 milimetra. Kurcewicz i jego załoga przystąpili niezwłocznie do demonstracji, w jaki sposób się go właściwie użytkuje. Niekończąca się seria pocisków wylatujących z prędkością sześciuset strzałów na minutę zupełnie pokryła leżących w trawie żołnierzy nieprzyjaciela. Ogień z ich strony zgasł gwałtownie, a ja w końcu poderwałem się na równe nogi.

– Galaś! – wydarłem się. – Bierz broń, Cuprysia i do mnie! Boreeeeek!! Dwa kaemy na lewe skrzydło, biegiem!

Skoczyłem za ciężarówkę i pobiegłem w stronę jej drugiego końca. Wychyliłem się ostrożnie i szybkim spojrzeniem zlustrowałem sytuację. To znaczy chciałem zlustrować, ale nie zdążyłem, stało się bowiem to, czego się bałem: atakująca drużyna była już o kilka kroków od celu, a prowadzący podoficer właśnie na mnie wpadał.

Prawa ręka, w której trzymałem pistolet, zupełnie bez udziału świadomości poderwała się do góry i bez celowania, ruchem, który tysiąc razy ćwiczyłem na strzelnicy, wystrzeliła dwukrotnie w pierś nacierającego żołnierza. Widziałem niczym na zwolnionym filmie – a trudno było nie zauważyć z odległości półtora metra – jak kule wywalają dwie niewielkie dziurki w mundurze tego faceta. Górna jego połowa, zatrzymana energią kinetyczną pocisków, stanęła w miejscu, nogi zrobiły jeszcze dwa kroki i żołnierz wywrócił się na plecy, rzężąc okropnie.

To wszystko widziałem już tylko kątem oka, bo mój palec wskazujący, który objął kontrolę nad sytuacją, zaciskał się rytmicznie na spuście pistoletu i sprawił, że opróżniłem piętnastostrzałowy magazynek w czasie z pewnością lepszym od rekordu Polski. Ale, jak to zwykle w takich przypadkach bywa, pożytek był niewielki – USP skakał jak pajac w jarmarcznej budzie i poza pierwszym pociskiem, który ranił najbliższego żołnierza w ramię i powalił na ziemię, reszta poleciała w niebo.

O wiele większe wrażenie na nieprzyjacielu wywarł Galaś. Zmobilizowany okrzykiem, wyciągnął z samochodu karabinek automatyczny beryl, torbę z magazynkami i dobiegł do mnie, zanim zdążyłem zarejestrować, że skończyła mi się amunicja. Nawet się nie zastanawiałem, jakim cudem tak szybko zdobył broń. Kapral klęknął, przyjął prawidłową postawę strzelecką – lekko pochylony do przodu, głowa wciśnięta w ramiona, prawy łokieć prostopadle do osi broni – i zaczął powstrzymywać atak dobrze mierzonymi, trzystrzałowymi seriami. Gdzie się nauczył tak strzelać – a będzie to tylko jedna z jego wielu umiejętności, o czym się wszyscy niebawem przekonamy – nie wiadomo. Pytany, zawsze kręcił, byle tylko nie powiedzieć prawdy.

Dwóch pierwszych piechurów trafionych prosto w punkt padło z krzykiem na ziemię. Jednak nawet genialny kapral nie byłby w stanie sam powstrzymać kilkunastu nacierających żołnierzy. Gdyby nie to, że Borek ze swoim wojskiem przyszedł nam w ostatniej chwili w sukurs, byłoby źle. Ku swojej uldze, zanim uporałem się ze zmianą magazynka, zza sąsiedniej ciężarówki usłyszałem bardzo długą serię z erkaemu. Za mną ktoś stęknął, zamachnął się i niewielkie jajo poszybowało w stronę przeciwnika.

– Padnij! – krzyknęło kilka głosów naraz. – Granat!

Wszyscy posłusznie padliśmy na ziemię. Wybuch obsypał nas stoma tysiącami gałązek i szyszek, ale większych strat nie zanotowaliśmy. Z naszej strony to już był koniec.

W tym czasie na prawym skrzydle rozwijał się prawidłowy kontratak sił szybkiego reagowania, czyli plutonu gromiarzy. Komandosi, chluba polskiej armii, często sprawiali wrażenie zblazowanych pozerów, których nudzi wszystko, co nie jest podnoszącą poziom adrenaliny akcją z elementami śmiertelnego ryzyka. Miałem przemożne wrażenie, że ćwiczenia i w ogóle całą tę hecę z Samodzielnym Batalionem Rozpoznawczym potraktowali jako dopust boży i niczym niezasłużoną karę. Może uważali, że Wojtyński komuś podpadł w dowództwie. Po prostu czekali, aż wyjedziemy do Afganistanu i wtedy spodziewali się pokazać światu, ile są warci.

Teraz jednak – trzeba uczciwie przyznać – nie stracili głowy jak reszta oddziału. Na samym początku strzelaniny cofnęli się po broń i gdy Kurcewicz rozmienieniem wrażego transportera na drobne dał sygnał, że jeszcze Polska nie zginęła – ruszyli. Korzystając z osłony ciężarówek, dwudziestu śmiertelnie niebezpiecznych ludzi po cichutku przemknęło w stronę linii wroga, szerokim łukiem omijając jego skrzydło. Kurcewicz skończył polewanie nieprzyjaciela seriami kaemu i w tym właśnie momencie nasi, będąc już właściwie na tyłach „tamtych", zaatakowali.

Pistolet maszynowy MP–5 firmy Heckler&Koch kalibru 9 milimetrów jest najlepszą na świecie bronią do walki na krótki dystans: celny, lekki, świetnie wyważony, praktycznie pozbawiony odrzutu; we wprawnych rękach to prawdziwa maszyna do zabijania. Ręce ludzi z GROM-u były więcej niż wprawne, toteż walka trwała krótko: kilkanaście precyzyjnych, króciutkich serii zakończyło kilkanaście żywotów i w zasadzie nie zostało nic więcej do zrobienia. Nieprzyjaciel chyba nawet nie zdążył się zorientować, co go spotkało. Kurcewicz swoim wystąpieniem zadał Niemcom wielkie straty i zniszczył ich morale: ci, którzy zostali przy życiu, nie strzelali już ani tak gęsto, ani tak celnie jak na początku. Komandosi dokończyli dzieła zniszczenia i trzy czwarte składu obcego plutonu zostało wyeliminowane z bitwy. Reszta – ranna, ogłuszona i niewąsko przestraszona – bardzo ochoczo podniosła ręce do góry.

Wstałem z klęczek – przeładowywanie pistoletu wydało mi się bezpieczniejsze w tej pozycji – i ostrożnie wyjrzałem zza ciężarówki.

Kilkanaście ciał leżących w najdzikszych pozycjach, część okropnie poszarpana przez wybuch granatu. Niektóre drgały jeszcze. Nie był to specjalnie budujący widok, ale jakoś nad sobą zapanowałem. Ostatecznie zawsze mogłem odwrócić wzrok.

– Galaś! Dawaj tu Borka i lekarzy! Biegiem!

– Tak jest.

Kapral ruszył do obozu, a ja poszedłem za nim. Stanąłem na środku placu, obok czołgu Kurcewicza. Sam bohater patrzył na mnie z wysokości wieżyczki i kręcił z niedowierzaniem głową. Omiotłem wzrokiem pobojowisko, próbując oszacować straty. Nie rozglądałem się zbyt dokładnie, bo adrenalina huczała we mnie na całego i nie za bardzo mogłem się skoncentrować.

– Rozumiesz coś z tego? – zapytał.

– Nie. Sprawdź stan kompanii i melduj o stratach.

– Robi się.

– Panie pułkowniku! – Niespodziewanie wyskoczył przede mną Poklewski. Miał przestraszoną minę i zaczepkę w głosie. – Co się stało z łącznością? Co to za ludzie nas zaatakowali? Ja muszę wyjaśnienie mieć.

– A co, nie możecie się dodzwonić do waszego pułkownika, poruczniku? – zapytałem na tyle głośno, żeby słyszał mnie Kurcewicz i przynajmniej połowa jego ludzi. – Zapamiętajcie sobie raz na zawsze: obowiązuje was droga służbowa. Z każdą sprawą macie się zwracać do waszego bezpośredniego przełożonego, kapitana Kurcewicza. Czy to jasne?

– Ale...

– Czy to jasne? – powtórzyłem nieco ciszej, ale musiało być w moim głosie coś szczególnego, bo zrezygnował z dalszego nalegania i powiedział:

– Tak jest.

– No to odmeldujcie się i biegiem do waszego plutonu, sprawdzić ludzi i sprzęt.

– Tak jest – i pobiegł.

– Ja go, kurwa, załatwię – zdenerwował się Kurcewicz. – Będzie z tęsknotą wspominał służbę u ciebie.

– Mamy poważniejsze zmartwienia. – Machnąłem ręką. Pewnie. Kluczowym było ukrycie drżenia kolan.

Podbiegł do mnie Kuba Borek.

– Chcę, żeby twoja kompania zorganizowała osłonę obozu – powiedziałem. – Podziel ją na patrole. W sile drużyny każdy. I każdy ma wziąć RPG, kaem i podwójny zapas amunicji. Poprawka – potrójny. Przekieruj łączność tak, żebym też słyszał meldunki patroli. Osłaniasz kierunki wschodni, południowy i północny. Kierunek zachodni osłoni Stańczak. Powiedz ludziom, że mają mieć oczy dookoła głowy. I niech zwracają też uwagę na niebo. Nie chcę tu żadnych samolotów rozpoznawczych, sprawdzających, co u nas na kolację. Jak trafimy na cwanego lotnika, to się pojawi na wysokości wierzchołków drzew i radar może tego nie wyłapać. Ludzie z sekcji dowodzenia niech pozbierają jeńców, skują ich i posadzą gdzieś w ustronnym miejscu. Jeńcy mają siedzieć tyłem do obozu i nie gadać ze sobą. Rannych oczywiście opatrzyć. Ten młody Bregintz przeżył zdaje się, posadź go osobno. Wykonać!

– Tak jest! – Borek jeszcze nie skończył mówić, a już biegł w stronę swoich ludzi.

– Stańczak! – rzuciłem do mikrofonu.

Po sekundzie zgłosił się dowódca plutonu rozpoznawczego.

– Melduję się – rozległ się spokojny głos w słuchawce.

Przynajmniej ten facet nigdy nie traci głowy.

– Straty?

– Nie ma.

– Dobra. Bierz transportery i jedź drogą, którą przyjechaliśmy. Jak dotrzesz do skrzyżowania z szosą, znajdź naszych przyjaciół z żandarmerii i zainteresuj się, dlaczego wpuścili nam tu gości z pukawkami. Jeżeli nikogo nie znajdziesz, dobrze się ukryj i zamaskuj. Wyślij piesze patrole w przód i na boki. Unikaj walki. Melduj o jakichkolwiek ruchach jakiegokolwiek wojska. W razie gdyby się ktoś pojawił i próbował tą albo jakąś inną drogą do nas się dostać, zatrzymaj i nie wpuszczaj.

– Tak jest. Ale… Panie pułkowniku, właściwie co się dzieje?

– Jeszcze nie wiem. Wykonać!

– Tak jest!

– Sawicki!

– Jestem.

– Czym prędzej ugaście transporter. Ten dym jest cholernie widoczny.

– Już szykujemy sprzęt. Wykonuję!

– Dobra. Grabowski!

– Jestem! – Głos przeciwlotnika był słabiutki.

– Żyjesz? Straty są?

– Na razie nie widzę.

– Dobrze. Wszystkie szyłki – gotowość bojowa. Załaduj rakiety. Ustaw się tak, żeby mieć na widoku każdy kawałek nieba.

– A przed czym mamy się bronić?

– Przed kosmitami, Grabowski, nie wiedziałeś? Przylecieli przed chwilą i spodziewają się kolegów. Wykonać.

Cisza.

– Grabowski, jesteś tam?

– Jestem.

– Zrozumiałeś?

– Tak. Nie. Nie wiem. Co mam wykonywać?

Wziąłem głęboki oddech.

– Poruczniku, powtórzę rozkaz: macie rozstawić samobieżne zestawy przeciwlotnicze szyłka w miejscach optymalnych do obrony batalionu przed nieprzyjacielskim atakiem z powietrza. Każda szyłka ma posiadać na pokładzie jednostkę ognia. Dotyczy to zarówno rakiet, jak i amunicji do dział. Wszystkie zestawy mają mieć włączone pasywne i aktywne systemy obserwacyjne i nasłuchowe, łącznie z radarem. Czy to jasne?

Cisza.

– Poruczniku, proszę się nie ruszać z miejsca. Idę do was.

Niedobrze. Jeden z dowódców mi się rozsypał.

Upłynęło może półtorej godziny od przyjazdu na poligon, a bilans efektów, które udało się osiągnąć w tak krótkim czasie, był doprawdy imponujący: ponad pięćdziesiąt trupów, w tym dwa własne, kilkunastu rannych, dopalający się transporter opancerzony o charakterze zabytkowym, jego brat bliźniak i dwie ciężarówki o równie zabytkowym charakterze, ale w stanie pierwszorzędnym, kilkunastu jeńców, podziurawione maski naszych ciężarówek, unoszący się jeszcze w powietrzu smród kordytu, a także załamanie psychiczne jednego z kluczowych dowódców. A misja afgańska się nawet jeszcze nie zaczęła, ba, nie zaczęły się nawet zaplanowane ćwiczenia.

Pomyślałem sobie wtedy, że im szybciej uwierzę w to, co się stało, tym lepiej. Chociaż na pewno wygodniej byłoby sądzić, że to koszmarny sen. Mocno się w duchu szczypałem w udo, ale jakoś nie mogłem się obudzić. Sen trwał dalej.

Pelotki stały tuż przed namiotami. Na oko wyglądały na nietknięte przez kule. Zresztą, co tam kule. Pancerze pelotek były w stanie znieść o wiele gorsze ciosy, czego nie można powiedzieć o ludziach. Załogi stały w zbitej grupce przed pojazdami. Prawie wszyscy, nawet ci niepalący, nerwowo zaciągali się papierosami, byli zalęknieni i zdenerwowani. Grabowski niespecjalnie się starał, aby poprawić ten stan rzeczy. Wyglądał źle: zgarbiony, szary na twarzy, ręce latały mu jak w ataku choroby Parkinsona.

Stanąłem przed grupą, zmierzyłem ich surowym spojrzeniem mądrego dowódcy. Dowódcy, na którego zawsze mogą liczyć.

– Żołnierze! Załadujcie do wozów komplet amunicji i rakiet i ustawcie je na stanowiskach. Cel zadania: obrona obozu przed atakiem z powietrza. Radary w pełnym nasłuchu. Tryb aktywny. Czy to jasne?

– Tak jest – niemrawo przytaknęło kilkanaście głosów.

– Wykonać natychmiast! – zakomenderowałem. – A pana porucznika proszę na słówko.

Odeszliśmy kawałek, bo to, co miałem porucznikowi do powiedzenia, na pewno nie było przeznaczone dla uszu jego podwładnych. Nie mieli zresztą czasu na zbytnie zastanawianie się nad losem swojego dowódcy. Z profesjonalnej krzątaniny wywnioskowałem, że pomimo szoku wywołanego walką, jednak zdecydowali się wykonać rozkaz. Albo rutyna zdecydowała za nich. Dobre i to.

– Poruczniku Grabowski, powiem krótko. – Też byłem pierwszy raz w takiej sytuacji, więc na wszelki wypadek uznałem, że najlepiej będzie trzymać się oficjalnego tonu. – Zostaliśmy zaatakowani. Nie wiem, przez kogo, i nie wiem, dlaczego. Pewnie niedługo się dowiem, na razie to jednak nieistotne. Ważne jest, że znaleźliśmy się w stanie zagrożenia. Zdaje pan sobie sprawę, poruczniku, że w takiej sytuacji najważniejsze jest wykonywanie rozkazów. Ścisłe i bezzwłoczne. Od tego zależy bezpieczeństwo nas wszystkich. Jasne?

– Tttak. – Musiałem się prawie nachylić, żeby usłyszeć tę przekonywającą odpowiedź. – Jasne.

Podniósł głowę. Z dawnego Grabowskiego, wesołego chłopaka, nie zostało nic. Spojrzałem mu w oczy, ale natychmiast uciekł wzrokiem w bok. Nie miałem wyjścia, decyzja mogła być tylko jedna.

– Poruczniku Grabowski, zdejmuję was z dowodzenia. – Nawet te brutalne słowa nie spowodowały żadnej reakcji, tylko facet jeszcze bardziej się przygarbił. – Proszę natychmiast zameldować się w lazarecie. Będzie pan do odwołania przebywał pod opieką lekarzy.

Wyznaczyłem podporucznika Wałeckiego, dowódcę pierwszego plutonu, na następcę Grabowskiego, powtórzyłem dyspozycje co do ochrony obozu i ciężkim krokiem powlokłem się z powrotem.

5.

Zakrawało na cud, że przy tak gęstym ostrzale mieliśmy jedynie dwóch zabitych. W zasięgu wzroku kręciło się kilku sanitariuszy i lekarzy opatrujących rannych, ale tego akurat byłem pewien: z naszych straciliśmy tylko Gębalę i Wilsona. Tamci nie strzelali najlepiej i to było nasze zakichane szczęście w nieszczęściu.

Twardy nadal stał na środku obozu, z lufą ustawioną pod kątem prostym do kierunku jazdy. Poszedłem wzdłuż linii strzału i dotarłem do resztek transportera. Pożar był już ugaszony. Ludzie Sawickiego kręcili się dookoła, zbierając porozrzucane wybuchem części. Trupów na razie nikt nie miał odwagi dotknąć.

– Panie pułkowniku – mogłem się domyślić, że wśród zbieraczy nie zabraknie Galasia – melduję posłusznie, że niech pan pułkownik zobaczy, co znalazłem.

Podszedł do mnie i podał mi cienką, lekko nadpaloną, skórzaną raportówkę z urwanym paskiem.

– Mapnik? – zapytałem.

– Mapnik – przytaknął pewnym tonem. – Jak pan kapitan przyfanzolił w ten czołowy transporter, to oficera, co z nami gadał, rozpyliło w drebiezgi. Wiele z niego nie znalazłem. Ale pasek od mapnika się urwał od wybuchu i widzi pan pułkownik, poleciał sobie mapnik w las. Leżał trochę z boczku. Pan pułkownik zajrzy do środka.

Zajrzałem. I po raz kolejny tego popołudnia byłem zaskoczony. Głupio, bo po tym wszystkim, co się stało, zawartość mapnika to drobiazg.

– Mapa? – Ciekawe, czego się spodziewałem po mapniku.

– Melduję posłusznie, że tak jest, panie pułkowniku. Niemiecka mapa sztabowa.

– Co na niej jest?

– Najbliższa okolica. I dokładne pozycje XVI Korpusu Pancernego generała von Hoeppnera.

– Von Hoeppnera? – Nasz dialog zaczynał przypominać monolog chorego na echolalię.

– Generała Ericha von Hoeppnera, dowódcy XVI Korpusu Pancernego we wrześniu 1939 roku.

– Historyczna mapa – stwierdziłem.

– W każdym razie autentyczna – wymijająco odpowiedział kapral.

Zostawiłem tę uwagę bez odpowiedzi.

Poszedłem parę metrów dalej, by przyjrzeć się ocalałemu sprzętowi wrogiego oddziału. Drugi transporter pozostał nietknięty. Miał klasyczny kształt gąsienicowo-kołowego pojazdu z czasów ostatniej wojny. Ponad opancerzoną kabiną kierowcy zamontowany był kaem o charakterystycznej dziurkowanej osłonie lufy. Bez wątpienia zarówno transporter, karabin, jak i żołnierzy ubranych w szarostalowe mundury i głębokie, baniaste hełmy, widziałem na dziesiątkach wojennych filmów. Ci tutaj nie byli jednak z filmu, tego byłem pewien.

– Galaś. – Odwróciłem się do kaprala. – Na razie o mapniku nikomu ani słowa. I wnioski, o ile masz jakieś, zachowaj dla siebie.

– Tak jest.

Dawno nie widziałem go tak poważnego.

– Panie pułkowniku – usłyszałem szept w słuchawce.

Stańczak. Odwróciłem się plecami do kaprala i szybkim krokiem poszedłem w stronę stanowiska dowodzenia.

– Melduj.

– Dotarłem do wylotu drogi. No, trochę tu inaczej wygląda niż dwie godziny temu. Nie ma asfaltu, tylko normalna droga gruntowa, tyle że dość równa. Posterunków żandarmerii ani śladu.

– Jesteś pewien? – Zbędne pytanie. Gdyby były, dopiero bym się zdziwił.

– Tak. Szukałem po kilkaset metrów na boki. Ale to jeszcze nic. Po drodze wciąż jeżdżą pojazdy wojskowe. Ciężarówki i motocykle przeważnie. Albo zaopatrzenie, albo łącznicy. Trochę sanitarek. Wszystko modele sprzed wojny. Niemieckie.

– O kurwa!

– Absolutnie się zgadzam, panie pułkowniku. To Niemcy. Co mam robić, jak się tu będą pchać?

– Melduj. A potem ognia ze wszystkich luf.

– Tak jest. Odmeldowuję się.

– Na razie.

Rozłączyłem się.

Odprawę oficerów zwołałem na piątą po południu, miałem zatem chwilę czasu, aby pomyśleć. Nie było to nic wesołego. Przez roztargnienie nie wyłączyłem głupiego pstryczka w telefonie, w efekcie pojechałem na lotnisko i spotkałem Nancy. Minus. Potem okazałem się mięczakiem i nie odmówiłem Dreszerowi przyjęcia dowództwa batalionu. Kolejny minus. Potem wdałem się wojnę z gangsterami i padli ranni; w efekcie połowa dowódców batalionu była poszukiwana. Minus z wykrzyknikiem. Przyjąłem nominację, bo chciałem jechać na wojnę, i Pan Bóg mnie skarał, bo miałem taką wojnę, o jakiej mi się nie śniło. Kolejny minus. Na dodatek zaczęły mi świtać niejasne podejrzenia, kto nas w to wszystko wpakował.

A miało być tak pięknie.

Dowódcy schodzili się powoli, jakby z niechęcią. To akurat mnie nie dziwiło. Walka była szokiem. I ofiary. I zabijanie. I mdły zapach krwi. Rozejrzałem się po znajomych twarzach i doszedłem do wniosku, że nic im nie będzie – umieli się maskować i panowali nad sytuacją. Wiedzieli jednak, że musimy zacząć wyciągać jakieś wnioski, a to nie wróżyło niczego dobrego.

– Straty? – zagaiłem.

– U mnie nic. – Kurcewicz jak zwykle był pierwszy. – Parę zadrapań na pancerzu.

– U mnie Gębala – Sawicki włożył wiele wysiłku w obojętny ton – i czterech rannych. Lekko. Nic im nie będzie. Dwa samochody uszkodzone. Drobiazgi. Do wieczora damy sobie radę.

Spojrzałem na Borka.

– Dwóch rannych, jeden dość paskudnie. – Mówił cicho, ale też panował nad sobą. – Dwa transportery postrzelane, ale nic poważnego. Trzeba wymienić reflektor. Wszystkie patrole na stanowiskach.

– Wójcik?

– Czterech rannych. Dwóch lekko, nie dali się odesłać do lazaretu. Rozerwana opona w AMOS-ie. Nie wiem, jak to się stało, bo miały być odporne. Mamy zapasową, wymienimy. Przestrzelone szyby w beemkach.

– Wojtyński?

– Nic. – Uśmiechnął się lekko, chcąc dodać mi otuchy. – Udało się.

– Kapitan Sanchez? – Spojrzałem w niebieskie oczy Nancy i bardzo mi się nie podobało to, co zobaczyłem.

– Sierżant Wilson nie żyje – powiedziała cicho. – Reszta bez strat. Uszkodzony MDS, nie działa łączność, nie widzimy satelitów. Wozy w porządku. Zupełnie nie rozumiem sytuacji, w której się znaleźliśmy. Zostaliśmy zaatakowani na waszym terytorium, boję się, że to może mieć poważne reperkusje polityczne.

– Pani kapitan – powiedziałem łagodnie. – My też nie rozumiemy, co się dzieje. Na razie proszę nie wyciągać pochopnych wniosków, dobrze? Spróbujemy to sobie jakoś uporządkować.

Skinęła głową. Wygodnie rozsiadłem się w obrotowym fotelu dowódcy i popatrzyłem na zebranych. Wszyscy spoglądali na mnie z oczekiwaniem. Od tych ludzi będzie zależało, jak poradzimy sobie z sytuacją, która nas spotkała. Dlatego zacząłem ostrożnie:

– Poruczniku Wojtyński, będę mówił powoli, a pan będzie łaskaw tłumaczyć kapitan Sanchez na angielski bardzo dokładnie to, co powiem. Chcę, żeby była w pełni świadoma, o czym rozmawiamy. Zgoda?

– Tak jest!

– A więc dobrze. Kapitan Sanchez. Panowie. Spróbuję wam przedstawić sytuację, tak jak ja ją pamiętam. Wyruszyliśmy dzisiaj o drugiej po południu z koszar naszej brygady w L. pod Opolem. Jazda zajęła nam około godziny. Przejechaliśmy w tym czasie sześćdziesiąt kilometrów i znaleźliśmy się, zgodnie z planem, na poligonie strzeleckim naszej brygady w lesie nieopodal wsi Olesno. Rozlokowaliśmy się, uzupełniliśmy paliwo. To chyba zdążyliśmy zrobić, prawda? Platformy transportowe pojechały w cholerę, a my rozpoczęliśmy testy IVIS-a i pola siłowego. W tym czasie nad nasz obóz nadeszła burza. Czy odtąd wszystko się zgadza? – Odpowiedzi nie było, tylko jakieś niemrawe skinięcia głowami i pomruki. – Zakładam, że tak. Od tej pory poruszamy się w świetle faktów rodem z „Matriksa" i moich domysłów, a przyznam, że nie miałem zbyt wiele czasu, aby się nad tym wszystkim zastanowić. Burza nadchodzi i w pewnym momencie jej centrum znajduje się nad nami. Ludzie kapitan Sanchez przygotowują się do testowego uruchomienia pola. Włączają je. Piorun o wielkiej sile uderza w wysunięty emiter pola MDS-a i wskutek niewyjaśnionego na razie zjawiska energia elektryczna pioruna wchodzi w interakcję z urządzeniami generującymi pole siłowe, powoduje potężne zakłócenia pracy zarówno pola, jak i wszystkich urządzeń na pokładzie MDS-a. Musimy pamiętać o tym, że cały nasz oddział znajduje się w zasięgu działania pola siłowego. Następuje wstrząs, po którym, zdaje mi się, wszyscy tracimy przytomność. Na jak długo? Według zegarka może minutę. Po tym mniej więcej czasie się budzimy. Nikt z nas nie odnosi fizycznych obrażeń, chociaż początkowo czujemy się źle. Sprzęt również jest cały, z jednym wyjątkiem: łączność z dowództwem całkowicie wysiada, nie widzimy satelitów, nie działa GPS ani telefony komórkowe. Łączność pomiędzy naszymi pododdziałami działa bez zarzutu. Niedługo po tym kapral Gębala znajduje w lesie dwóch tubylców, z którymi udaje nam się porozmawiać, aczkolwiek po niemiecku. Wynika z tej rozmowy, że są mieszkańcami pobliskiej wioski i liczą sobie odpowiednio sto dziesięć i osiemdziesiąt dwa lata, choć wyglądają, jakby mieli czterdzieści i piętnaście. Gębala twierdzi, że owa dwójka miała kompana, który oddalił się na rowerze i ściągnął tu oddział żołnierzy mówiących po niemiecku i wyglądających jak Wehrmacht z drugiej wojny światowej. Niestety, Gębala już więcej nam nic nie wyjaśni, bo nie żyje. – Jakoś to sarkastycznie wyszło, aż się skrzywiłem. – Oddział ów, w sile plutonu, po uzyskaniu od nas informacji, że jesteśmy polskimi żołnierzami, zaatakował nas ogniem z broni maszynowej, w związku z czym zginęło dwóch naszych ludzi, a kilkunastu zostało rannych. W wyniku naszej kontrakcji większość Niemców – przyjmijmy na razie, że to byli Niemcy – została zlikwidowana, a jeden z ich transporterów opancerzonych zniszczony. Ze wschodu dochodzi dość wyraźny hałas, który możemy określić jako odgłosy wydawane przez ciężką artylerię. Przed atakiem nad polaną przeleciał uszkodzony samolot wojskowy z oznakowaniami Luftwaffe, który zidentyfikowałem jako junkersa Ju-87 stuka z czasów ostatniej wojny. Tak to się, moim zdaniem, odbyło. Ktoś chce coś powiedzieć? – Cisza. – No, co jest, do cholery? Wszystkim wam mowę odjęło?

Rozejrzałem się wokoło i nie bardzo spodobało mi się to, co zobaczyłem. Kurcewicz patrzył prosto przed siebie i nad czymś intensywnie myślał. Sawicki – dowódca logistyki – jak zwykle miał wyraz twarzy daleki od myślącego. Reszta siedziała ze wzrokiem wbitym w podłogę. Jedynie Wojtyński z GROM-u patrzył na mnie i leciutko się uśmiechał. A może mi się tylko wydawało. Major Łapicki spojrzeniem starał się dodać mi otuchy.

Ale żaden nie miał odwagi się odezwać.

– Panie pułkowniku. – Cupryś, operator radia, oderwał się na chwilę od klawiatury. – Patrol trzeci melduje, że jakieś półtora kilometra na północ stąd las się kończy. Za lasem, czterysta metrów dalej, jest droga. Po tej drodze posuwa się na wschód kolumna zmotoryzowana. Oni mówią, że nie znają się na tym dokładnie, ale goście wyglądają jak Niemcy z „Czterech pancernych i psa": czołgi, ciężarówki, takie transportery jak te, co tu się jeden spalił, artyleria, wszystko stare i z niemieckimi krzyżami. Mniej więcej batalion. A nad nimi przeleciała formacja dwudziestu bombowców. Głowę dają, że sztukasów. Nie lecą na nas, tylko na wschód.

– Skurwysyny! – usłyszałem, jak Galaś mruczy do siebie. – Tylko dwie pelotki…

Ponownie spojrzałem po twarzach wokół. Meldunek Cuprysia wywołał zrozumiałe poruszenie. Jeszcze część z nas łudziła się, że atak był tylko jakąś tragiczną, co prawda, ale epizodyczną pomyłką.

– Galaś, co ty tam mamroczesz?

– Melduję posłusznie, panie pułkowniku, że nasi mają tylko dwie czterdziestki boforsa na te sztukasy i pasowałoby im trochę pomóc.

Dopiero teraz odnotowałem, że Galaś już od dłuższego czasu wiercił się niespokojnie, a teraz w towarzystwie samych oficerów chce zabrać głos. Koniec świata! Ciekawe, co może mieć do powiedzenia kapral nadterminowy Galaś Józef, mój osobisty Sancho Pansa.

– Zaraz, zaraz, spokojnie – zmitygowałem go. – Jakie czterdziestki? Jacy nasi? Komu pomóc?

Dumał nad czymś intensywnie i przez moment nie odpowiadał. W końcu wypuścił z głośnym świstem powietrze i całkowicie serio, bez zwykłego ironicznego uśmieszku, powiedział:

– Panie pułkowniku, czy ja mogę prosić, żebyście panowie wysłuchali mnie uważnie przez moment? Nie zabiorę dużo czasu.

– Mówcie, kapralu – przyzwalająco skinąłem głową – ale postarajcie się streszczać.

– Tak jest. Wiecie, panowie, jakim sprzętem dysponowali Niemcy w 1939 roku? To tylko propaganda komuny i takie filmy jak „Lotna" wciskały kit, że Niemcy ruszyli na Polskę z lawiną ciężkich czołgów. W rzeczywistości podstawowym niemieckim sprzętem był czołg panzer I. Taka bardziej tankietka, i to przestarzała. Pozostałe typy też nie lepsze. Tylko panzer IV, których Niemcy mieli ze dwieście sztuk, miał działo 75 milimetrów. Śmiech, no nie? Jedynym sprzętem, którego tak naprawdę trzeba by się obawiać, to armata przeciwlotnicza 88 milimetrów, wtedy najlepsza na świecie.

Cisza w samochodzie, o ile to w ogóle możliwe w tych warunkach, pogłębiła się. Zdumienie wszystkich było namacalne. Założę się, że nikt nigdy w życiu nie był w takiej sytuacji. Po pierwsze: skąd kapral z wykształceniem zasadniczym dysponował encyklopedyczną wiedzą o szczegółach niemieckiego uzbrojenia sprzed sześćdziesięciu ośmiu lat? Po drugie: co to wszystko miało do rzeczy? Ale jako dowódca musiałem zareagować. Wszyscy tego po mnie oczekiwali. Sam oczekiwałem tego po sobie.

– Galaś, to oczywiście bardzo ciekawe, ale po co nam to wszystko opowiadasz?

– Mówię o tym, panie pułkowniku, eeemmmmm… no więc, mówię o tym, że, tego, żeeeeee … – nabrał powietrza w płuca i nagle przestał się jąkać – mamy niepowtarzalną szansę tak kopnąć Niemców w dupę, że umrą w powietrzu z głodu, panie pułkowniku. Po prostu rozpieprzyć ich w drobny pył! – Wojowniczo wysunął brodę do przodu i spojrzał na nas wyzywająco.

Wszyscy już wcześniej poderwali głowy i ze zdumieniem mu się przyglądali. Po ostatnim stwierdzeniu było słychać fizyczny odgłos opadających szczęk.

– Słuchajcie, kapralu, moglibyście się wyrażać odrobinę jaśniej? Kogo „rozpieprzyć"? Niemców? Nie wiem, czy się orientujecie, kapralu, ale Niemcy są naszymi sojusznikami. – Chrzaniłem, a i Galaś dobrze o tym wiedział. Chciałem jednak, aby zebrani sami doszli do wniosków, do których ja doszedłem pół godziny temu.

– Zwłaszcza ci, co strzelali do nas z pistoletów na wodę, no nie? Panie pułkowniku, niech pan spojrzy. – Kapral wyciągnął z kieszeni zegarek. Zwykły zegarek na rękę. – Zdjąłem go z jednego nieboszczyka. Ot tak, na pamiątkę. Widzi pan datę?

Zerknąłem: na dużym ozdobnym cyferblacie stało jak byk: 1 Sep 39. Pozostali też pochylili się z ciekawością.

– Nie oszukujmy się: mamy pierwszego września 1939 roku. Godzinę – Galaś spojrzał na zegarek takim ruchem, jakby trenował od wielu lat na tę okazję – siedemnastą trzydzieści. Trochę ponad dwanaście godzin temu zaczęła się II wojna światowa.

IV. ZWIAD

1.

Taaaa… Bardzo ciekawe.

Przyjmijmy na moment, że to prawda. Że wskutek nieprawdopodobnego zrządzenia losu i sztuczek technologiczno-pogodowych przeniosło nas w czasie i hurtem wylądowaliśmy w 1939 roku.

Z czysto wojskowego punktu widzenia Galaś miał rację. Rzeczywiście mieliśmy gigantyczną przewagę technologii i siły ognia nad dowolnym niemieckim oddziałem. Byliśmy znacznie bardziej ruchliwi i lepiej opancerzeni. Dzięki noktowizyjnym i termowizyjnym podarkom od Amerykanów nie stanowiło różnicy, czy prowadzimy walkę w dzień, czy w nocy. Mogliśmy znacznie szybciej i lepiej wycelować, a nasze armaty strzelały znacznie precyzyjniej na nieporównanie większy dystans.

Co ma wspólnego twardy z czołgami, o których mówił kapral? Tylko nazwę. Co ma wspólnego śmigłowiec szturmowy Mi-24 z bombowcem sztukas? Nic. Nawet nazwy. Nie ma co gadać, mieliśmy siłę zdolną nawiązać walkę z całym niemieckim zgrupowaniem pancernym. Mieliśmy czynnik zaskoczenia. Mieliśmy zapas amunicji i paliwa, aby nieźle narozrabiać – może nawet bardziej niż to Galaś sobie wyobrażał.

Tylko… po co?

Co łączy dwudziesto-, trzydziestolatków z roku 2007 z ludźmi z 1939? Co mamy wspólnego z tą wojną? Jak możemy być umotywowani do walki my, ludzie doby internetu, komórek i „Big Brothera"? Jeszcze dwie godziny temu każdy z nas żywił nadzieję, że odbębnimy gładko tych kilka tygodni poligonu, a potem pojedziemy do Afganistanu, gdzie pod czułą opieką Amerykanów prześlizgniemy się przez wojnę bez specjalnych zmartwień i strat. I jeszcze zapłacą nam solidne pensje. Każdy z żołnierzy widział już oczyma duszy, jak, obwieszony atrakcyjnymi panienkami i z kieszeniami wypchanymi dolarowym żołdem, snuje bohaterskie opowieści o wojnie, udowadniając wszem i wobec, że talibowie sczeźli dzięki jego osobistemu męstwu.

Proste? Proste.

Wtedy, w dwa tysiące siódmym roku.

Jeżeli jednak rację ma Galaś, wpakowaliśmy się w zupełnie inną wojnę. Nie ma w niej mowy o żołdzie, splendorach i zaszczytach. Nie ma w niej mowy nawet o wyższych dowódcach – najwyższym rangą oficerem, który jest w stanie od biedy dowodzić batalionem, jestem ja – podpułkownik anarchista, który umyślił sobie wyjazd do Afganistanu, bo mu się podoba – choć sam przed sobą udaje, że jest inaczej – jedna panna. Rozwódka właściwie. I na którą jestem od jakiegoś czasu zły.

Pozostali oficerowie Pierwszego Samodzielnego Batalionu Rozpoznawczego nie zawracali sobie głowy aż tak skomplikowanymi kalkulacjami. Chociaż adrenalina wyzwolona walką pomału przestała działać, ludziom rozwiązały się języki i zaczęli mówić jeden przez drugiego.

– Nie, no kurna, to są jakieś kompletne bzdury! – wrzeszczał na cały regulator Wieteska. – Galaś, gdzieś ty wczoraj balował, do cholery? Jeszcze cię chyba kac męczy, bo takich pijackich bredni dawno nie słyszałem. Drugą wojnę zachciewa ci się rozpoczynać?!

– Ona już trwa, Johny – przypomniałem. – I to nie Galaś ją zaczął. I nie drzyj się tak.

– Bzdury, kurwa, bzdury. Ona się zaczęła sześćdziesiąt osiem lat temu, do diabła. Odbiło wam? Podróże w czasie są możliwe tylko w literaturze science fiction!

– Niekoniecznie – powiedział Kurcewicz. – Teoria względności w zasadzie udowadnia, że podróże w czasie są naprawdę możliwe...

– Aha, a nam się zdarzyło akurat robić za króliki doświadczalne? Naukowiec się znalazł, psiakrew. Trzymajcie mnie, bo pęknę ze śmiechu.

– Posłuchaj, Johny – powiedziałem łagodnie. – Nie wiem, jak to się stało, ale wygląda na to, że rzeczywiście odbyliśmy podróż w czasie. Przecież oddział, który nas zaatakował, nie był złudzeniem, prawda? Sam widziałeś, wyglądał jak niemiecka piechota z II wojny. Myślisz, że to Dreszer zrobił nam głupi żart i podesłał tych gości?

– Może Dreszer, a może Myszka Miki – warknął przez zaciśnięte zęby. – Albo Al-Kaida wymyśliła nowy rodzaj ataków terrorystycznych? Cholera ich wie, tych Arabusów, co im tam się roi pod czaszkami.

– Johny, Al-Kaida nie atakuje w ten sposób – przekonywałem i jego, i siebie. – Nie bawi się w otwartą walkę z wojskiem. I na pewno szkoda jej czasu i pieniędzy na takie maskarady. Skąd zresztą mieliby dywizjon sztukasów na chodzie?

– A co ja jestem? Encyklopedia? – Kapitan Wieteska przestawał być zły, za to myślenie miał włączone na maksimum. – Chcesz mi wmówić, że kilkuset ludzi, kilka tysięcy ton żelaza, wszystko hurtem, fiuuuuut, przenosi się w czasie i odpicowane jak na defiladę ląduje akurat pierwszego września trzydziestego dziewiątego roku? Co to ma być, jakiś Harry Potter dla dorosłych? No dobra, załóżmy, że podróże w czasie teoretycznie są możliwe. Ale przecież do tego potrzebne są jakieś urządzenia, jakieś technologie, jacyś, kurna, naukowcy, coby nas musieli wyekspediować.

Miał rację. Fakty były takie, że mieliśmy do czynienia z niemieckim wojskiem i wojną. Ale logika podpowiadała, że było to niemożliwe. Nie mieliśmy przecież wehikułu czasu.

– Nancy – zwróciłem się do uroczej pani kapitan – jedyne wytłumaczenie, jakie mi przychodzi do głowy, jest takie, że podróż w czasie była możliwa dzięki MDS-owi. Dostał po głowie gwałtownym wzrostem napięcia wywołanego uderzeniem pioruna giganta, generator wytwarzający pole siłowe skokowo zwiększył moc i wszystko razem wypchnęło nas w trzydziesty dziewiąty rok. Co ty na to?

Słuchała uważnie, ale nie dała po sobie poznać, co myśli. Chwilę trwało, zanim zdecydowała się odpowiedzieć. Wszyscy wpatrywali się w nią z napięciem.

– Jak, twoim zdaniem, to było możliwe?

– Nie wiem – odparłem. – Ty mi powiedz. To twój sprzęt i twoja technologia.

Pokręciła głową.

– Panie pułkowniku, nie przychodzi mi do głowy żadna okoliczność, która by pozwalała sądzić, że armia amerykańska jest zaangażowana w tę sprawę.

Aha. Mamy więc oficjalną wersję. Hasło przewodnie: „to nie my", wynikające wprost z zasady „chroń swój tyłek". Spojrzałem na nią przeciągle. Przez chwilę wytrzymała mój wzrok, ale w końcu uciekła ze spojrzeniem i zaczęła nerwowo bawić się guzikiem munduru. Dopiero po jakimś czasie odkryłem, że odpowiedź była w pewnym sensie prawdziwa.

Westchnąłem.

– Dobra. Co, według was, powinniśmy teraz zrobić?

Tak jak się spodziewałem, zapadła cisza. Nie po raz pierwszy tego interesującego popołudnia nikt nie chciał brać na siebie odpowiedzialności za radę, której potem wszyscy będą żałowali.

– W takim razie powiem wam, co myślę. Niewykluczone, że podejmiemy walkę. A w takim razie chcę mieć was wszystkich bez wyjątku po swojej stronie. Jesteście zawodowcami i byliście szkoleni po to, by walczyć. Wiem, że się wahacie, bo nie możecie uwierzyć i zaakceptować tego, co się stało. Zostawmy na razie przyczyny. Musimy wszyscy przekonać się, czy naprawdę niedawno zaczęła się II wojna światowa, a my jesteśmy jedną ze stron konfliktu. Musimy mieć taki dowód, który będzie bezdyskusyjny i zaakceptowany przez wszystkich. Potem zdecydujemy, co robić. Zgadzacie się?

Milczenie trwało, może siłą rozpędu, jeszcze krótką chwilę. Potem jednak Wojtyński pierwszy kiwnął głową. Po nim Kurcewicz i Łapicki, później Borek i Sawicki. Po nich reszta. Z wyjątkiem Wieteski.

– Johny – powiedziałem – bardzo mi zależy, żeby ciebie nie było wśród niedowiarków.

– Wiem – mruknął. – Przekonaj mnie.

– Dobrze. Przygotuj dwa śmigłowce. Masz pełne baki? Okej. Załaduj rakiety i amunicję. Polecimy na zwiad.

2.

– Nancy! – Zanim wsiedliśmy do helikopterów, starałem się tak manewrować, żeby przez chwilę pobyć z nią sam na sam. To sam na sam było zresztą czysto umowne, bo dookoła kręciło się parę setek ludzi. Podeszła do mnie bardzo niechętnie, właściwie zawróciłem ją w pół drogi do MDS-a. Nic dziwnego, że jej się spieszyło. Była przyzwoitym człowiekiem i czuła się odpowiedzialna za to wszystko.

– Chcę, żebyś z nami poleciała.

– Po co? – Była zdenerwowana i zaniepokojona, ale chyba wyczuła mój wojowniczy nastrój, bo dodała niepewnie: – Mam kupę swojej roboty.

– Twoja robota jest ściśle związana z moją.

– Dla mnie najważniejsze jest skomunikowanie się z dowództwem. Muszę w tym celu przywrócić łączność. Tak, że jeśli pan pułkownik pozwoli…

Chciała się obrócić na pięcie i odejść, ale złapałem ją za ramię. Może odrobinę za mocno.

– Nie pozwolę. Musisz z nami polecieć.

– Puść. Podlegam swojemu dowództwu!

– Nie puszczę. Jestem dowódcą tego oddziału i teraz podlegasz mnie.

– Nie jesteśmy w Afganistanie. Misja jeszcze się nie zaczęła.

– Zaczęła się, Nancy – powiedziałem z naciskiem. – Z twojego powodu.

– Z mojego?! – Chciała wyglądać jak uosobienie niewinności, jednak bez specjalnych trudności zauważyłem w jej głosie fałszywy ton. Już się nie wyrywała.

– Z waszego – poprawiłem się. – Spójrz mi w oczy i powiedz, że MDS nie miał nic wspólnego z wydarzeniami ostatnich dwóch godzin. Że ty i twoi ludzie nie macie pojęcia, co się stało.

Milczała. Patrzyła na mnie, ale nie chciała powiedzieć ani słowa.

– Powiedz to, Nancy. Przekonaj mnie, że się mylę.

Nadal cisza.

– A więc widzisz. Ty wiesz i ja wiem, że to wasza sprawka. Dlatego chcę, żebyś z nami poleciała. Zobaczymy na własne oczy rzeczywistość wokół nas i nie będzie żadnych niedomówień. Zależy mi na tym.

Poczekała chwilę, potem powoli skinęła głową. Jeszcze niedawno była wesołą, promienną kobietą i nawet wczorajsze wypadki nie na długo wytrąciły ją z równowagi. Możliwe, że nawet jej na mnie zaczęło zależeć. Teraz wszelkie nadzieje trafił szlag. Podejrzewałem ją o sprokurowanie awantury, w którą wdepnęliśmy, i bardzo mnie to uwierało. Bardzo. Chociaż właściwie miałem większy żal o to, że wie, iż narozrabiała, i nie chce się do tego przyznać.

Uznałem jednak na razie sprawę za załatwioną. Podziękowałem Nancy gestem dłoni, pstryknąłem przełącznikiem przytroczonej do pasa radiostacji i powiedziałem do mikrofonu:

– Panie majorze. – Nie byłem z Łapickim na ty i wolałem, żeby tak pozostało.

– Zgłaszam się. – Jego spokojny i rzeczowy głos działał kojąco. No, w każdym razie nie wprowadzał dodatkowego zamieszania.

– Za chwilę odlatujemy na zwiad. Przejmuje pan dowodzenie batalionem. W razie jakiegokolwiek zagrożenia niech pan działa zgodnie z regulaminem. I natychmiast melduje. Wszystkie pododdziały mają być w gotowości do odparcia ataku. Jasne?

– Tak jest. Jasne.

Przynajmniej major nie zadawał pytań, na które nie znałem odpowiedzi. Znowu pstryknąłem przełącznikiem.

– Galaś! Polecisz z nami.

– Tak jest.

Kapral żwawo wyskoczył z wozu dowodzenia i pobiegł w stronę lądowiska.

– Momencik, kapralu. Weźmiecie od porucznika Sawickiego – policzyłem wzrokiem stojącą przed śmigłowcami grupkę – siedem beryli, w tym dwa z granatnikami. Po sześć magazynków i po cztery granaty na twarz. Biegiem.

– Tak jest.

Galaś zawrócił jak kot Jinx na kreskówce i po chwili wrócił do nas objuczony bronią i amunicją. Na zdziwione spojrzenia towarzyszy podróży wzruszyłem ramionami i mruknąłem coś w stylu: „na wszelki wypadek". Wzięliśmy od kaprala broń, zapasowe magazynki i granaty upychając po kieszeniach. Dla siebie wybrałem karabin z podwieszonym pod lufą granatnikiem. Sprawdziłem, czy wszyscy mają na sobie kamizelki kuloodporne i czy zapięli paski hełmów. Zachowywałem się jak cierpiąca na nadmiar troskliwości przedszkolanka. No cóż, to był moja pierwsza wojna.

Wskoczyłem do środka i pochyliłem się w stronę kabiny pilotów.

– Johny! – wrzasnąłem do Wieteski, z trudem przekrzykując huk silników – chcę, żebyśmy się wszyscy słyszeli. Dasz radę skombinować tyle par słuchawek?

– Bez problemu – odkrzyknął – mogę zapakować osiem osób desantu i wszystkich podłączyć do interkomu.

– Dobra. Startuj.

Zajęliśmy miejsca w obszernym przedziale desantowym śmigłowca. W środku panował półmrok, bo jedynym źródłem światła były małe opancerzone bulaje rozmieszczone po obu stronach kabiny. Nie mieliśmy przez nie zbyt dobrej widoczności, ale w końcu Mi-24 nie jest maszyną rozpoznawczą. Został zaprojektowany jako niszczyciel czołgów i sam był raczej latającym czołgiem.

Miałem parę razy okazję podróżować statkiem powietrznym pilotowanym przez kapitana Wieteskę i wiedziałem mniej więcej, czego się mogę spodziewać. Inni co prawda nie doświadczyli tej przyjemności, ale znali kapitana prywatnie i służbowo, więc przyjęli jak najwygodniejsze pozycje w niewygodnych fotelikach, starannie zapięli pasy i na wszelki wypadek szeroko rozstawili nogi, mocno zapierając się o podłogę.

Nancy była jedyną osobą, którą start maszyny zaskoczył. Po prostu w jednej chwili staliśmy na ziemi, a w następnej już unosiliśmy się w górę pięć razy szybciej niż najszybsza szybkobieżna winda. Nancy zbladła i przymknęła oczy. Miałem nadzieję, że jakoś wytrzyma. Nie wiedziała, że to dopiero początek.

Swego czasu, będąc osiemnastolatkiem, jechałem jako pasażer z kumplem pożyczonym od jego ojca porsche carrera. Odbyły się wtedy – na spokojnej szosie w północnym Devonshire – popisy obejmujące wszystkie elementy szczeniackiego szpanu: niemal maksymalna szybkość, silnik wyjący na siedmiu tysiącach obrotów, bardzo ostre wchodzenie w zakręty i kompletne nieliczenie się z odczuciami współpasażerów. Jakim cudem udało się uniknąć nie tylko okręcenia się na którymś z otaczających szosę drzew, ale nawet głupiego mandatu – do dziś nie wiem. W każdym razie czułem wtedy przyprawiającą o zawrót głowy mieszaninę strachu i euforii.

Teraz czułem się identycznie. Mówię o sobie, bo Nancy euforii raczej swoim spojrzeniem nie sygnalizowała. Uśmiechnąłem się do niej, dając do zrozumienia, żeby lepiej rozłożyła siły, bo to dopiero początek. Zawsze może być gorzej, n'est-ce pas, pani kapitan?

Żeby dodatkowo uatrakcyjnić nam podróż, Wieteska leciał bardzo nisko. Gdyby nie to, że Mi-24 ma chowane podwozie, z pewnością zaczepialibyśmy kołami o korony drzew. Przyjęcie takiej taktyki było zrozumiałe: zakładając, że Niemcy w 1939 roku nie mieli radarów – a zdaje się nie mieli – nawet optyczny obserwator będzie miał utrudnione zadanie. Dwie masywne, pokryte maskującym kamuflażem sylwetki po prostu przemykały nad ziemią jak duchy.

Wieteska gwałtownie skręcił na wschód i po chwili las się skończył. Wyjrzałem przez małe opancerzone okienko. Musiałem naprawdę potężnie się skupić, żeby dotarło do mnie to, co widzę. I to dotarło ze zrozumieniem.

Po lewej stronie pędzącej maszyny biegła zwykła, polna droga. Ciągnąc za sobą tumany kurzu, sunęła po niej kolumna zmotoryzowana, dokładnie taka, jaką meldował patrol: czołgi, transportery, działa, motocykle, ciężarówki. Bez końca. Po horyzont. Przytknąłem lornetkę do oczu i chociaż obserwacja nie była łatwa, bo helikopter trząsł i rzucał jak statek na wzburzonym morzu, wiedziałem, że w zasadzie żadnych wątpliwości już nie ma. Przynajmniej ja przestałem je mieć. Wszystkie wozy były szarostalowe, w kolorze mundurów piechoty, która nas zaatakowała, a na burtach i wieżyczkach miały wymalowane charakterystyczne czarne krzyże.

– Patrzcie – powiedziałem do mikrofonu. – Po lewej.

Miałem nadzieję, że zaraz nakrzyczą na mnie za zawracanie im głowy omamami i zwidami. Człowiek to śmieszna istota. Rejestruje rzeczywistość, widzi, słyszy, czuje – ale gdy cokolwiek odbiega od ogólnie przyjętych norm, ta racjonalna część rozumu krzyczy: nieprawda, nieprawda, nieprawda! Jezu, ile bym dał, żeby to, co widzę i czego się od godziny domyślam, naprawdę było nieprawdą.

Wszyscy rzucili się do bulajów na lewej burcie. Lornetek było tylko kilka, ale każdemu wystarczyło dziesięć sekund. Po chwili cała ekipa siedziała z powrotem w fotelikach i patrzyła na mnie w skupieniu. Z najwyższą niechęcią musiałem przyznać, że widzieli to samo co ja.

– No i co? – spytałem retorycznie. – Macie jakieś wnioski?

Zapadło chwilowe milczenie, ale nieoczekiwanie odezwał się Sawicki:

– Niemcy – stwierdził spokojnie. – Nie wiem, co tu robią, ale to Niemcy.

Borek, Wójcik i Kurcewicz kiwnęli głowami. Wojtyński spojrzał na mnie uważnie, wzruszył ramionami i powiedział:

– Już w obozie wiedziałem, że coś jest nie tak. Ten pluton, który nas zaatakował, nie był żadną mistyfikacją. Po prostu niemożliwe stało się możliwe i im szybciej to zrozumiemy, tym lepiej dla wszystkich.

Skinąłem głową. Zrozumieć to jedno. Ale zaakceptować? Z tym już nie będzie tak prosto, panie poruczniku.

– Johny? – mruknąłem do mikrofonu. – Słyszałeś?

– Niemcy – stwierdził krótko i zamilkł na dobre. Maszyną zakolebało, bo żeby się za bardzo nie afiszować przed tym zmotoryzowanym oddziałem, odbiliśmy lekko w prawo, prawie idealnie na wschód.

– Galaś – powiedziałem. – Masz ze sobą mapę?

– Tak jest.

– Pokaż.

Kapral wyciągnął z mapnika kilkakrotnie złożoną płachtę papieru. Rozpostarł ją na kolanach i wszyscy pochylili się w skupieniu.

– Mów, co wiesz.

– Tak jest. A więc jesteśmy osiem kilometrów na wschód od Olesna, co oznacza, że lecimy nad pozycjami szwabskiej 4 Dywizji Pancernej. Nasz obóz jest dokładnie na jej tyłach. Parę kilometrów dalej na południe mamy 1 Dywizję Pancerną. Też szwabską. Obie należą do XVI Korpusu Pancernego, dowodzonego przez generała Hoeppnera. Skończy na haku w czterdziestym czwartym, bo mu się władza Hitlera nie podobała. Ale na razie w naszych wali równo. Co prawda pierwszego września nie bardzo mu poszło, bo 4 Dywizja właśnie leczy rany po laniu, jakie im sprawiły nasze chłopaki z Wołyńskiej Brygady Kawalerii. Niemcy stracili w tym dniu pewnie z osiemdziesiąt czołgów. Ale nasi też mieli straty, i to nieliche. A ten szkopski korpus, trzeba panom wiedzieć, ma główne zadanie rozciąć całe polskie zgrupowanie obronne na pół i zapylać na Warszawę. Co, jak wiadomo, w następnych dniach mu się uda i już 8 września pojawi się pod Warszawą. Możemy zaatakować…

– Spokojnie – przerwałem mu. – O tym potem. Teraz…

– Za chwilę – mruknął Wieteska. – Zobaczcie po prawej.

Wyjrzeliśmy. Przelatywaliśmy nad niewielką wsią. Polna droga, trochę chałup, parę żurawi. Ot, i wszystko. To znaczy – wszystko przed wojną, bo teraz większość domostw właśnie się dopalała. Kilkanaście słupów dymu niemal pionowo unosiło się w bezchmurne niebo, ale dymu nie było aż tak wiele, żeby nie dostrzec poczerniałych zgliszcz. Pomiędzy zabudowaniami i na polu otaczającym wieś czerniało kilkadziesiąt wraków różnych pojazdów, bezsilnie wygrażających niemymi lufami. Setki ludzkich sylwetek spoczywało bez ruchu na ziemi. To chyba byli żołnierze przemieszani z mieszkańcami spalonej wsi. Ci ostatni próbowali uciec do lasu, gdy nagle bitwa wkroczyła na ich podwórka. Prawie pod samym lasem leżała cała rodzina obalona wybuchem jednego granatu: dwa duże i kilka małych ciał. Zabrakło im może dziesięciu metrów do zbawczych drzew. Oderwałem wzrok od okna, bardzo wiele wysiłku wkładając w obojętny ton.

– Gdzie jesteśmy? – zapytałem.

– To chyba Mokra. – Galaś zerknął na mapę. Był szary na twarzy i mówił z zaciśniętymi zębami. – Wieś Mokra. Tu właśnie broniła się nasza kawaleria.

Zanim zdążyłem odpowiedzieć, coś huknęło i helikopterem zakołysało. Wieteska szarpnął maszyną, robiąc unik w prawo i zszedł gwałtownie niżej. Prawie szorowaliśmy brzuchem po ziemi. Dookoła obu śmigłowców zaroiło się od pierzastych, czarnych obłoczków. Odłamki zabębniły po pancerzu kabiny.

– Co to było, Johny?

– Artyleria przeciwlotnicza. – Wieteska w powietrzu był stuprocentowym profesjonalistą i emocje nie miały do niego dostępu. – Strzelają do nas co najmniej cztery działa dużego kalibru, ukryte w lesie po lewej, jakiś kilometr stąd.

– Zejdźmy im z oczu. Nie atakuj na razie.

– Tak jest.

Kapitan dodał gazu – towarzysząca maszyna zwiększyła nieco odstęp, ale manewry naszego helikoptera powtarzała z precyzją automatu – i przemknęliśmy nad polem, lecąc na południe, czyli, sądząc z nadal rozpostartej na kolanach Galasia mapy, równolegle do polsko-niemieckiej granicy. Artylerzyści nie zdążyli odwrócić luf i ostrzał raptownie się skończył. Znowu szorowaliśmy brzuchem po drzewach. Chociaż ziemia w dole przemykała z zawrotną szybkością, wydawało mi się, że dostrzegłem kilka zamaskowanych oddziałów wojskowych. Po chwili las się skończył i znów nadlecieliśmy nad wieś. Inną tym razem, nietkniętą. Ale właśnie w tym miejscu los sprawił, że włączyliśmy się do wydarzeń, które na zawsze zmieniły bieg historii.

3.

Las kończył się może kilometr od wsi. Nie widziałem żadnych zniszczeń, ale mieszkańcy postanowili nie kusić losu. W momencie, w którym nadlecieliśmy, całe rodziny wraz z dobytkiem biegły właśnie w stronę drzew. Szpica niemal dotarła do celu, kiedy za plecami grupy niewielkie krzaczki rozpryśniętego kurzu ułożyły się na ziemi równymi ściegami i błyskawicznie dogoniły uciekinierów. Ludzie, konie, wozy splotły się w jeden wielki, krwawy, rozedrgany kłąb. Pociski rozrywały wszystko, nie wybierając – dorosłe i dziecięce ciała, dobytek, zwierzęta… Scena była całkowicie niema – nie słyszeliśmy ani strzałów, ani krzyków ofiar. Ale widzieliśmy wszystko nawet aż za dobrze. Kilkanaście ludzkich postaci upadło na ziemię.

Wieteska pewnie miał sprawców masakry od dobrej chwili na radarze, ale my zobaczyliśmy ich dopiero teraz: od zachodu lotem koszącym nadlatywały nad wieś cztery smukłe myśliwce z dobrze widocznymi swastykami na ogonach. Rozrzucone szeroką ławą leciały powoli, chcąc mieć dużo czasu na dokładne celowanie i precyzyjny strzał. Nie spodziewali się żadnych kłopotów. Nas, ustawionych pod ostrym kątem do osi lotu, po prostu nie zauważyli. Przerwali na chwilę ostrzał i zbliżyli się niespiesznie do bezradnych, przerażonych ludzi, którzy w szaleńczym biegu upatrywali naiwnie swojej jedynej szansy przetrwania. Jeszcze kilka sekund, parę krótkich serii, i polowanie zostanie pomyślnie zakończone.

Poczułem odbierające rozum uderzenie adrenaliny. Co innego czytać opisy wyczynów Luftwaffe, a co innego widzieć je z bliska na własne oczy. Cała ekipa, łącznie z Nancy, była wstrząśnięta. Moja frustracja szybko znalazła ujście. Miałem w końcu pod ręką odpowiednie argumenty, żeby nauczyć tych drani rozumu.

– Johny – powiedziałem do interkomu – zestrzel ich.

– Tak jest. – Jego głos był tak opanowany, że aż nienaturalny. Padła seria komend i oba śmigłowce ustawiły się obok siebie, przygotowując się do strzału.

Zaterkotały serie i jeden z myśliwców zadymił.

Chwilę zajęło mi zrozumienie, że to nie my strzelaliśmy. Za plecami Niemców i nieco nad nimi zobaczyłem dwa samoloty o charakterystycznej, wygiętej do góry linii skrzydeł. Nawet ja, laik, rozpoznałem je jako P-11c, podstawowe polskie myśliwce we wrześniu trzydziestego dziewiątego roku. Musiały dzięki długiemu lotowi nurkowemu zyskać przewagę prędkości nad Niemcami, bo szybko ich doganiały. Będąc nie dalej jak sto metrów od nieprzyjaciela, ponownie otworzyły ogień. Skutki były natychmiastowe: jeden z niemieckich samolotów – ten uszkodzony pierwszą serią – zapalił się, zatoczył jak pijany i uderzył o ziemię, rozlatując się w gwałtownej eksplozji. Drugi, gorzej widać trafiony, zadymił i czym prędzej zaczął zmykać z pola walki. Polacy poderwali maszyny, by nawrócić do drugiego ataku. Niemcy oczywiście nie czekali. Rozprysnęli się na boki, szybko zyskując wysokość.

Tuż przed naszym nosem zaczęła się regularna walka powietrzna. Samoloty zwijały się w szaleńczych zwrotach, gęsto strzelając. Polacy przewyższali Niemców zwrotnością, Niemcy górowali szybkością i uzbrojeniem. W końcu jedna z polskich maszyn oberwała. Pilot próbował rozpaczliwym zwrotem uniknąć kolejnej serii, ale silnik, widać uszkodzony, odmówił posłuszeństwa. Niemiec podleciał i z bardzo bliskiej odległości wpakował w Polaka długą serię. Jedenastka dosłownie rozleciała się w powietrzu. Nie widziałem, żeby pilot chociaż próbował wyskoczyć ze spadochronem.

Drugi polski pilot nie zrezygnował, chociaż nie miał szans. Walka dwóch na jednego, nawet na sprzęcie porównywalnej klasy, jest trudna, o ile nie beznadziejna. Polak był jednak mistrzem. Umiejętnie wyrwał się Niemcowi, przewrócił samolot na plecy i pod nieprawdopodobnym kątem oddał serię. Krótką – najwyraźniej zabrakło mu amunicji. Trafił, ale nie na tyle skutecznie, żeby posłać Niemca na ziemię. Co prawda nieprzyjacielski myśliwiec zakołysał się i z kadłuba odpadły fragmenty poszycia, ale uszkodzenie nie wyeliminowało go z walki. Do akcji włączyła się druga maszyna. Mając zupełną swobodę, zaszła Polaka od tyłu, przyspieszyła i wywaliła kilkadziesiąt pocisków prosto w ogon myśliwca. Więcej nie było trzeba – jedenastka zaczęła się palić.

Pilot już nie myślał o ucieczce ani o ocaleniu samolotu. Jedyne, co mu pozostało, to ratowanie własnej skóry. Przewrócił maszynę na plecy i wyskoczył ze spadochronem. Krok bardzo ryzykowny, bo walka odbywała się na wysokości nie większej niż dwieście metrów od ziemi, ale samolot nie słuchał sterów i nie było mowy o podciągnięciu do góry. Spadochron zadziałał prawidłowo i gdzieś w połowie dystansu biała czasza otworzyła się, ku uldze nas wszystkich i zapewne samego zainteresowanego, skutecznie zwalniając prędkość opadania.

Dla obu Niemców była to świetna okazja, żeby sobie jeszcze trochę postrzelać. Myśliwce zawróciły i zaczęły lecieć w kierunku bezradnie dyndającego pięćdziesiąt metrów nad ziemią Polaka.

Całą tę kilkuminutową potyczkę obserwowaliśmy w całkowitym milczeniu, zafascynowani jej brutalnym pięknem. Być może mogliśmy interweniować wcześniej i zestrzelić oba messerschmitty, ale jakaś niepokojąca siła kazała nam czekać do końca. Może po prostu ciekawiło nas, kto wygra? Teraz jednak nie mogliśmy pozwolić, aby czarne charaktery zatriumfowały. W czasach poprawności politycznej happy end był obowiązkowy.

Johny nawet nie zawracał sobie głowy wydawaniem rozkazu. Obaj operatorzy uzbrojenia już wcześniej wprowadzili do komputera odpowiednie dane, dwa pięciolufowe działka podwieszone pod przednimi kabinami śmigłowców nieznacznym ruchem odwróciły się w stronę nieprzyjaciela i dwa palce zacisnęły się na spustach.

Dwudziestopięciomilimetrowe przeciwpancerne pociski potrzebowały pół sekundy na przebycie dystansu dzielącego je od niemieckich myśliwców. Oba dostały w tym samym momencie. Serie były naprawdę krótkie, ale samolotom z 1939 roku uderzenie pocisków skonstruowanych pięćdziesiąt lat później wystarczyło aż nadto. Maszynami wstrząsnęło kilkanaście, zlewających się w jeden, wybuchów. Dwie kule ognia po krótkim locie nurkowym prawie równocześnie uderzyły o ziemię i rozlały się na niej wielkimi, oślepiająco jasnymi plamami. Polski lotnik wylądował szczęśliwie spory kawałek od nich. Jego samolot, lecąc cały czas kołami do góry i dymiąc obficie, zatoczył łagodny łuk, po czym rozbił się z głośnym hukiem na skraju wsi. Powietrze znów było spokojne i cudownie czyste, zachowując urok ciepłego, letniego wieczoru. Tylko sześć płonących maszyn, pokrwawione ciała pod lasem i leżący na skłębionym spadochronowym jedwabiu pilot świadczyły o jatce, która się tu wydarzyła.

Ci z mieszkańców wsi, którzy przeżyli masakrę, stali pod lasem i z mściwą satysfakcją obserwowali walkę. Nagle jak jeden mąż odwrócili się i zaczęli uciekać z powrotem w stronę wsi. Tylko przez chwilę ich zachowanie wydało mi się niezrozumiałe. Długą tyralierą wychodził z lasu oddział żołnierzy gęsto przetykany wozami pancernymi i czołgami. Co najmniej wzmocniona kompania. I nie byli to nasi żołnierze.

– Kompania piechoty z czołgami po jednego jeńca? – zdziwiłem się. – Mają sporo wolnych ludzi, zdaje się.

– Nie – zaprzeczył Galaś. – To chyba oddziały z 1 Pancernej atakują Kłobuck. Pamiętam, że jakoś tak pod wieczór Niemcy weszli do miasta.

– Zwariować można od tego galimatiasu czasowego – mruknąłem. Galaś pamiętał coś, co się dopiero wydarzy.

Ale w tej sytuacji decyzja jako logiczna konsekwencja wszystkiego, co działo się do tej pory, mogła być tylko jedna.

– Johny! Ładuj w tę piechotę, a potem ląduj koło lotnika. Bierzemy go na pokład i zmykamy.

– Tak jest. – Znowu spokojny głos. To zdumiewające, jak Johny Lądowy różnił się od Johny'ego Powietrznego. – Grabek – rzucił do pilota drugiej maszyny. – Osiem rakiet, cel piechota i wozy pancerne pod lasem. Potem osłaniaj mnie, biorę tego spadochroniarza z ziemi.

Oba śmigłowce ruszyły powoli w stronę biegnącej od lasu kompanii. Ustawiły się dokładnie na wprost i odpaliły rakiety.

To nie był trudny strzał. Wisieliśmy nieruchomo w powietrzu najwyżej trzysta metrów od celu, piechota rozciągnęła się ładnie w kilometrową tyralierę, nie miała nas na muszce żadna artyleria, więc warunki dla takiego speca jak Wieteska były aż za dobre. Szesnaście śmiertelnie niebezpiecznych trzmieli przemknęło w ułamku sekundy cały dystans i wybuchło dokładnie pod nogami atakujących żołnierzy.

Początkowo niewiele było widać. Wysoka na kilkanaście metrów ściana ognia, dymu i rozżarzonych do białości odłamków skutecznie przesłoniła efekty ataku. Mogłem się tylko domyślać, co dzieje się wewnątrz rozgrywającego się nieopodal spektaklu. Ci, którzy stracili życie od razu, mieli naprawdę sporo szczęścia. O tych, którym się to nie udało, wolałem nie myśleć.

W misjach ratowniczych zawsze jednym z decydujących czynników jest czas.

Toteż maszyna Grabka natychmiast po odpaleniu ładunków wzbiła się i zaczęła krążyć nad placem boju, pilnie wypatrując oznak niebezpieczeństwa. Wieteska również nie obserwował skutków ataku. Szarpnął maszyną do przodu, gwałtownie przyspieszył i w kilka sekund przebył dystans dzielący nas od miejsca lądowania polskiego lotnika.

Ze zgrzytnięciem wysunęło się podwozie. Zważywszy na panujące dookoła bitewne warunki, kapitan lądował zdumiewająco łagodnie. Odpiąłem pas, wstałem i z rozmachem otworzyłem drzwi kabiny. Wyjrzałem na zewnątrz i ułamek sekundy później kula z przeciągłym gwizdem przeleciała obok mnie.

Zawsze fascynowało mnie, jak ludzki umysł potrafi reagować na dziejące się jednocześnie wydarzenia. Świadomość jeszcze nie rozszyfrowała znaczenia dochodzących do mózgu sygnałów, ale podświadomość jak obrotowa kamera połączona z wielokierunkowym mikrofonem rejestrowała wszystko, czy właściciel to rozumiał, czy nie. Zanim zdałem sobie sprawę, że złowróżbny chichot koło mojego ucha to odroczony na moment wyrok śmierci, zobaczyłem stojącego może piętnaście metrów od helikoptera lotnika, który właśnie składał się do następnego strzału. Za mną ktoś jęknął – strzał najwyraźniej nie był niecelny. Nawet nie miałem czasu sprawdzić, który z moich ludzi oberwał, bo wszyscy siedzący wzdłuż ściany naprzeciw drzwi zanurkowali na podłogę, starając się zejść z linii strzału. Ja też padłem na stalowe płyty, zniknąłem z pola widzenia lotnika i starając się przekrzyczeć warkot silnika, wrzasnąłem:

– Nie strzelaj! Polska jednostka. Nie strzelaj!

– Jaka polska jednostka? Kto mówi?

Wahał się, ale podjął rozmowę. To już było coś.

– Podpułkownik Jerzy Grobicki, Pierwszy Samodzielny Batalion Rozpoznawczy – odkrzyknąłem.

Lotnik nadal nie był niczego pewien, ale przynajmniej przestał strzelać. Postanowiłem zaryzykować i ostrożnie wyjrzałem zza drzwi. Pilot stał z bronią przygotowaną do strzału, przyglądając się intensywnie śmigłowcowi. Nic dziwnego – Mi-24 jest potężnie opancerzonym i uzbrojonym, budzącym grozę drapieżnikiem, przy którym rekin ze „Szczęk” to Kubuś Puchatek. A tamten przecież widział go pierwszy raz w życiu – i nie myślę o Kubusiu Puchatku.

– Pierwszy Samodzielny Batalion Rozpoznawczy? – powiedział powoli. – Z jakiej armii?

– Nie ma czasu na wyjaśnienia – odparłem. – Proponuję, aby pan wsiadł i odlecimy, zanim się znowu pojawią.

– Odlecimy? Gdzie? – Był nieufny. I nigdzie nie miał zamiaru wsiadać. Gdyby pod mój dom podlecieli kosmici na latającym talerzu i zaproponowali przejażdżkę, też byłbym nieufny.

Miałem dobre chęci, żeby go przekonać, ale okazało się, że nie mam więcej czasu. Niestety piechota nie była załatwiona do końca. Atak najwyraźniej przeżył też jeden z wozów pancernych. Właśnie otwierałem usta, żeby odpowiedzieć lotnikowi, kiedy gruchnęła bliska salwa i parę tuzinów kul zagrzechotało o pancerz kabiny helikoptera. Miałem trzeci raz tego dnia nieprawdopodobne szczęście: strzelano do mnie z bliskiej odległości i nie zostałem nawet draśnięty. Pech jednak polegał na tym, że helikopter stał dokładnie prostopadle do tyraliery i Wieteska nie był w stanie ustawić działka pod takim kątem, żeby móc go użyć. Ubezpieczająca maszyna właśnie była na przeciwległym końcu obszernej elipsy, którą zataczała nad naszymi głowami, więc do skutecznej pomocy mieliśmy przynajmniej pół minuty.

Przez pół minuty może się wydarzyć bardzo wiele rzeczy, zwłaszcza w sytuacji, kiedy prażyło do nas kilkanaście luf karabinowych i działko pancerki. Musieliśmy poradzić sobie sami i to szybko, bo moje szczęście mogło się natychmiast skończyć.

Złapałem w locie beryla z granatnikiem, krzyknąłem:

– Ognia ze wszystkich luf! – i wyskoczyłem z helikoptera. To było głupie, wiem. Stalowe płyty kabiny dawały mi jakąś osłonę, ale zrezygnowałem z niej, chcąc odblokować swoim ludziom pole ostrzału i zachęcić dobrym przykładem.

Zrobiłem dwa kroki w bok i klęknąłem, próbując wykorzystać jako osłonę masywną wyrzutnię rakiet, podwieszoną pod krótkim skrzydłem helikoptera. Przeładowałem granatnik i szybkim spojrzeniem zlustrowałem sytuację. Na wprost mnie, wtulony głęboko w ziemię, leżał niefortunny strzelec i as myśliwski w jednej osobie – nie wiem, czy dostał, czy upadł, chroniąc się przed kulami – a kilkadziesiąt kroków za nim biegły w naszą stronę całkiem liczne resztki ostro strzelającej tyraliery. Uznałem, że na razie piechotę mogę sobie odpuścić – kule wystrzeliwane w pełnym biegu były znacznie mniej groźne niż serie z działka samochodu pancernego. Złożyłem się i mając świadomość, że drugiej próby nie będzie – dwudziestomilimetrowe pociski już krzesały iskry niebezpiecznie blisko silnika helikoptera – pociągnąłem za spust.

Huknęło, kopnęło w ramię i czterdziestomilimetrowy granat poleciał w stronę tamtego pojazdu. Granatnik pallad, zwłaszcza gdy się strzela pociskiem odłamkowym, jest w zasadzie bronią do zwalczania piechoty, a nie broni pancernej. Ale nic innego nie miałem pod ręką, więc tym razem musiał wystarczyć. I wystarczył. Muszę nieskromnie powiedzieć, że strzał był pierwszorzędny – samochód dostał w spojenie pomiędzy kadłubem a wieżyczką. Wybuch wyrwał działko z mocującej obejmy i na dobre zakleszczył wieżę. Wóz zatrzymał się, zadymił i przestał strzelać. O to mi chodziło, więc nie poświęciłem mu ani sekundy więcej mojego cennego czasu.

Zza pleców usłyszałem bliźniaczy huk. To Wojtyński – bo jemu przypadł w udziale drugi karabin z granatnikiem – strzelił do piechoty. Równocześnie zagdakały serie z dwóch lub trzech karabinów. Skutecznie – oszołomiona wybuchem granatu piechota padła na ziemię, myśląc raczej o maksymalnym wciśnięciu się w zagłębienia terenu, niż o strzelaniu do nas. Ja też puściłem parę serii, poderwałem się z klęczek i skulony, trzema dużymi susami przebyłem dystans dzielący mnie od leżącej na ziemi sylwetki. Miałem nadzieję, że żaden z szanownych kolegów, strzelających gęsto ponad moją głową, nie wsadzi mi kulki w plecy. Szarpnąłem lotnika za ramię i przewróciłem na wznak. Miał otwarte oczy i patrzył na mnie z mieszaniną zuchwałości i przerażenia. Ale żył. Żył na pewno, bo trup nie zawracałby sobie głowy wciskaniem lufy służbowego pistoletu w mój brzuch. Poczułem tę lufę bardzo wyraźnie w okolicy mostka, co było dość dziwne, zważywszy na opasującą mnie szczelnie wysokiej klasy amerykańską kamizelkę kuloodporną. Może wyobraźnia podpowiadała moim zmysłom gotowe rozwiązania.

– Jak pan mnie ruszy, strzelę – zaczął rozmowę, więc zastygłem w jakimś dziwnym rozkroku, pochylony nad nim jak praczka nad balią. Strasznie mi było niewygodnie, ale musiałem jeszcze przez chwilę pozostać w tej pozycji, aby go nie denerwować.

– Jestem po pana stronie. – Zważywszy na gwiżdżące nad głową kule, mój spokój był zaiste mocno podejrzany. Nikt normalny by się tak nie zachowywał. – Musimy uciekać, bo zaraz będzie za późno.

– Za późno? Na co? – Najwyraźniej uznał, że mamy przed sobą parę godzin nieskrępowanej dyskusji, podczas której będziemy mogli wymienić poglądy na wszystkie interesujące nas tematy, jak to dwóch młodych facetów na wakacjach.

– Człowieku! – wrzasnąłem, bo w końcu mnie wyprowadził z równowagi. – Mamy piętnaście sekund, zanim dobiegnie do nas ta piechota. Nie możemy ich trzymać w szachu w nieskończoność.

Coś musiało być w moim głosie, jakaś prawdziwa nuta desperacji, bo ostrożnie przekręcił głowę w bok i w tył, ostentacyjnie na mnie przy tym zezując, i zerknął w stronę lasu. Chyba zrozumiał, bo popatrzył na mnie znacznie mniej wrogo.

– Może pan biec? – krzyknąłem.

– Mogę – odpowiedział. – Zdaje się, że nic mi nie jest.

Bez zbędnych ceregieli schwyciłem go za klapy lotniczej kurtki i mocnym szarpnięciem postawiłem na nogi. Strzały z helikoptera umilkły.

– Niech pan schyli głowę – krzyknąłem, zmuszając go do biegu. – Szybko!

Pewnie zrozumiał w końcu, że jednak ratujemy mu życie albo przynajmniej chronimy przed niewolą, bo nie opierał się więcej i po chwili obaj wskoczyliśmy do kabiny. Zamykając pancerne drzwi, zauważyłem tylko, że rzucona na ziemię piechota znowu zaczyna strzelać, a z lasu wyjeżdżają następne czołgi. Jacyś niezniszczalni czy jak? Okolica robiła się zdecydowanie niegościnna. Wieteska poderwał gwałtownie maszynę i nawet nie czekając, aż się przypniemy, od razu dał całą moc. Helikopter pochylił się w przód, rzucając nami jak workami kartofli, i polecieliśmy.

Zdążyłem założyć słuchawki, kiedy Wieteska zapytał:

– Bawimy się dalej? – Miał na myśli oddziały, które niekończącym się strumieniem wylewały się z lasu.

– Nie – odpowiedziałem – już wszystko wiemy. Leć do bazy.

– Robi się – skwitował.

Ubezpieczająca maszyna dołączyła i pomknęliśmy w stronę obozu.

Rozejrzałem się wokół i zapytałem:

– Kto dostał? – W momencie, gdy zadawałem pytanie, już znałem odpowiedź. Nancy siedziała w fotelu blada jak ściana. Okolica łącząca bluzę munduru z prawym rękawem była zalana krwią. Kula musiała trafić w sam brzeg kamizelki. Ześlizgnęła się i przeszła przez ramię pani kapitan. Wojtyński właśnie kończył oględziny. Miałem coraz więcej podziwu dla chłodnego i jakby beznamiętnego profesjonalizmu tego żołnierza. Wyprostował się i popatrzył na mnie. – Coś poważnego? – zapytałem z udawanym spokojem, siadając na fotelu koło Nancy. Wziąłem ją za rękę, podczas gdy Wojtyński szybko i sprawnie zakładał opatrunek. Pani kapitan była przytomna, ale nie odzywała się.

– Nie wiem na razie. Wygląda to na powierzchowną ranę, obcierkę właściwie, więc kulę mamy z głowy. Ale nie wiem, co w środku. Strasznie krwawi. Zrobię jej zastrzyk i powstrzymam krwawienie. Obawiam się, że to niestety wszystko w tych warunkach. Mamy szczęście, że nikt nie dostał rykoszetem.

Skinąłem głową.

– Jak się czujesz? – zapytałem łagodnie.

– Jakbym dostała kulkę.

Nie było najwyraźniej tak źle, jak myślałem w pierwszym momencie, bo sarkazm w jej głosie był wyraźnie wyczuwalny. Ciężko ranni nie bywają sarkastyczni.

– Jak to na wojnie, zawsze muszą być jakieś straty. – Uśmiechnąłem się pocieszająco. – I tak mieliśmy dużo szczęścia.

Kiwnęła głową, nie po to, żeby wziąć za dobrą monetę wyjaśnienie – bo tylko idiota by je wziął – ale by pokazać, że dostrzegła odpowiednią dawkę troski w moim głosie.

– Przekaż Sawickiemu, żeby dwóch sanitariuszy z noszami czekało na nas na lądowisku, dobra? – rozkazałem Wietesce. – I niech doktorzy będą w gotowości.

– Robi się. – Granitowe opanowanie Wieteski nadal wprawiało mnie w podziw. Wieteska i Wojtyński – dwa cyborgi. W towarzystwie maszyn zawsze czułem się onieśmielony.

– Nieźle pan strzela, panie... – Odwróciłem się do naszego gościa.

Siedział na wprost mnie i patrzył na rozgrywającą się właśnie scenę z niemym zdumieniem. Rozumiałem go dobrze. Był w obcej maszynie, która nie przypominała niczego, co kiedykolwiek widział. Wcześniej, na jego oczach, zademonstrowaliśmy siłę ognia dywizjonu bombowców – i to niepełną rakietową salwą. Posługiwaliśmy się bronią ręczną, która jednym strzałem unieruchamiała samochód pancerny. Mieliśmy na sobie mundury, hełmy, kamizelki kuloodporne i słuchawki, które różniły się od wyposażenia znanego mu wojska jak dzień od nocy. Do tego mówiliśmy po polsku, a na burcie helikoptera mieliśmy wymalowane wielkie biało-czerwone szachownice, które, wskakując do środka, z pewnością zauważył. I uratowaliśmy mu życie. Miał o czym facet myśleć. Może dlatego nadal nie schował pistoletu.

Siedział więc, patrzył i nie odpowiadał. A my wszyscy – Sawicki, Kurcewicz, Wojtyński, Borek, Galaś, Nancy i ja – patrzyliśmy na niego. Spojrzałem na pagony lotnika i dokończyłem:

– ...panie poruczniku.

4.

Przybysz miał na sobie workowaty kombinezon lotniczy i skórzaną kurtkę, za którą sześćdziesiąt kilka lat później kolekcjonerzy i zwolennicy mody motocyklowo-militarnej daliby każde pieniądze. Równie modną skórzaną czapkę pilotkę i gogle miętosił bezwiednie w rękach. Wyglądał może na dwadzieścia pięć lat i był przystojnym, modnie ostrzyżonym blondynem. W oczach miał jeszcze niewygasłe echa bitwy, pożaru samolotu, skoku ze spadochronem i cudownego ocalenia. Ale patrzył bystro i uważnie. Miałem przed sobą prawdziwego lotniczego asa z czasów ostatniej wojny. W dodatku młodszego ode mnie. Był młodszy od najmłodszego z nas, choć pochodził z rocznika naszych dziadków. Przybliżałem się – powoli, bo powoli – do zrozumienia, czym naprawdę jest upływ czasu.

Powiedział coś do mnie. Nie usłyszałem go. Zdałem też sobie sprawę, że nie mógł słyszeć mojej ostatniej uwagi. Wręczyłem mu słuchawki i gestem pokazałem, żeby je założył. Zrobił to i od razu poczuł się lepiej. Nic dziwnego – latanie Mi-24 nie należy do najcichszych znanych ludzkości sposobów przemieszczania się. Puknąłem lekko w sterczący na wysięgniku przed ustami mikrofon. Zrozumiał.

– Co to za maszyna? – zapytał, rozglądając się uważnie dookoła.

No jasne. Helikopter nie był znanym wynalazkiem w jego czasach.

– Śmigłowiec szturmowy Mi-24 – odpowiedziałem zgodnie z prawdą. Nie miałem jeszcze pomysłu, jaką wersję będziemy sprzedawali jako oficjalną.

– Śmigłowiec? – Niepewność przebijała z każdej sylaby. – Nigdy o czymś takim nie słyszałem…

– Nic dziwnego. – Kiwnąłem głową. – To nowa konstrukcja.

Guzik prawda. Ma trzydzieści lat. Ale z jego punktu widzenia była kompletną futurystyką.

– To… samolot? – Tylko do tego mógł go porównać.

– No… tak jakby, chociaż niezupełnie – brnąłem dalej. Wszyscy, łącznie z Nancy, która przecież niczego nie rozumiała, przysłuchiwali się uważnie, zadowoleni, że nie na nich spoczywa ciężar konwersacji. – Może startować i lądować pionowo. Niepotrzebny mu pas startowy.

– Ale prędkość nie za duża. – W jego głosie błysnęła nutka przekory. – Myśliwiec szybszy.

– Zgadza się – przytaknąłem – śmigłowiec nie służy do walki powietrznej, chociaż też sobie poradzi, gdyby przyszło co do czego. W końcu zestrzeliliśmy te dwa messerschmitty.

– To wy? – zdziwił się. – Myślałem, że to nasze pelotki...

– Nie widział pan? – Teraz ja się zdziwiłem.

– Chyba... straciłem przytomność – powiedział niepewnie. – Pamiętam, że dostałem serię, przewróciłem grata na plecy, odpiąłem się z pasów i wypadłem. Musiałem uderzyć o coś... nawet nie wiem, kiedy się spadochron otworzył. Ocknąłem się na ziemi, zobaczyłem was, tak blisko. A przysiągłem sobie, że do niewoli nie pójdę. Wyjąłem visa i...

– I tak jak mówiłem, nieźle pan strzela. – Uśmiechnąłem się gorzko. – Szkoda tylko, że ranił pan jednego z moich oficerów, kapitan Sanchez.

– Sanchez? Kobieta? Oficerem? – Co słowo, to znak zapytania. Co minuta, to zagadka. Patrzył na mnie jak na wariata. No, ale w końcu dowód mego rzekomego szaleństwa siedział przed nim, blady, ranny, ale niewątpliwie bardzo kobiecy w swojej istocie. Pomimo rany i bladości oblicza Nancy zrobiła na nim takie wrażenie, jakie robiła na większości facetów. Lotnik uśmiechnął się do niej przepraszająco i powiedział: – Bardzo żałuję, pani kapitan. – Naprawdę było mu przykro. – Nie wiedziałem, że chcecie mnie ratować.

– Ona pana nie rozumie, ale przekażę jej pana przeprosiny. – I dodałem tytułem wyjaśnienia: – Kapitan Sanchez, armia amerykańska. Nasza sojuszniczka. – Gdy wypowiadałem ostatnią sylabę, już wiedziałem, jakie głupstwo palnąłem. Stany Zjednoczone nie były sojusznikiem Polski w 1939 roku.

– Ameryka? – Tym razem naprawdę się zdumiał. – Przecież Anglia i Francja są naszymi...

– Oczywiście – przerwałem mu.

Patrzył na mnie i naprawdę nie wiedział, co powiedzieć. My mogliśmy naszą obecność w jego czasach jakoś sobie wytłumaczyć. On w naszych – bo będąc na pokładzie śmigłowca jakby się przeniósł w 2007 rok – za żadne skarby. To wszystko nie mieściło się po prostu w jego wyobrażeniu o świecie.

– Ludzie! – zapytał ostrożnie, patrząc mi prosto w oczy. – Kim wy jesteście?

– Już panu mówiłem. Pierwszy Samodzielny Batalion Rozpoznawczy – to oczywiście niczego mu nie mogło wyjaśnić – a ja nazywam się Jerzy Grobicki. Jestem dowódcą oddziału.

– Podporucznik Władysław Wilgat. 161 Eskadra Myśliwska – przedstawił się odruchowo, po czym szybko wrócił do tematu: – Nie słyszałem o takim batalionie. Nie widziałem nigdy takiego uzbrojenia – zerknął przez otwarte drzwi do kabiny pilota – ani takiej techniki.

– To tajny oddział w dyspozycji Naczelnego Wodza – wpadłem w końcu na właściwe rozwiązanie. Tajne łamane przez poufne. Absolutna tajemnica. Prywatne odwody Naczelnego Wodza. Całe szczęście, że przypomniałem sobie w ostatniej chwili, jak się nazywało wtedy naczelne dowództwo.

– Ach – błysk zrozumienia – to dlatego lecimy na zachód? Za linię frontu?

Bystry był ten nasz lotnik. I miał niezłe wyczucie kierunku.

– Tak, nasza baza jest położona za linią frontu.

To stwierdzenie paradoksalnie go uspokoiło. Skoro byliśmy taką potęgą, operowanie na terenie wroga było czymś normalnym.

Zresztą nie mieliśmy czasu na dalsze pogaduszki, bo Wieteska mruknął:

– Schodzimy.

Szarpnęło solidnie, żołądki podjechały nam do gardeł i wylądowaliśmy.

Zanim jeszcze potężne śmigła wyhamowały swój bieg, wyskoczyłem na trawę lądowiska. Gestem popędziłem dwóch sanitariuszy, którzy zgodnie z moim poleceniem czekali nieopodal. Szybko i sprawnie ułożyli Nancy na noszach. Była bardzo blada i chociaż wzbraniała się i próbowała dyskutować, z widoczną na twarzy ulgą skorzystała z tego prostego środka transportu.

– Wojtek – odwróciłem się do Kurcewicza – zwołaj odprawę. Za dziesięć minut. Ściągnij Stańczaka, niech komuś przekaże dowodzenie. Wywal z wozu Cuprysia, niech zje kolację, ale Galaś ma zostać. W końcu trochę się zna na tej wojnie.

– Tak jest. – Przystojna twarz była ściągnięta. W ciągu ostatniej godziny postarzała się o parę lat. Dodał półgłosem: – Co robimy dalej?

Spojrzał na mnie uważnie. Widział, że niedawne wydarzenia kopnęły mnie, i to mocno. Strzelanie do kobiet i dzieci, bezradność uciekinierów, zuchwalstwo napastników, straszna dysproporcja sił... Znał mnie bardzo dobrze, w normalnych warunkach w dziewięciu przypadkach na dziesięć odgadłby, co zrobię. W normalnych warunkach w dziewięciu przypadkach na dziesięć olałbym sprawę, bo nienawidziłem się przejmować przeciwnościami losu. Teraz jednak obaj znaleźliśmy się w sytuacji, która najprawdopodobniej nas przerastała. Nigdy jeszcze nie miałem pięciuset ludzi i wojny na głowie. I żadnego dowództwa nad sobą.

– Najchętniej skopałbym im tyłek – powiedziałem przez zaciśnięte zęby. – I zrobił takie piekło, aby pożałowali, że kiedykolwiek zerknęli tęsknie dalej niż za próg swojego domu.

Skinął głową. Nie, żeby był taki wyrywny do wojaczki, ale pokazał, że docenia i akceptuje powód, dla którego byłbym gotów podjąć taką decyzję. Równy z niego gość. Pytanie, czy inni też będą tacy równi i pełni zrozumienia...

Zasalutował i odszedł.

Parę metrów ode mnie stała grupa uczestników zwiadu powiększona o nowego kolegę. W helikopterze trochę się zdążył oswoić z nami i nieznaną techniką, ale nie miał pojęcia, czego się może spodziewać po wylądowaniu – a nikt nie miał czasu mu tego tłumaczyć – toteż widok przygotowanych do boju czołgów, dział, transporterów, wyrzutni rakiet i całej imponującej reszty wywarł na nim jeszcze większe wrażenie niż spotkanie Mi-24 na polu pod wsią. No, facet po prostu zastygł jak żona Lota. Pociągnięty za rękaw przez Wieteskę, zaczął iść co prawda do przodu, ale głowę daję, że poruszał nogami czysto mechanicznie. Jego mózg nie mógł sobie poradzić z przetwarzaniem takiej ilości danych.

– Johny – odwołałem Wieteskę na bok – wyznacz jakiegoś przytomnego chłopaka, żeby poasystował naszemu gościowi. Niech mu pokaże wszystko, co będzie chciał zobaczyć, ale bez szczegółów. I ani słowa o prawdziwych przyczynach naszego pojawienia się tutaj.

– A jakie są te prawdziwe przyczyny? – rzucił wyzywająco. Znów Johny Lądowy.

– Zaraz to wyjaśnimy. Ale nie chcę wałkować tematu przy nim. Potem go zaprosimy, na razie niech się trochę pokręci. Może nam się jeszcze przydać.

– Do czego? – Pomimo zaczepnego tonu, widziałem, że i on się zmienił. Nie był już taki skłonny do kpin i awantur o byle co.

– Leć. Ja zaraz przyjdę.

Zostawiłem go samego i poszedłem w stronę zaimprowizowanego lazaretu. Po drodze dogonił mnie Łapicki.

– Panie pułkowniku. – Był nieco zdyszany, ale wciąż prezentował się, jakbyśmy byli na defiladzie: czysty i wyprasowany. – Melduję, że nie mieliśmy styczności z nieprzyjacielem. Na wszelki wypadek podesłałem Stańczakowi dwa czołgi, bo meldował wzmożony ruch kolumn pancernych na drodze. Wszystkie szyłki na stanowiskach. Pozostałe wozy w gotowości bojowej. Kazałem zwinąć namioty. Został tylko lazaret i kuchnia. Jeżeli będziemy tu nocowali, można spać pod gołym niebem. W końcu mamy lato i chyba nie będzie padać.

Miałem szczęście, że Dreszer wcisnął mi tego faceta. Jak na sztabowca miał niezłą wyobraźnię i umiał przewidywać. Szybko się przestawił na nową rzeczywistość. Ja sam jeszcze nie wiedziałem na pewno, czy będziemy atakować, a on już poczynił wszelkie przygotowania. Może zabezpieczał się na wszelki wypadek? Tym lepiej. Cokolwiek zadecydujemy, miło jest wiedzieć, że mogę bez pudła liczyć na moich ludzi.

– Dziękuję, majorze – odpowiedziałem. – Idźcie do wozu dowodzenia. Zajrzę do rannych i zaraz zrobimy odprawę.

– Aaa tak, słyszałem. – Mówił o Nancy. – Coś poważnego?

– Mam nadzieję, że nie.

Lazaret to było wielkie słowo – po prostu dwa zwykłe namioty – ale rannych było tylu, że już na początku jakże udanej misji afgańskiej trzeba było improwizować. W jednym namiocie zgromadzono Niemców, w drugim naszych. Ten drugi namiot rzecz jasna interesował mnie o wiele bardziej. Odchyliłem brezentową klapę i w nos buchnęła mi mieszanina potu, krwi, brudnych skarpetek i otwartych ran. Trudno to było wytrzymać, ale nie chciałem zbyt ostentacyjnie się krzywić, żeby nie osłabiać i tak już słabego morale tych chłopaków.

I tej dziewczyny.

Leżała na polowym łóżku ustawionym pod ścianą tuż przy wejściu, a lekarz właśnie kończył bandażować jej ramię. Bluza mundurowa z odciętym rękawem leżała obok łóżka, a przy niej kamizelka, hełm, karabin i parę jeszcze innych rzeczy. Strasznie dużo klamotów taszczy każdy z nas na tej wojnie.

– Cześć – mruknąłem. Ciężko mi było połapać się, co naprawdę czułem. Złość na pewno. I jakiś żal i tęsknotę, nawet jeżeli do końca nie wiedziałem, za czym tęsknię.

– Boli mnie – poskarżyła się tonem małej dziewczynki.

– Lekarze mówią, że pomimo to będziesz żyć, prawda, doktorze? – Uśmiechnąłem się do niej i pytająco spojrzałem na lekarza. Wiedziałem, że mówi trochę po angielsku.

– Tak, to w sumie nic poważnego. Rana jest czysta, a kula nie uszkodziła niczego istotnego. W zasadzie to głębokie otarcie. Pani kapitan straciła co prawda trochę krwi, ręka będzie boleć, ale wyjdzie z tego. Powinna trochę pospać i nie forsować się przez najbliższych parę dni.

– Ba! To raczej niemożliwe, doktorze. Jak stan pozostałych rannych?

– Stabilny. Sporządziłem dokładny raport.

Skinieniem głowy dałem do zrozumienia, żeby sobie poszedł, i wróciłem do rozmowy z Nancy.

– Mamy za chwilę odprawę. Musimy postanowić, co dalej. – Nie chciałem na nią wywierać presji, ale musiała zrozumieć, że jest jednym z kluczowych ogniw w moim procesie decyzyjnym. – Musisz mi pomóc.

– Wiem. Tylko… – Zawahała się. – Nie wiem, czy będę mogła…

– Mogła? – Zawiesiłem głos. – Czy chciała?

– Chcę – zapewniła mnie bez przekonania – ale muszę jeszcze umieć. Tego właśnie nie jestem pewna. To znaczy jestem pewna, że nie umiem.

Zamilkła. Patrzyłem na jej śliczną buzię i po raz kolejny zastanawiałem się, jakim sposobem tę delikatną istotę przyjęli do tak elitarnej jednostki jak amerykańska piechota morska. I jakim cudem ukończyła kurs i dochrapała się stopnia kapitana. Sprawiała wrażenie – zwłaszcza teraz, kiedy blada i wyczerpana leżała samotnie pośród kilkunastu jęczących i chrapiących facetów – jakby znalazła się w tym miejscu całkowicie przypadkiem, a leżące u wezgłowia wojenne akcesoria należały do kogoś innego.

Jeszcze chwila i zacząłbym płakać. Oczyma duszy zobaczyłem jednak jutrzejsze plotki na ten temat i momentalnie wziąłem się w garść. W końcu byłem tu szefem.

– Spróbuj – zachęciłem ją po tak długiej chwili milczenia, że miała naprawdę czas przemyśleć sobie wszystko.

– Pentagon… – Coś się w niej w końcu przełamało. Może uznała, że kurczowe trzymanie się regulaminu i tajemnic wojskowych jest bez sensu w sytuacji, kiedy nie ma żadnego dowództwa i przełożonych. Przynajmniej w takim znaczeniu, jak jeszcze parę godzin temu. – Pentagon parę lat temu zaczął eksperymentować z nową bronią. Kluczem było skonstruowanie bardzo małego reaktora jądrowego. Miał takie wymiary, że bez problemu mieścił się na ciężarówce. I mógł zapewnić bardzo wydajne źródło energii. Potem skonstruowano tarczę. To widziałeś: pole siłowe, które może ochronić duży oddział wojskowy przed jakimkolwiek ostrzałem. Co prawda ten oddział sam nie może prowadzić ostrzału przeciwnika, ale to betka, bo zawsze można wezwać pomoc. Obliczono, że dzięki tej technologii straty naszych oddziałów zmalałyby o sześćdziesiąt procent. To było bardzo wiele, nawet jeśli przyjmiesz, że nasze straty w ostatnich wojnach nie były zbyt duże. – Zmęczyła się, a ja patrzyłem na nią uważnie. Tyle do tej pory wiedziałem sam. Westchnęła głęboko i kontynuowała: – Ale okazało się, że na tym nie koniec. Zadano sobie pytanie: jak można by uniknąć strat w ogóle? Żeby po prostu przestali ginąć nasi żołnierze? Ktoś wpadł na szalony pomysł, że stuprocentowo skutecznym wyjściem byłoby cofnięcie sytuacji, w której popełnia się błąd. Spróbować odwrócić to, co już się stało. Na przykład oddział wpada w zasadzkę. Giną ludzie. Dowódca włącza pole siłowe i komputer przenosi cały oddział o, dajmy na to, godzinę wstecz. Błąd można naprawić. Zabici cofnięci o godzinę nie są już zabitymi. Są żywi. Można obejść nieprzyjaciela i samemu go zaatakować. Można się wycofać. Można… wszystko. – Znowu zamilkła. Chociaż to, co mówiła, było kosmiczną fantazją do kwadratu, klocki układanki w przyspieszonym tempie zaczęły wskakiwać na swoje miejsce. Jeszcze nie wszystkie. Jeszcze było bardzo wiele pytań. Ale na podstawowe miałem odpowiedź. – No i taką technologię opracowano. Nie znam szczegółów, oczywiście. MDS ma możliwość przenoszenia się w czasie razem ze wszystkimi materialnymi rzeczami, które znajdują się pod kopułą pola siłowego. Te skoki mogą być krótkie: dwie, trzy godziny. Maksimum sześć. Tak zostało zaprojektowane oprogramowanie i zasoby energetyczne. Może dłuższe skoki nie są możliwe z powodów technicznych, nie wiem.

Chociaż w gruncie rzeczy spodziewałem się, co powie – już od jakiegoś czasu podejrzewałem MDS-a i tę całą wyszukaną technologię o sprokurowanie bałaganu, w którym się babraliśmy – ciężar tej wiedzy przygniótł mnie do ziemi. Może dlatego, że co innego podejrzewać, a co innego otrzymać stuprocentowe potwierdzenia z ust sprawcy. Czułem się jak pasażer statku, który rozbił się u brzegów bezludnej wyspy.

– Szaleństwo – wydukałem. – Poważnie mówię, Nancy, prawdziwy obłęd. Naprawianie Pana Boga! To stwarza taką ilość możliwych implikacji, że nawet sobie nie wyobrażasz.

– Też tak sądzę – zgodziła się melancholijnie i skrzywiła się. Może rana ją zabolała. – Nie byłam entuzjastycznie nastawiona do tego pomysłu, ale wiesz, jak jest, z przełożonymi się nie dyskutuje. Afganistan miał być poligonem doświadczalnym dla tej technologii. Gdy się dowiedziałam, że MDS będzie włączony do polskiego oddziału, od razu przyjęłam propozycję objęcia dowództwa. Mam sentyment do was, Polaków. – Chciała się uśmiechnąć, ale próba wypadła blado.

Miałem głowę pochłoniętą czymś innym, więc nie zareagowałem.

– No dobrze. Ale jest jeszcze coś. Skoro mówisz, że maksymalny skok MDS-a wynosi sześć godzin, to jakim cudem cofnęło nas o sześćdziesiąt osiem lat?

– Nie wiem, nie rozumiem. – Pokręciła głową. – Myślę o tym, odkąd się tu znaleźliśmy. Rozmawiałam z Holdenem. On też nie wie. Komputer musiał się rozprogramować od uderzenia pioruna. Chociaż to bardzo dziwne. Zabezpieczenia programu są tak rozbudowane, że chyba tylko oprogramowanie startowe rakiet z głowicami jądrowymi ma lepsze.

Możliwe. Ale mało istotne. Bardziej istotne było co innego.

– Nancy, a… powrót? – wyartykułowałem w końcu krążącą po głowie myśl. – Czy wasz genialny wynalazek zakładał powrót do punktu zero?

Spojrzała na mnie ponuro, a ja już znałem odpowiedź.

5.

Chociaż zwołałem odprawę na dziewiętnastą trzydzieści – dziesięć minut po powrocie ze zwiadu – sam spóźniłem się dobre pół godziny. Dawno już zapadł zmrok. Idąc z lazaretu do wozu dowodzenia, na każdym kroku widziałem dokładną i pewną rękę Łapickiego. Wszyscy żołnierze byli pod bronią. Większość zjadła kolację, a kucharze, którzy przygotowali posiłek dla oficerów i patroli schodzących rotacyjnie z wart i czujek, zwinęli już swój majdan. Szyk pojazdów zmienił się radykalnie: czołgi i transportery stały plutonami w gotowości do wyjazdu. Cały obóz był dokładnie zamaskowany. Łapicki pomyślał też o dodatkowych drogach wyjazdowych – kazał wyrąbać dwie przecinki, które też zamaskowano. W razie alarmu cała pancerna siła batalionu mogła przystąpić do natarcia lub ewakuacji od razu w kilku kierunkach.

Te obserwacje trochę mnie uspokoiły. Co prawda wpadliśmy jak śliwka w kompot, ale swój obowiązek wypełnimy. Cokolwiek by to miało znaczyć.

– Panie pułkowniku. – Drogę zastąpił mi jeden z czołgistów. Plutonowy Obara. Za nim przestępowało z nogi na nogę kilka innych postaci. – Pan pułkownik nam powie, co my tu robimy? Wojna jakaś będzie? Bo wszyscy gadają…

Znałem tego plutonowego i wiedziałem, że nie jest żadnym maminsynkiem. Twardy chłopski syn spod Sochaczewa, nie zauważyłem do tej pory, żeby się czymkolwiek przejmował. Zawsze wszystko robił bez gadania, szybko i sprawnie. Skoro jego wzięło, to znaczy, że nie jest dobrze. Nawet nie zwrócił uwagi – co dawniej było niemożliwe – na kompletnie nieregulaminową odzywkę do starszego stopniem.

– Wiem, że gadają, Obara – powiedziałem spokojnie. – I macie rację. Jest wojna. Dlatego musimy być w każdej chwili gotowi do walki. Za mniej więcej godzinę zrobimy zbiórkę batalionu i wtedy wszystko wyjaśnię. Zgoda?

Musiał go zdumieć mój przyjacielski ton i bombastyczna szczerość. Może się spodziewał, że zaprzeczę i okaże się, że wszystko dookoła to tylko nowoczesne ćwiczenia. Niestety, kolego Obara. Przed chwilą dowiedziałem się takich rzeczy, że nie chce mi się dźwigać tego szajsu samemu. Straszny się demokrata zrobiłem ostatnio. Dlaczego tylko ja mam się męczyć ze swoją wiedzą?

Poklepałem go po ramieniu i po paru krokach dotarłem do kwatery głównej. Kiedy z rozmachem otworzyłem drzwi i rozejrzałem się po znajomych twarzach, zauważyłem wymalowaną na nich tak wielką paletę uczuć, że dałoby się z tego uzbierać przegląd wszystkich możliwych stanów emocjonalnych stwierdzonych u gatunku ludzkiego. Złość, strach, wzburzenie, gniew, powaga, patos. Oczywiście przekrzykiwali się wzajemnie i do niczego nie doszli. Ale może się myliłem. Ciasne pomieszczenie było czarne od dymu papierosowego, bo jakoś nikt nie pomyślał o tym, żeby uchylić drzwi.

Zawaliło się moje całe dotychczasowe życie. Ta smutna konstatacja jakoś nie chciała się odłączyć od Nancy. Nic na to nie mogłem poradzić – podświadomie obwiniałem ją o katastrofę.

Z drugiej strony: czy aby na pewno katastrofę? Przypadek sprawił, że dostaliśmy od losu szansę, jakiej w historii nie było. Szansę naprawienia największego nieszczęścia w dziejach ludzkości, kataklizmu, który swoje epicentrum miał dokładnie na tym nieszczęsnym skrawku Europy między Tatrami a Bałtykiem.

Za dużo tego było, a ja kiepsko nadaję się na psychoterapeutę. Zwłaszcza we własnej sprawie. Jeszcze się we mnie gotowało, więc bez zbędnych ceregieli przeszedłem od razu do tematu:

– Rozumiem, że panowie oficerowie uczestniczący w zwiadzie byli łaskawi poinformować kolegów, którzy zostali w obozie, o jego rezultatach. – Ponieważ to była oficjalna odprawa w warunkach bojowych, darowałem sobie poufałe formy towarzyskie. – Czy tak?

– Tak jest – odezwał się major Łapicki. Jasne, był najstarszy stopniem. – Kapitan Kurcewicz i kapitan Wieteska złożyli szczegółowy raport. Wnioski…

– Momencik, majorze. Wnioski za chwilę. – Odetchnąłem głęboko – Panowie, mam dla was dwie wiadomości: dobrą i złą. Dobra jest taka, że wiem, co się stało. To nasi amerykańscy przyjaciele, za pomocą swojego cholernego wynalazku, byli łaskawi zafundować nam wycieczkę w uroczą rzeczywistość roku trzydziestego dziewiątego. – Machnąłem ręką w stronę, gdzie parkował MDS. – I to niestety nie jest żart. Mają opracowaną technologię, która pozwala na podróże w czasie.

Mogłem próbować złagodzić nieco formę i wymowę faktów, ale nie zrobiłem tego. Sam byłem w szoku, choć umysł miałem przeraźliwie jasny. W paru słowach streściłem rozmowę z Nancy. Wszyscy – chociaż przecież na pewno od kilku godzin każdy z nich intensywnie szukał racjonalnego wyjaśnienia otaczającej nas rzeczywistości – patrzyli z niedowierzaniem i zdumieniem. Jeszcze do nich nie dotarło. Dokładnie jak do mnie przed kwadransem.

– Jak mówiłem, jest też zła wiadomość. – Zamilkłem na chwilę, żeby się jednak skoncentrowali. – Nie ma niestety możliwości powrotu do naszych czasów. System po prostu został tak skonstruowany, że przy krótkich skokach w czasie powrót nie był potrzebny. Ba, wręcz niewskazany. Krótko mówiąc, wygląda na to, że utknęliśmy tu na dobre.

No, teraz ich dopiero zatkało. To wszystko byli naprawdę inteligentni ludzie, choć często ukryci pod maskami pozorowanego lub naturalnego luzactwa. Umieli szybko kojarzyć fakty, mieli dobry refleks, byli zawodowcami. Ale zatkało ich. Wiem, co czuli. Moje słowa dochodziły do nich jakby z oddali, mieli wrażenie, że oni i ja to dwie różne rzeczywistości. Tak właśnie racjonalnie myślące umysły bronią się przed nagłym, niespodziewanym i przygniatającym.

– Nie wierzę – odezwał się w końcu Sawicki. Dziwne, że to on. Nie należał do etatowych krzykaczy. Ale tym razem nawet jego wzięło. – To jakaś bajka.

– Niestety nie. – Pokręciłem głową. – To eksperymentalna technologia i miała być w warunkach bojowych testowana w Afganistanie, niemniej działa bardzo dobrze. Nawet aż za dobrze, jak pan zresztą widział na własne oczy, poruczniku.

– Zaraz, zaraz, momencik. – Wieteska. Dziwne, że tak późno. – Co z tym MDS-em? Chciałbym wiedzieć, dlaczego nie możemy wrócić? Dlaczego nie możemy przestawić wektorka w tym w dupę kopanym komputerze o sto osiemdziesiąt stopni i po prostu zafundować sobie krótkiej podróży abarot?

– Nie możemy – uciąłem. – Program tego nie przewiduje.

– No, ale taki program można by napisać – poparł Wieteskę Kurcewicz. Partia Powrotu liczyła zatem dwóch członków. – Nancy... – zająknął się, napotykając mój wzrok. – Kapitan Sanchez ma przecież informatyków na pokładzie.

– Ma. Ale nie wiem, czy będą potrafili. Co innego umieć obsługiwać system, a co innego wymyślać algorytmy...

– Ale można próbować, prawda? – Wojtyński. Partia Powrotu to już trzech ludzi. – Pogadajmy z nimi. Powinno im tak samo zależeć jak nam.

– Można spróbować – zgodziłem się nieoczekiwanie. Po prostu musiałem im coś dać. Jakąś nadzieję, zwłaszcza w sytuacji, w której za chwilę padnie propozycja nie do odrzucenia. – Na pewno można spróbować. Ale... jest jeszcze coś.

– O kurrrr… jeszcze coś? – stęknął, machając rękami ze zniecierpliwieniem Wieteska. – Ja mam dzisiaj atrakcji po dziurki w nosie!

Miałem wrażenie, że jest głową i ustami wieloosobowego organizmu, który myśli i czuje dokładnie to samo co on. Wszyscy mówili: „Tak jest, panie pułkowniku, meldujemy posłusznie, że plan dnia został wyczerpany. Ubawiliśmy się setnie, ale niech nam pan pułkownik więcej nie zawraca głowy tym gównem, dobra? Odmeldowujemy się".

Nie, robaczki. Tak łatwo nie ma.

– Taaaa, jasne. Rozumiem, kapitanie. Rozumiem was wszystkich, panowie. Chciałem tylko powiedzieć, że jest 1 września 1939 roku, mamy wojnę, a my jesteśmy oddziałem Wojska Polskiego.

6.

– Kurwa mać, czy ja dobrze słyszałem? – Wieteska naprawdę miał dość. – Chcesz… pan pułkownik chce walczyć z Niemcami?

– Już z nimi walczymy – powiedziałem spokojnie. Olśnienie przyszło przed chwilą: po prostu nie starałem się wykiwać przeznaczenia. Nagle wszystkie klocki układanki wskoczyły na swoje miejsce. Myślało mi się świetnie, lekko i precyzyjnie.

– Broniliśmy się! – zaprotestował. – Oni strzelali do nas, my do nich. Odparliśmy atak, ale nic nam do tej wojny.

– Na pewno? – Spojrzałem mu prosto w oczy. – Na pewno ona nic pana nie obchodzi, panie kapitanie? Może powie pan to Wilgatowi? Albo mieszkańcom Mokrej?

Uciekł ze wzrokiem i rozejrzał się dookoła. Nie wiem, czy w ogóle ktoś mnie popierał. On też nie wiedział. Może uważali mnie za wariata i zastanawiali się, czy przypadkiem jedynym rozsądnym wyjściem nie byłoby obezwładnienie mnie, pozbawienie dowództwa, przystawienie Nancy pistoletu do głowy i zmuszenie jej, aby zawiozła nas w nasze czasy. A może myśleli o wojnie i o tym, że na wojnę raptem trzydzieści sześć godzin temu sami zgłosili się na ochotnika. Dwie różne wojny – ale może nie tak bardzo różne?

Dałem im czas na zastanowienie się. Nie naciskałem. Nasza sytuacja była trudna i bez mojej presji.

– Jeśli można, panie pułkowniku… – Galaś przypomniał o swoim istnieniu. – Jestem za tym, aby rąbnąć w Niemców z całych sił. A swoją drogą można pracować nad programem powrotnym…

– Strateg, kurwa mać – strzyknął Wieteska. – Kapral Napoleon z wioski Psiedupki. Wiemy, że chcesz ich rąbnąć. Mówisz o tym bez przerwy od dwóch godzin.

Ale Galasia niełatwo było obrazić.

– Ja po prostu trochę wiem o tej wojnie, panie kapitanie – powiedział cicho. – Połowa mojej rodziny jej nie przeżyła. Wie pan, jak to jest, pochodzę z tych stron – machnął ręką w nieokreślonym kierunku – i jak front tu przechodził w trzydziestym dziewiątym i czterdziestym piątym, dwa razy w sumie, to i babcia, jej siostra i troje dzieci… W tym moja ciotka. Miała osiem lat. Dziadek mówi, że umierała trzy dni, jak ją drugiego września trafił odłamek bomby. Trzy dni, wie pan kapitan? Małe dziecko, które płacze z bólu, krzyczy, że umiera, a pomóc mu nie można, bo kto żyw uciekał na wschód i lekarza nie można było znaleźć…

Byliśmy wszyscy łapczywymi konsumentami kultury obrazkowej i hollywoodzkich produkcji. Przyzwyczailiśmy się do kolorowego i efektownego widoku śmierci. Codziennie bombardowani byliśmy obrazami wypadków, zabójstw, pobić, porwań, kataklizmów i co tam jeszcze człowiek z kamerą zdoła wynaleźć. Ale cicha opowieść Galasia w połączeniu z niedawnym pokazem na żywo, którego byliśmy świadkami w helikopterze, w dziwny sposób przemówiła do najgłębszych pokładów naszego człowieczeństwa. Naprawdę tak to odczuwałem. I nie tylko ja. Wieteska wyraźnie chciał coś powiedzieć, kręcił głową, jakby nie zgadzał się z argumentami, szarpał ze złością suwak kurtki. Jednak nie powiedział nic.

– Myślę, że… – odezwał się Łapicki. Po nim też widać było wzburzenie, ale i tak zachowywał się najspokojniej z nas wszystkich. – Myślę, że kapral może mieć rację. Z jednej strony powinniśmy pracować nad programem i spróbować się dostać w nasze czasy, ale z drugiej strony sądzę, że niezależnie od naszych poglądów na patriotyzm i powinności względem Polski, Niemcy i tak nas nie zostawią w spokoju. Za dużo ludzi nas widziało podczas zwiadu, zaczną się też zastanawiać, gdzie zniknął ten pluton, który zlikwidowaliśmy po południu. Przeważnie plutony nie giną bez śladu. Szczerze mówiąc, dziwię się, że jeszcze nikt go nie szukał. Odkrycie naszej bazy to kwestia godzin. Tak czy inaczej będziemy musieli walczyć. Więc lepiej ich zaatakować, kiedy się jeszcze nie spodziewają.

Pragmatyzm powodów podjęcia walki był porażający, ale major trafił w sedno. Sam bym tego lepiej nie ujął. Ten Łapicki podobał mi się coraz bardziej.

– Też tak myślę, panie majorze – przytaknąłem. – Porozmawiam z kapitan Sanchez. Poproszę ją, aby utworzyła zespół informatyczny, który będzie miał za zadanie w jak najszybszym tempie napisanie oprogramowania umożliwiającego powrót do dwa tysiące siódmego roku. Pewnie wiąże się z tym masa problemów, ale będą musieli je jakoś rozwiązać. Oczywiście MDS-a otoczymy bardzo ścisłą i staranną ochroną, żeby jakaś zabłąkana bomba czy pocisk artyleryjski nie zrobiły nam wszystkim kuku. A my... – Zawahałem się. Nie chciałem, żeby to, co powiem, zabrzmiało zbyt pompatycznie. – A my postaramy się spełnić nasz obowiązek względem kraju, który nas wydał na świat.

Nie wiem jakim cudem, ale atmosfera uspokoiła się jak za dotknięciem czarodziejskiej różdżki. Wszystkim zaświeciła w oczy nadzieja, prace nad powrotem w nasze czasy pozwalały myśleć spokojniej o przyszłości. Owszem, bali się wojny i śmierci – a kto się nie boi – ale w końcu zadziałały wyszkolone odruchy. Zaczęli myśleć o zadaniu, a nie o ogromie beznadziei, który przygniótł nas wszystkich.

– Kapitanie Wieteska? – zacząłem od niego. Złamanie największego oponenta to warunek sukcesu w każdych negocjacjach.

– A niech was cholera. Zgadzam się – mruknął z rezygnacją. Emocje chyba zupełnie go wyczerpały.

– Panowie? – Połknąłem pierwszą przeszkodę i wiedziałem, że jest z górki.

– Dobra. Wchodzę w to. Zgadzam się – kolejno kiwali głowami. Wszyscy. Nikt nie zaprotestował. Spojrzałem na nich, zajrzałem kolejno w każde oczy. Minie trochę czasu, zanim całkowicie dojdą do siebie, ale chyba jednak mogłem na nich liczyć. Chyba.

– Galaś, dawaj tę mapę – powiedziałem głośno. Teraz, kiedy już nie było żadnych obiekcji, wiedziałem bardzo dokładnie, co robić. Galaś rozpostarł wyciągniętą z mapnika sztabówkę. Rozłożył ją na stole i wszyscy pochylili się nad historycznym, aczkolwiek prawie nowym arkuszem. – Nie wiem, czy wam wspominałem. To mapa znaleziona przy resztkach transportera, który załatwiliśmy na początku bitwy. Kapral twierdzi, że oryginalna. Są na niej naniesione pozycje i zamiary jednostek niemieckiego XVI Korpusu Pancernego, czyli 1 i 4 Dywizji Pancernej oraz dwóch dywizji piechoty. Znajdują się tu i tu – dźgnąłem palcem w sztywny papier w okolicach Mokrej i Kłobucka. – A my tu, dziesięć, dwanaście kilometrów od nich. Wygląda na to, że mamy historyczną szansę. Stoimy bezpośrednio na zapleczu nieprzyjaciela, a on o nas nic nie wie. Możemy, wykorzystując czynnik zaskoczenia, zaatakować od tyłu dywizje 1 oraz 4 i zniszczyć je. A przynajmniej zniszczyć czołgi i artylerię i pozbawić siły bojowej. Galaś, powiedz coś o polskich siłach.

– Tak jest. Tu są pozycje armii „Łódź", a tu armii „Kraków". – Kopiowym ołówkiem precyzyjnie zakreślił obszary wzdłuż granicy. – Ten korpus pcha się w lukę pomiędzy armiami, a one nie mają siły, żeby go zatrzymać. Za długa linia obrony, za mało jednostek. Z tym, że teraz, w nocy z pierwszego na drugiego września, nic się jeszcze w polskiej obronie nie rozsypało, chociaż luka ma kilkanaście kilometrów szerokości. Gdybyśmy zaatakowali 4 Dywizję, a jesteśmy dokładnie na jej zapleczu, a potem skręcili na południe i stuknęli 1 Dywizję, to wtedy front nie zostanie przerwany, armia „Kraków" nie będzie musiała w panice zawijać swojego północnego skrzydła, armia „Łódź" może planowo wycofywać się na wschód, osłaniając koncentrację armii odwodowej „Prusy". Teraz jest idealny moment.

– Jaka to siła, ta dywizja pancerna? – Kurcewicz był już całkowicie pochłonięty kalkulacjami szans.

– Nie znam dokładnych liczb, ale z grubsza trzysta pięćdziesiąt czołgów – powiedział spokojnie Galaś. – Ponad setka działa. Kilkadziesiąt samochodów pancernych i transporterów. Pułk zmotoryzowanej piechoty. Batalion saperów, batalion rozpoznawczy. Z tym, że teraz już trochę mniej, bo zwłaszcza czwarta dostała nieźle w dupę od naszej kawalerii.

– Powaliło cię? – warknął Kurcewicz. – Mamy po jednej kompanii czołgów i piechoty. Luf artyleryjskich osiem i wcale nie jest pewne, czy Wójcik umie z nich strzelać. A ty chcesz walczyć z dwiema dywizjami pancernymi?

– Nie z dwiema. Z czterema. Bo wyżej na północy jest jeszcze jeden korpus zmotoryzowany, który też warto by nieco potarmosić. Czołgów mają trochę mniej, bo to dywizje lekkie. Wtedy się naprawdę naszym chłopakom zrobi lżej.

– Luf osiem, ale stu sześćdziesięciu rakiet nie liczysz? – lekko obrażonym tonem wtrącił Wójcik. – A strzelać umiem. Ty się lepiej martw, żeby ci Poklewski dupy nie rozjechał.

Aż mi się śmiać chciało, jak bardzo Kurcewicz się zezłościł.

– Panie pułkowniku, czy ja mógłbym na temat zadań bojowych rozmawiać z panem, a nie z tymi strategami od siedmiu boleści? Bo mnie się zdaje, że kapral trochę majaczy i szkoda mi czasu na takie pierdoły.

– A pan kapitan zdaje się nie uważał, jak kapral Galaś na naszym poprzednim spotkaniu charakteryzował sprzęt przeciwnika? – Dostanę w dziób za ten nadęty ton czy nie? Ale nie mogłem powstrzymać uśmiechu. – Powtórzcie, kapralu.

– Tak jest. No, połowa tych siedmiuset czołgów to tankietki. Można je załatwić z kaemu z przeciwpancerną amunicją. Trochę lepsze są panzer II i III, ale nawet kaliber 12,7 da sobie z nimi radę. A jak pan kapitan Wieteska im z góry siknie, to już w ogóle nie będą wiedzieli, w którą stronę wiać. O ile będzie miał kto wiać. I czym. Trzeba tylko uważać na panzer IV. Mają ich po kilkanaście sztuk w każdej dywizji. I na przeciwlotnicze osiemdziesiątkiósemki.

– Dobra, panowie. Koniec dyskusji. – Wyprostowałem się i akcentując starannie każde słowo, powiedziałem: – Plan jest taki: tworzymy trzy grupy bojowe, każdą złożoną z plutonu czołgów, plutonu piechoty, szyłki i drużyny saperów, które zaatakują i zniszczą oddziały 4 Dywizji Pancernej tu – stuknąłem w mapę palcem – tu i tu. Potem grupy uzupełnią zapasy i w zależności od rozwoju sytuacji, skręcą na Kłobuck i ściśle współdziałając, uderzą na oddziały 1 Dywizji. Bez zabawy w walki uliczne. Interesują nas czołgi i artyleria, żadne tam czyszczenie domów. Uderzamy i znikamy. Oczywiście i w lesie, i w mieście wozy bojowe osłania spieszona piechota, nie ma wożenia dupy w transporterach. Nie chcę żadnych strat. W szpicy Stańczak ze swoimi ludźmi. Natarciem dowodzi kapitan Kurcewicz. – Wojtek drgnął i wyprostował się nieznacznie. – Ja zostaję w bazie i koordynuję całość. Kapitan Wieteska zapewni nam przewagę w powietrzu i dokładne rozpoznanie. Poleci z wami obserwator artyleryjski. Kapitan Wójcik będzie miał okazję popisać się swoim kunsztem w precyzyjnym nocnym strzelaniu. – Uśmiechnąłem się złośliwie. – Oczywiście nie stąd. Musisz znaleźć stanowiska bojowe. W miarę niedaleko, zresztą nie ma czasu na szczegółowe poszukiwania.

Do dział i wyrzutni – po dwie jednostki ognia. Galaś – rzuciłem, patrząc na Wojtyńskiego. – Gdzie stały sztaby obu tych dywizji pancernych w nocy z pierwszego na drugiego września trzydziestego dziewiątego roku?

– Yyymmm – zająknął się – kurczę, melduję, że nie wiem. Pewnie w tym rejonie. – Zakreślił niewielkie kółko na mapie.

– No nic. Poruczniku Wojtyński, znajdziecie te sztaby? – zapytałem.

– Poradzę sobie. – Wojtyński, Człowiek Cyborg w swoim żywiole.

– No, myślę. Potem możecie się zabrać do dowództwa korpusu, tego jak mu tam?

– Hoeppnera – podpowiedział Galaś.

– Właśnie, generała Hoeppnera. Aha, dobrze byłoby zapewnić sobie jakieś współdziałanie. Galaś, gdzie są najbliższe polskie oddziały?

– Melduję, że tutaj. – Stuknął w mapę. – Wołyńska Brygada Kawalerii wycofała się pod wieczór na drugą linię obrony. Dowodzi pułkownik Julian Filipowicz.

– Mieli jakąś radiostację?

– Mieli. N2. Działa na falach długich. Ale nie wiem, czy dam radę się z nimi połączyć.

– Spróbuj. Niewykluczone, że ta pancerna będzie wiała w tamtą stronę. Nasi muszą przynajmniej być przygotowani.

– Nasi mają trochę za małe siły na bój spotkaniowy z dywizją pancerną, panie pułkowniku.

– Nie będzie boju spotkaniowego. Będzie aktywna obrona. Przed resztkami dywizji pancernej, kapralu. I zapewniam, że kapitan Kurcewicz postara się, żeby cała ich uwaga była skupiona na zachodzie, a nie na wschodzie. Wpadną na naszych jak pies na jeża.

– Tak jest, panie pułkowniku. – Galasiowi zaświeciły się oczy, a na twarz wrócił zwykły, szelmowski uśmieszek, za który zawsze miałem ochotę go lać w gębę. Podobnie jak Wojtyński, czuł się w tej sytuacji jak ryba w wodzie.

– Zaczniemy… – zawahałem się – o pierwszej w nocy.

– Dlaczego tak wcześnie? – zdziwił się Kurcewicz.

– Mamy trochę lepszy sprzęt, to prawda, ale nie zapominajcie, że jest nas pięciuset, a atakujemy korpus pancerny. Noc podwaja nasze szanse i chcę to wykorzystać. Jakieś pytania?

Popatrzyłem na nich. Pytań pewnie były setki, ale żaden nie miał odwagi ich zadać na głos.

– No dobrze. Kapitan Kurcewicz przygotuje szczegółowy plan ataku, wyznaczy dowódców grup bojowych i zapozna żołnierzy z zadaniem. Kapitan Wójcik przygotuje stanowiska ogniowe i ustawi dywizjon na tych stanowiskach. Kapitan Wieteska przygotuje klucz do startu na godzinę dwunastą czterdzieści pięć. Poruczniku Wojtyński, wy nie musicie na nic czekać. Możecie ruszać zaraz. Porucznik Sawicki wyznaczy spośród swoich ludzi dziesięć czteroosobowych patroli, które przejmą od Borka osłonę obozu. A major Łapicki koordynuje całość. I proszę nie zapomnieć o przydzieleniu każdemu oddziałowi osobnego kanału łączności. Nie chcę kakofonii, jak już przyjdzie co do czego.

Przemówiłem jak król. Jak Juliusz Cezar przekraczający Rubikon. Jak Napoleon pod Austerlitz. Naprawdę byłem z siebie dumny.

V. ATAK

1.

Polska, 1939

Obiecałem oficerom, że pogadam z kapitan Sanchez na temat utworzenia zespołu informatyków, którzy napiszą program umożliwiający powrót w nasze czasy. Obietnica rzecz święta. Procedurę tworzenia zespołu postanowiłem jednak nieco skrócić i uprościć.

Dwoma susami pokonałem schodki prowadzące do obszernego kontenera i wszedłem do środka. Wydawało mi się zawsze, że panuję nad wyrazem twarzy, ale tym razem, zdaje się, wcale tak nie było, bo dowodzący drużyną marines sierżant nawet nie zaprotestował, kiedy odsunąłem go z drogi. Podszedłem do stanowiska głównego operatora systemu, kopnięciem okręciłem fotel i gwałtownie złapałem za klapy siedzącego w nim faceta. Mocnym szarpnięciem postawiłem go na nogi. Trzymałem za kurtkę tylko jedną ręką – zwykłą dżinsową kurtkę, nawet munduru nie nosił, naukowiec pieprzony – bo w drugiej miałem pistolet, który przyciskałem mu mocno do czoła. Kątem oka zauważyłem, jak zignorowany przed chwilą sierżant sięga do kabury, i warknąłem:

– Daruj sobie, przyjacielu. Gwizdnę i będzie tu trzydziestu moich ludzi. Pasuje ci? – Uwielbiam te twarde gadki. Człowiek się zawsze po nich lepiej czuje. – No właśnie. Dobrze ci idzie. Więc siedź grzecznie, trzymaj ręce z dala od giwery, a może przeżyjesz najbliższych pięć minut.

Nie polemizował. Nie próbował się stawiać. Pewnie wyglądałem jak klęska żywiołowa, a z klęskami żywiołowymi się nie dyskutuje.

– A ty – odwróciłem się do fajtającej w moich objęciach postaci – słuchaj i nie kręć się. Zabiję cię za to, że nas wpierniczyliście po uszy w gówno. A może nie. To będzie zależało od mojego humoru i twoich odpowiedzi. A więc szansa numer jeden: dlaczego cofnęliśmy się w czasie o sześćdziesiąt osiem lat, skoro program pozwala na skoki o sześć godzin?

– Nnnnnie... wiem... – wymamrotał Rick Holden – sam nie wiem.

– Zła odpowiedź – trzasnąłem kurkiem – chyba już jestem wkurwiony...

– Nie! – krzyknął. – Naprawdę nie wiem. Sprawdzam... Ale to raczej nie piorun.

– Nie? – zdziwiłem się. – A co?

– Chyba... wirus – zająknął się. – Wydawało się, że to niemożliwe, bo program jest bardzo dobrze zabezpieczony, ale... tak zdaje się było. Wirus.

– A więc jednak coś wiesz. Jakim cudem ktoś wam wpuścił wirusa? Przecież te komputery nie są podłączone do żadnej zewnętrznej sieci.

– Nie wiem – powtórzył płaczliwie. Była to jego ulubiona odpowiedź. – Musiał się dostać bezpośrednio.

– Myśl, człowieku, jak to się odbyło – zachęciłem go, jeszcze mocniej przyciskając lufę do czoła. – Przecież ten ktoś nie mógł przeniknąć przez ściany. Macie rejestry kontroli dostępu, możecie sprawdzić, kto i kiedy wchodził do systemu. Dalej. Co nam daje wiedza, że to wirus?

– Możemy... napisać antywirusa i odblokować system. Możemy przywrócić oryginalne ustawienia i...

– No właśnie. Pytanie numer dwa. Kiedy napiszesz program powrotny?

– Nie wiem. Mam tu paru ludzi, którzy mogą to zrobić. Ja też mogę. Ale nie mamy kodów źródłowych, więc będziemy musieli zrobić obejścia. A to trochę potrwa.

– Ile?

– Nie wiem. Może dwa, trzy dni.

– Aż tyle? – zdziwiłem się.

– To nie jest dużo, naprawdę – zaklinał się żarliwie. – Nawet nie wiem, czy się uda.

– Lepiej niech się uda. Uwierz mi, że wyjdzie ci to na zdrowie – powiedziałem konwersacyjnym tonem, ale Holden spłoszył się niemal do szaleństwa.

– Wierzę, naprawdę. Zrobimy wszystko, co w naszej mocy...

– Zrób jeszcze więcej. – Zabezpieczyłem broń i schowałem do kabury. – Tym razem ci daruję. Masz osobiście składać raporty z postępu prac. Codziennie rano i wieczorem. Jasne?

– Ale... kapitan Sanchez...

– Kapitan Sanchez jest ranna, a ja dowodzę całą jednostką. Poza tym zawsze mogę cię zastrzelić. Rano jesteś u mnie z pierwszym raportem. Odblokujcie MDS-a. Przydajcie się na coś.

– Tak jest – powiedział niepewnie.

Zostawiłem go pod tak zwanym wrażeniem. Będzie pamiętał mnie do końca życia, zwłaszcza że nie miało ono długo potrwać.

2.

– Żołnierze Pierwszego Samodzielnego Batalionu Rozpoznawczego!

Blisko pięćset wyprężonych na baczność postaci – wszyscy biorący udział w naszej fascynującej przygodzie, z wyjątkiem patroli ubezpieczenia, rannych, jeńców, trupów i porucznika Wilgata – stało w sześciu równiutkich szeregach pośrodku obozu. Ja zajmowałem samotnie pozycję dokładnie naprzeciwko nich i nie miałem specjalnej ochoty wygłaszać żadnych przemówień. Nie widziałem jednak innego chętnego do wzięcia tego obowiązku na siebie. W końcu byłem tu szefem.

Odetchnąłem głęboko, wiedząc, że to, co powiem, miało znaczenie nie tylko dla mnie, ale też dla wszystkich uczestników rozgrywającego się dramatu. Żywiłem przy tym nadzieję, że Holden nie obserwuje mnie przez celownik noktowizyjny pożyczony od sierżanta M-4 i nie ściąga właśnie spustu. Przez moment pochłonięty byłem wizją mściwego uśmieszku na twarzy informatyka i aż się wzdrygnąłem. No cóż, każdy z nas miał swoje kłopoty.

– W ciągu ostatnich kilku godzin byliśmy uczestnikami niespodziewanych wydarzeń. Zostaliśmy zaatakowani przez nieprzyjacielski oddział, który zabił dwóch naszych kolegów i ranił kilkunastu. Ale daliśmy sobie radę. Dzięki waszemu męstwu i odwadze odparliśmy atak, zadaliśmy straty, resztę napastników wzięliśmy do niewoli. – Przystanąłem na chwilę, żeby dać im to przetrawić. Na razie chyba nieźle mi szło. – Zadajecie sobie na pewno pytanie, co się stało. Jak to było możliwe, że na dobrze strzeżony poligon przedostaje się oddział wojskowy, który bez większych przeszkód atakuje tajną jednostkę Wojska Polskiego. Na pewno zauważyliście, że napastnicy ubrani byli w niemieckie mundury i posługiwali się niemieckim sprzętem z II wojny światowej. Również mówili po niemiecku. – Westchnąłem nieznacznie. Zbliżał się najtrudniejszy moment. – Wraz z innymi oficerami naszego batalionu poświęciłem całe popołudnie, aby wyjaśnić, co się stało. Takie wyjaśnienie jest już znane, ale muszę was ostrzec, że to, co wam za moment powiem, nie będzie łatwe do zaakceptowania. – Okazuje się, że miałem spory talent dramatyczny. Co ja w ogóle robię w wojsku? Powinienem być gwiazdorem stołecznych scen teatralnych, specjalizującym się w trudnym, klasycznym repertuarze. – Nasi amerykańscy sojusznicy przywieźli ze sobą urządzenie, zwane MDS-em, które ma za zadanie chronić żołnierzy i sprzęt na polu bitwy. Temu służy kopuła pola siłowego wytwarzana przez specjalne generatory. To nie wszystko. Urządzenie ma możliwość wykonywania krótkich podróży w czasie, aby dowódca oddziału mógł skorygować złe decyzje i uniknąć strat. Po prostu naprawić popełnione błędy. Jak wiecie, w czasie wykonywania testu urządzenia – machnąłem ręką w stronę potężnej, skrytej w mroku sylwetki – była burza. Piorun uderzył w emiter generujący pole siłowe i z powodu wzrostu napięcia komputer sterujący systemem uległ uszkodzeniu. Skutkiem było przeniesienie nas w czasie znacznie dalej, niż pozwalał na to jego program. Konkretnie o sześćdziesiąt osiem lat, w dzień pierwszego września trzydziestego dziewiątego roku. A oddział, który nas zaatakował, był plutonem Wehrmachtu, hitlerowskich sił zbrojnych.

Stukilogramowa bomba wybuchająca na środku placu nie zrobiłaby większego wrażenia niż moje, niegłośne przecież, słowa. Wiadomość wywracającą dotychczasowe życie do góry nogami podałem z subtelnością uderzającego w głowę kija bejsbolowego. Pominąłem podejrzenie, że być może prawda była jeszcze gorsza, bo nasza wycieczka była zapewne działaniem jakiegoś nieznanego fundatora.

Podniosłem nieco głos, bo musiałem przekrzyczeć dochodzące zewsząd pomruki.

– Żołnierze! Jesteście profesjonalistami. Byliście szkoleni po to, by walczyć. Wiecie, że istnieją czasami sytuacje, kiedy zło należy zwalczyć siłą. Kiedy zawiodą negocjacje, kiedy wyczerpią się wszelkie sposoby pokojowego rozwiązania konfliktu. Dlatego zgłosiliście chęć uczestniczenia w wyprawie do Afganistanu. By pokazać, że zło nie może pozostać bezkarne. Teraz mamy sytuację jeszcze bardziej oczywistą dla nas, Polaków. Hitlerowskie Niemcy napadły na Polskę, chcąc odebrać jej niepodległość i zagrażając fizycznemu istnieniu rodaków. Jest to Polska naszych dziadów i ojców, a więc i nasza. Wiecie z książek i filmów, jak ta wojna wyglądała. Rzezie ludności cywilnej, słabość naszej armii, przewaga w powietrzu. Na zwiadzie, na którym byłem z kilkoma oficerami, widziałem to na własne oczy. – Cisza zapadła kompletna. Jeszcze nie wiedzieli, co o tym wszystkim myśleć. Ale słuchali. – Mamy, być może jedyną w dziejach, szansę. Możemy zmienić losy tej wojny. Dlatego zaatakujemy. Uderzymy od tyłu na niemiecki korpus pancerny. Wasi dowódcy przekażą wam wyznaczone zadania. Będziecie dokładnie wiedzieć, co każdy z was ma zrobić i czego się od niego oczekuje. A więc żołnierze! Życzę wam wszystkim powodzenia. Spocznij. Rozejść się!

Czekałem. Jeżeli posłuchają oficerów i rozejdą się do swoich oddziałów – wygrałem. Jeżeli nie…

Szeregi złamały się, utworzyło się kilkadziesiąt rozdyskutowanych grupek. To był decydujący moment. Wielu łypało na mnie ponuro, ale żaden nie zdobył się na otwarty protest. Stałem nadal na środku placu, gotów zdusić w zarodku każdą oznakę buntu.

Skinąłem na Łapickiego i Wojtyńskiego. Podeszli do mnie. Nie widziałem na ich twarzach specjalnych rozterek.

– Jak nastroje w plutonie? – zapytałem porucznika.

– W porządku – odparł spokojnie. – Uprzedziłem ich wcześniej. Wojna to wojna. Moi ludzie stoją z żołnierzami i starają się przekonywać… no, wie pan, że to, co robimy, jest słuszne…

– Dziękuję. – Myślał o wszystkim ten komandos. – Poczekajmy chwilę, aż się sytuacja wyklaruje – pokazałem oczami dyskutujących żołnierzy – i potem ruszcie na poszukiwania sztabów. A przy okazji waszego zadania: nie przyszło panu do głowy, żeby wykorzystać ten zdobyczny transporter, przebrać się w niemieckie mundury i uderzyć z zaskoczenia?

– Zastanawiałem się nad tym, ale wolę używać naszego sprzętu. Nawet w naszych mundurach uderzymy z zaskoczenia. Wyobraża pan sobie, jak by wyglądał noktowizor zamontowany na tym baniastym hełmie? – Uśmiechnął się lekko. – Nie, zdecydowanie wolimy używać własnej skóry.

– Jak pan chce – zgodziłem się. – Bądźcie ze mną w bezpośrednim kontakcie. Jeżeli uda wam się załatwić te sztaby, wróćcie, naradzimy się, co dalej. Sądzę, że następnymi celami powinny być lotniska. Im więcej zniszczycie samolotów, tym będzie łatwiej. Musimy się liczyć z tym, że Holden nie napisze programu powrotnego i tu, że tak powiem, zostaniemy. A przecież kiedyś skończy się amunicja... więc tę wojnę i tak będzie musiało wygrać nasz wrześniowe wojsko.

– Mówi pan poważnie? – Spojrzał na mnie z uwagą. – Myślałem, że nie zakłada pan zostania tutaj na stałe. Że to tylko na głos wypowiadane obawy, w ramach rozpatrywania różnych scenariuszy...

– Wolę myśleć, że nie wrócę, i miło się rozczarować, niż myśleć, że na pewno wrócę i nie wrócić. Ale w istocie biorę pod uwagę możliwość, że nie wrócimy. Taki program to nie tylko matematyka, to również natchnienie i szczęście, a nie jestem pewien, czy Holden w ogóle słyszał takie terminy. Wracając do waszego zadania, sądzę, że powinniście dobrać trochę sprzętu...

– Tak. Rozmawiałem już z Sawickim. Zamówiłem dodatkowe dwa RPG, kaemy 12,7, kilka palladów, a amunicji, min i środków wybuchowych tyle, ile zdołamy zabrać. Nie wiem, jak się z tym wszystkim zmieścimy na łaziki...

– Jakoś się zmieścicie. Dobrze. Wygląda na to, że buntu nie będzie.

Rzeczywiście, żołnierze powoli rozchodzili się do swoich jednostek. Cały czas gadali i spoglądali na mnie, nie bardzo nawet się z tym kryjąc, ale wyglądało na to, że dyscyplina została utrzymana. Odetchnąłem z ulgą, mimo woli dotykając kabury. Nie była zapięta.

– Jeszcze się zamelduję przed odjazdem – powiedział Wojtyński i poszedł do swoich ludzi.

– Panie majorze – zwróciłem się do Łapickiego. – Jest dziesiąta. Czy Galaś da radę się porozumieć z tą brygadą kawalerii, czy nie, zależy mi na nawiązaniu kontaktu z naszymi wojskami. I to najchętniej osobistego. Proszę wziąć śmigłowiec, naszego zdobycznego lotnika i spotkać się z tym, jak mu tam, pułkownikiem Filipowiczem. Ten Wilgat pana uwiarygodni.

– Dobry pomysł. – Nie był zachwycony, ale wiedział, że nie może odmówić. Na pewno był świetnym organizatorem i sztabowcem, nie miał jednak charakteru frontowca. – Wie pan, skoro już o tym mówimy, sądzę, że nie byłoby źle rozważyć nawiązania kontaktu z naczelnym dowództwem. Wiem, że to brzmi jak majaczenie, ale tak naprawdę tylko wtedy będziemy mieli wpływ na przebieg wydarzeń. Możemy spróbować pokierować sprawami na poziomie operacyjnym… – Spojrzałem na niego zdumiony, a on spokojnie mówił dalej: – Niech pan o tym po prostu pomyśli. Wilgata dałem naszym lekarzom pod opiekę, żeby nie słyszał tego, co pan mówi do żołnierzy. Jeżeli będzie mu pan chciał powiedzieć prawdę, sam pan wybierze odpowiedni moment. Aha, bardzo się interesował zdrowiem kapitan Sanchez, spędził u niej dobrych piętnaście minut.

– Naprawdę? – zdziwiłem się fałszywie, czując, że ogarnia mnie złość. – Zapewne ma wyrzuty sumienia… A jego wcześniejsze wrażenia?

– Bogate. – Major prawie się roześmiał. – Zaglądał w każdą lufę i każdy silnik. Tylko przy śmigłowcu stał z kwadrans. Kazał sobie wszystko opowiadać. Nie może wyjść z podziwu.

– Całkiem dobrze go rozumiem. – Też się uśmiechnąłem, chociaż intensywnie myślałem o jego wcześniejszej uwadze. – Sam bym pewnie oszalał z ciekawości, gdybym przeniósł się o sześćdziesiąt osiem lat w przyszłość. Chodźmy, pogadamy z nim. A załogę śmigłowca proszę wyznaczyć z tej dwójki, która dzisiaj nie latała.

Dowódcy już całkowicie opanowali nastroje żołnierzy. Praca to najprostsza i bardzo skuteczna recepta na troski i smutki, a nawet przejściowe utracenie kontaktu z dotychczasowym życiem. W całym obozie rozpoczęła się gorączka przedbitewnych przygotowań. Warczały silniki, zgrzytały amunicyjne ładowarki, popiskiwał sprzęt łączności. Zwłaszcza drużyny logistyczne harowały w pocie czoła, ale chaos widoczny w ich poczynaniach był pozorny, bo każdy dokładnie wiedział, co ma robić. Jak to u Sawickiego. Sam porucznik stał na środku obozu ze wzrokiem wlepionym w grubaśny zeszyt z zestawieniem materiałowym – świecił sobie trzymaną w zębach cienką jak ołówek latarką – i mrucząc coś, odfajkowywał kolejne pozycje. Mogłem być pewien, że godzinę przed rozpoczęciem natarcia wszystko będzie zapięte na ostatni guzik.

Wilgat dyskutował z jednym z dowódców drużyny czołgów. Obaj, ustawieni tuż pod długą lufą twardego, machali rękami, pokazywali sobie jakieś szczegóły wyposażenia i w ogóle sprawiali wrażenie kompletnie pochłoniętych tematem. W każdym razie słychać ich było w połowie obozu.

– Widzę, że podziwia pan nasz sprzęt pancerny – powiedziałem z uśmiechem. Wilgat odwrócił się i pomimo ciemności zauważyłem, że jest zaróżowiony z emocji. – Myślałem, że jako lotnika bardziej zainteresują pana nasze śmigłowce…

– Ach, śmigłowce już oglądałem – odparł żywo. – Pan porucznik Grabek był uprzejmy opowiedzieć mi szczegóły. To uzbrojenie, ten pancerz, ta technika celownicza… Wspaniałe! Panie pułkowniku, ja nawet nie marzyłem, że możemy mieć coś takiego. Ten kaliber dział… pancerze… Niemcy chyba nie mają takich, prawda? Najbardziej mnie dziwi, że macie tyle różnych wynalazków technicznych, na przykład te… rakiety to się nazywa, tak?… a reszta armii jeździ wozami konnymi. Ale pewnie nie mamy się co Niemców bać, skoro nasze Naczelne Dowództwo ma takie rezerwy.

– Możliwe – zgodziłem się. – Nie znam szczegółowych planów Naczelnego Dowództwa. Mam do pana prośbę, poruczniku.

– Jeżeli mogę w czymś pomóc…

– Myślę, że pan może. Jesteśmy tajną i dobrze wyposażoną jednostką, ale niestety nie udało nam się nawiązać łączności ze sztabem armii „Łódź". Wie pan, ta pospieszna mobilizacja. – Uśmiechnąłem się porozumiewawczo. – Ponieważ planujemy dziś w nocy natarcie na oddziały XVI Korpusu Pancernego, chcemy, aby Wołyńska Brygada Kawalerii, wchodząca w skład armii „Łódź", w tym natarciu z nami współdziałała, a nie jesteśmy pewni, czy dotarły do niej odpowiednie rozkazy. Chciałbym prosić, aby poleciał pan z majorem Łapickim, naszym szefem sztabu, i pogadał z pułkownikiem Filipowiczem, dowódcą brygady. Pan widział na własne oczy, jaką jesteśmy siłą. Mamy szansę razem z kawalerią pobić cały niemiecki korpus. Myślę, że we dwóch będzie wam łatwiej przekonać pułkownika, że ten pomysł nie jest niemiecką prowokacją. – Uśmiechnąłem się.

– Tak jest, panie pułkowniku, chętnie pomogę – odparł Wilgat.
– Nie miałem okazji osobiście poznać pułkownika Filipowicza, ale myślę, że razem z panem majorem wszystko dowództwu brygady dobrze przedstawimy. Jezu, jak sikniecie szwabom z tylu luf... – rozmarzył się.

Nagle z otwartego okna jednej z ciężarówek buchnęła muzyka. Nie była zbyt głośna, bo żołnierskie przeróbki standardowej instalacji na sprzęt hi-fi przeważnie okazywały się niezbyt udane, ale i tak Wilgat zastygł w pozie wyrażającej najwyższe zdumienie. Niemal zaczął mrugać w rytmie wybijanym przez perkusję. Przed bitwą postanowili dodać sobie animuszu fani zespołu Metallica jej sztandarowym numerem „Enter Sandman". Zawsze uważałem go za niezłly, ale Wilgat miał w tej materii chyba inne zdanie, bo z wielkim trudem wydukał:

– Cóż to jest?

Chwilę zwlekałem z odpowiedzią, bo zajęty byłem tłumaczeniem skonsternowanemu szeregowemu, żeby Jak Najszybciej Do Ciężkiej Cholery Wyłączył To Gówno. Nie wiem, czy dobrze zrozumiał, w każdym razie po chwili muzyka ucichła.

– Niech pan nie zwraca uwagi, panie poruczniku – rzuciłem, starając się zbagatelizować zdarzenie. – Kłopoty z radiostacją. Zakłócenia...

– Zakłócenia? – Jakoś nie wyglądał na przekonanego.

– Czasami powodują takie efekty...

– Ale te ryki... Jakby ze skóry kogoś obdzierano.

Machnąłem ręką, żeby dać do zrozumienia, że mamy ważniejsze sprawy niż kłopoty ze sprzętem. Porucznikowi jakoś udało się oderwać myśli od moich wykrętów i przeszedł do kolejnej sprawy, która go nurtowała:

– Panie pułkowniku, czy zechce pan przekazać moje serdeczne przeprosiny pięknej pani kapitan? I życzenia szybkiego powrotu do zdrowia?

– Oczywiście, panie poruczniku. – Ach, te przedwojenne maniery. I mnie się udzieliły. – Ale słyszałem, że miał pan okazję osobiście to uczynić...

Speszył się lekko.

– Wie pan, ja naprawdę nie zrobiłem tego specjalnie...

– Wiem. Celował pan we mnie. – Roześmiałem się, udając, że rozmawiamy o strzelaninie. – I cieszę się, że pan spudłował, choć oczywiście lepiej by było, gdyby pan spudłował jeszcze bardziej. Aha, panie majorze

– zwróciłem się do Łapickiego. – Niech pan weźmie dwóch ludzi z drużyny łączności od Galasia i radiostację. Jak już załatwicie sprawę, spróbujcie przekonać Filipowicza, żeby pozwolił im zostać przy sztabie brygady, dzięki temu lepiej skoordynujemy działania.

Obaj wyprostowali się, zasalutowali i poszli w stronę śmigłowców. Wilgat nadal z niedowierzaniem kręcił głową i gapił się na ciężarówkę z rzekomo popsutym radiem. Przestałem się o nich martwić. Łapicki był w stanie dać sobie radę najlepiej z nas wszystkich.

Pluton Wojtyńskiego dosiadł czterech ciężko załadowanych hummerów, po czym ulotnił się po angielsku – bez pożegnania. Patrzyłem, jak odjeżdża, i uświadomiłem sobie, że klamka zapadła. Wydarzenia zaczęły się toczyć i stałem się aktywnym uczestnikiem największego kataklizmu, jaki kiedykolwiek dotknął ten glob. Na dodatek rościłem sobie pretensje do wyrzucenia na stół pikowego pokera. Na co liczyłem? Dobre pytanie. Czego chciałem? Równie dobre pytanie. Jakieś motywy chodziły mi po głowie, ale nie było to nic konkretnego. Dodatkowo złapałem się na myśli, że niezależnie od tego, co się stanie, czy zaatakujemy, czy nie, uda się atak, czy się nie uda, mam pewność, że wrócimy w nasze czasy. Po prostu – wbrew temu, co mówiłem niedawno Wojtyńskiemu – wszystkie moje mniej czy bardziej uświadomione plany zakładały powrót jako pewnik. A to oznaczało znalezienie dowcipnisia, który wpuścił wirusa i nakłonienie go, żeby wyjawił nam swoje motywy i pomógł tego wirusa zlikwidować. Tylko wtedy można było myśleć realnie o napisaniu programu, który wypchnie nas z powrotem. Dowcipniś jednak nie miał najmniejszego powodu, aby dać się złapać, i pewnie obserwował mnie dyskretnie, starając się kontrolować sytuację. Zatem znalezienie go nie będzie łatwe – przynajmniej póki będziemy postępowali zgodnie z tym, co sobie założył.

Poczułem coś w rodzaju wyrzutów sumienia, bo pomimo wszystko powinienem zajrzeć do Nancy. W końcu namówiłem ją, aby poleciała na zwiad, i jeżeli zakładałem, że z jej powodu staliśmy się mimowolnymi uczestnikami II wojny światowej, z równie żelazną konsekwencją powinienem przyjąć, że z mojego powodu została ranna. A zatem należało jej się ode mnie dobre słowo. Jednak z drugiej strony było późno, a ona nafaszerowana środkami przeciwbólowymi, więc wolałem przyjąć, że śpi. A skoro śpi, to nie będę przeszkadzał. Niezła okazja, aby trochę odpocząć od myśli o niej. Całe szczęście wpadłem na pomysł, żeby winnym całego zamieszania uczynić Holdena, i w ten oto cudowny sposób moja złość na jankeskie wynalazki i jankesów jako takich zaczęła się koncentrować na konkretnej osobie, zupełnie przecież różnej od długonogiej blondynki z rozwichrzoną czupryną i ciekawymi świata oczami. Dobre i to.

Wzruszyłem ramionami i poszedłem do wozu dowodzenia. W kącie zamontowane było składane łóżko i miałem właśnie ochotę z niego skorzystać. W oddali usłyszałem przytłumiony warkot startującego helikoptera, w którym Łapicki i Wilgat z pewnością omawiali najważniejsze argumenty potrzebne do poważnej rozmowy z dowódcą Wołyńskiej Brygady Kawalerii. Również w wozie dowodzenia zastałem Galasia z Cuprysiem całkowicie pochłoniętych jakąś żywą dyskusją, którą gwałtownie przerwali, gdy pojawiłem się na horyzoncie. Obaj mieli dość nietęgie miny. Może myśleli, że usłyszałem coś, co według nich nie było przeznaczone dla moich uszu. Jakieś Bardzo Ważne Kapralskie Tajemnice. Galaś pierwszy odzyskał rezon. Zastanawiające, że w ogóle go stracił.

– Panie pułkowniku, melduję posłusznie, że wszystko gotowe. Kanały łączności poprzydzielane, tu ma pan opis, gdzie, który i do kogo. A z kapitanem Kurcewiczem jest dodatkowy kanał bezpośredni. Bez żadnych przesłuchów.

– Dobra. Z brygadą kawalerii udało ci się pogadać?

– Melduję posłusznie, że nie bardzo. Skanowałem całe pasmo, ale nic nie znalazłem. Za to…

– No?

– Za to wydaje mi się, że złapałem naczelne dowództwo…

– Naczelne dowództwo?

– Tak, nasze naczelne dowództwo. Oni mają, panie pułkowniku, taką wielką radiostację do łączności z armiami. W2 się nazywa czy jakoś tak. No i podsłuchałem ich. Szyfr prościutki, uczyłem się o nim na kursie. Więc jakby pan pułkownik chciał, można by z nimi pogadać, może umówić się na spotkanie…

– Galaś, co ty gadasz? Z kim na spotkanie? Z marszałkiem Rydzem-Śmigłym? – Kolejny amator współpracy w skali makro. Widocznie Łapicki i Galaś widzieli coś, czego nie mogłem dostrzec.

– No…

Wybuchnąłem serdecznym śmiechem. Musiałem pewnie odreagowywać wszystkie dotychczasowe stresy, bo rechotałem jak stado żab na wiosnę i nawet mnie samemu ten śmiech wydał się nieco histeryczny.

– Jak to sobie wyobrażasz? – zapytałem, niezbyt wyraźnie go widząc przez łzy. – Panie marszałku, melduje się podpułkownik Jerzy Grobicki, dowódca Samodzielnego Batalionu Rozpoznawczego. Nie słyszał pan o nim? Nic dziwnego, bo właśnie przed chwilą przybyliśmy prosto z roku dwa tysiące siódmego, bo wie pan, była burza i od nadmiaru prądu głównemu komputerowi się pomieszało w układach scalonych. Ale jak już wpadliśmy, rozumie pan marszałek, to możemy troszkę Niemiaszków potarmosić, bo akurat tak się składa, proszę szanownego pana, że amunicji mamy do licha i ciut, ciut, parę dobrych czołgów i niezłą artylerię oraz kaprala Galasia, naszego stratega od Blitzkriegu. Więc jeżeli szanowny pan marszałek pozwoli, to byśmy może uzgodnili jakieś wspólne plany albo co?

Mój rechot brzmiał zupełnie samotnie w czterech blaszanych ścianach, bo kaprale powagą przypominali raczej mumie egipskie. Cupryś w ogóle nie miał poczucia humoru i to, że nie złapał dowcipu, wcale mnie nie dziwiło. Ale Galaś? Musiał być wyposażony w skórę nosorożca, bo złośliwości się go nie imały. Odpowiedział więc całkiem poważnie:

– No właśnie mniej więcej tak to sobie wyobrażam, panie pułkowniku. Niech pan pułkownik pomyśli, ile rzeczy można by cofnąć. Ile błędów naprawić. Jeszcze wszystko się da, jeszcze się nic nie zawaliło. Jakbyśmy polecieli po natarciu, jutro o świcie…

– My? – przerwałem mu. Byłem naprawdę zmęczony i chciało mi się spać. Gwałtowny atak śmiechu do końca mnie wyczerpał. – Idźcie sobie. Muszę się położyć.

– Tak jest. Ale niech pan pułkownik pomyśli…

– Dobrze, pomyślę. A teraz dajcie mi święty spokój. – Wypchnąłem ich prawie siłą i zamknąłem drzwi.

Ale, jak się można było spodziewać, sen nie nadchodził. Wszystko, co się wydarzyło w ciągu ostatniej doby, przebiegało mi przed oczami jak w oszalałym kalejdoskopie. Nie miałem jasności, co się stało, nie miałem klarownych planów na przyszłość. Nie mogłem uwolnić się od przeczucia, że wciągam wszystkich w jakąś otchłań, w jakąś przepaść bez dna, jakąś drogę bez powrotu. Gdzieś daleko majaczyła myśl, że właśnie w takich sytuacjach ludzie sprawdzają, co naprawdę są warci. Ale z drugiej strony – na cholerę takie sprawdziany? Po co mi ta wiedza? Dla statystyki? Dla pogłębienia wiedzy z zakresu psychologii społecznej?

Bzdury.

Musiałem się jednak trochę zdrzemnąć, bo nie usłyszałem pukania. Ktoś po prostu otworzył drzwi i wszedł do środka, a ja machinalnie usiadłem na wąskiej pryczy, tocząc dookoła niezbyt przytomnym wzrokiem i próbując dopasować niewyraźny zarys postaci do konkretnego nazwiska.

– Mogę? – zapytał Wojtek Kurcewicz. Nie czekając na pozwolenie, zepchnął jakieś klamoty z dowódczego fotela i rozsiadł się w nim wygodnie.

– Możesz – odparłem, ziewając i szukając po podłodze butów. – Czuj się jak u siebie.

– Wszystko gotowe – zakomunikował. – Możemy ruszać.

– Fajnie – mruknąłem, mocując się ze sznurówkami. – Chcesz piwa?

– Yhm – odmruknął, jako że obaj byliśmy w nastroju mrukliwym.

– Wiesz, co mi przyszło do głowy? Że jednak jesteśmy samobójcami. Ten nasz atak... pomijam kwestię, że to czysty surrealizm, bo ta wojna była sześćdziesiąt osiem lat temu, a my się w najlepsze szykujemy do natarcia na niemieckie czołgi... Ale wracając do rzeczy: przewaga Niemców jest trochę za duża, nawet biorąc pod uwagę różnicę w sprzęcie...

– Przepaść. Nie różnicę.

– Może. Ale uganianie się za pancernymi dywizjami, to jest zawsze ryzyko. Nie ma siły, w końcu zaczniemy tracić sprzęt i ludzi. I skończy nam się amunicja...

– No więc?

– No więc... – Zaczerpnął oddechu. – Dałbyś radę ustalić, gdzie był Hitler... to znaczy gdzie jest w tej chwili?

Spojrzałem na niego uważnie.

– A co? Chcesz go zbombardować?

– Nie. Mamy tych komandosów...

– Już pojechali.

– Daleko nie są. – Machnął ręką. – Można ich zawrócić. A potem wziąć helikoptery, wszystkich gromiarzy zapakować na pokład, dodać jeszcze paru przytomnych chłopaków... sam bym poleciał... nabrać broni maszynowej i RPG ile wlezie, wylądować temu frajerowi w ogródku, zrobić małe bum-bum, wsadzić sukinsyna do kabiny i zawieźć do War-szawy. Przecież ci z GROM-u szkolą się wyłącznie po to, żeby robić takie numery. Wiesz, jak by się naszemu rządowi świetnie negocjowało warunki pokojowe, jakbyśmy przed nim posadzili pana kanclerza i Wie-teska by przystawił mu giwerę do głowy? Dostalibyśmy Śląsk, Pomorze i co tam jeszcze chcesz. Wojna by się skończyła w jeden dzień. A my, syci chwały i z Virtuti Militari w klapie, lądujemy w domu. Te panienki, te wiwatujące tłumy, te wizyty w zakładach pracy...

– Dobrze kombinujesz. – Naprawdę tak myślałem. Jak już zmie-niać przeszłość, to na całego. – Ale wykonanie takiego planu może być trudne. Rozmawiałem o tym z Galasiem – spojrzałem na niego przepraszająco, że mnie ten pomysł wpadł do głowy godzinę temu – i problem polega na tym, że pan Hitler w pierwszych dniach wojny był łaskaw nie siedzieć na dupie w Berchtesgaden czy gdzie tam wtedy była jego kwatera główna, ale poruszał się po terenach przyfrontowych pociągiem pancernym. Czyli tak naprawdę może być wszędzie. Stra-cimy kupę energii na poszukiwania, a czas leci. Lada chwila Niemcy nas tu odkryją i o czynniku zaskoczenia będziemy mogli zapomnieć. Nie – pokręciłem głową – pomysł dobry, ale musimy być pewni, gdzie pan kanclerz jest. Poza tym lepiej się będzie z nim gadało, jak trochę te pancerne korpusy nadwerężymy. Wiesz, żeby zobaczył, że to nie żarty. Pokażemy bicepsy, a potem zrobimy, jak mówisz. Wojtyński go poszuka. Za dwa, trzy dni...

– Za dwa, trzy dni może nas nie być. Naprawdę chcesz sam rzucać się na dwa korpusy pancerne? – Spojrzał na mnie z zainteresowaniem. – Przecież to nierealne...

– Realne. Tam – wskazałem na wschód – jest milion naszych żoł-nierzy. My im tylko utorujemy drogę.

– Taaa – zamyślił się, a potem zmienił temat. – Ludzie trochę gadają...

– Pewnie, że gadają. A czego się spodziewałeś? – Wyjąłem z małej lodówki dwie puszki i rzuciłem mu jedną. – Że z wdzięczności przyjdą z kwiatami? Nie dość, że wywaliliśmy ich życie do góry nogami, to jeszcze każemy iść do ataku na nieprzyjaciela, z którym nie mają nic wspólnego. Przynajmniej na razie im się tak wydaje.

– Szczerze mówiąc, mnie się też tak wydaje – powiedział spokojnie. Nie wyglądał na zmęczonego, ale przystojna, pociągła twarz była skupiona i uważna. Dawno go takim nie widziałem. A może nawet nigdy. – To nie jest nasza wojna. Mamy tam – machnął ręką w bliżej nieokreślonym kierunku – swoje rodziny, swoje domy, swoje pieniądze, swoje życie. Nie tu.

– Racja. – Skinąłem głową. Nie chciałem go za bardzo zniechęcać. – Musimy się przestawić. To wszystko stało się tak szybko…

– Chodzi mi o to, że wszyscy mają tam coś do stracenia i nikt się za bardzo nie chce przestawiać. – Podniósł odrobinę głos. – Nie mówię oczywiście o życiu, bo kulę można równie dobrze zarobić w Afganistanie. Mówię o tym, że ludzie nie chcą się bić, bo mają poczucie strasznej straty. Po prostu wszystko, co dla nich ważne, zostawili… tam… To tak, jakbyśmy rozbili się na bezludnej wyspie. Nikomu się nie chce budować żadnych szałasów, bo wszyscy tęsknią za domem…

– Uwierz mi, że to rozumiem. – Im bardziej się denerwował, tym bardziej starałem się być spokojny. – Naprawdę. Myślisz, że nie mam motywacji, żeby wracać?

– Noooo – zawahał się – możliwe, że…

– Poczekaj. Zanim zagra trąbka do ataku, mamy jeszcze trochę czasu. Więc po prostu siedź i słuchaj. A potem powiesz, czy nam bliżej tu, czy tam.

3.

– Wiesz, to nie jest smutna historia. Jest trochę ekstrawagancka, bo na jej końcu pewnie pomyślisz, że jestem walnięty. Ale poczekaj trochę.

– Moja mama zostawiła mnie i ojca, jak miałem siedem lat. To było, o ile dobrze liczę, w roku 1978. Niedługo potem mój papa, a był inżynierem, objął lukratywną wtedy posadę konsultanta w firmie LOT. Musiał mieć tam niezłe układy, bo nieoczekiwanie wysłali go w osiemdziesiątym trzecim do Londynu jako szefa przedstawicielstwa. Płacili nędzne grosze, ale było i parę zysków: chodziłem do normalnej angielskiej szkoły, więc szybciutko złapałem język. Równie szybciutko złapałem też lokalny dialekt, najbardziej radykalną odmianę cockneya w wersji młodzieżowej. Był okres, że nawet Angole mieli kłopoty ze zrozumieniem mnie. To znaczy normalni

Angole, bo moi koledzy ani trochę. Następne zyski były natury ekonomicznej: mój papa nie okazał się takim niezdarą, za jakiego go uważałem, i powoli, acz początek tego interesu był nieco przypadkowy, rozkręcił polsko-radziecką siatkę przemytniczą. Złoto, dolary, elektronika i takie tam. Pamiętasz, jakie to były czasy? W Polsce przeciętna pensja po czarnorynkowym kursie nie przekraczała trzydziestu dolarów. Papa trafiał, lekko licząc, tysiąc dolców miesięcznie. Nie były to jakieś wielkie pieniądze, ale papa był bardzo systematyczny i wszystko odkładał. Ja oczywiście wtedy nic o tym nie wiedziałem. Miałem dużą swobodę, niewielkie kieszonkowe i wychowywałem się sam. Jest dla mnie tajemnicą, dlaczego wyszedłem na porządnego człowieka i nawet zdałem w Anglii na studia.

– Wiadomo, co zdarzyło się w roku osiemdziesiątym dziewiątym. Papa błyskawicznie wyczuł pismo nosem, złożył wymówienie z pracy, razem z kasą wrócił do kraju i założył własną firmę. Ile miał wtedy forsy, nie wiem. Tak sobie pracował czas pewien, rozwijał biznes, aż w końcu mu się znudziło i sprzedał firmę jakiemuś zachodniemu koncernowi. Zainkasował za to parę groszy i zaczął grać nimi na giełdzie. Przez wiele lat był regularnym graczem, obdarzonym niezłym zmysłem hazardu: prawie zawsze kupował tanio, a sprzedawał drogo. Nigdy nie ryzykował, nie inwestował dużych sum. Zresztą to w ogóle był złoty okres giełdy, cały czas była hossa. Raptem trzy lata temu wycofał się, oczywiście znowu w idealnym momencie. Po prostu pewnego dnia wszystko sprzedał, zresztą o mały włos nie przyprawiając swoich maklerów o zawał serca. Sam zresztą dostał zawału trzy miesiące później i już nigdy nie odzyskał zdrowia. Zmarł półtora miesiąca temu. Cały swój majątek zapisał mnie, swojemu jedynemu synowi. Natychmiast pojawił się jakiś kuzyn papy i zażądał połowy spadku. Adwokat, który prowadzi dla mnie tę sprawę, radzi, abym uzbroił się w cierpliwość.

– Spokojnie, spokojnie, jeszcze na mnie nie krzycz. Nie jestem takim durniem, jak ci się wydaje. To znaczy jestem nim, ale z zupełnie innego powodu. Na razie wysłuchałeś historii mojego papy. Teraz posłuchaj mojej.

– Podstawówka minęła jak sen złoty i niewiele z niej pamiętam. Pomijając zniknięcie matki z mojego życia (zniknęła na dobre, ani ona się nie interesuje mną, ani ja nią), jedno ważne wydarzenie warto z tamtego okresu odnotować: papa w czwartej klasie zapisał mnie na judo.

W owym czasie nie byłem ani wysoki, ani zbyt silny. Bójek unikałem, bo taktycznie zaprzyjaźniłem się z największym osiłkiem w szkole. Był o dwa lata starszy i zapałał do mnie jakąś niewytłumaczalną sympatią. Więc to miałem z głowy. Ale papa całkiem słusznie nie chciał, abym wyrósł na zupełną niedojdę, więc zapisał mnie na to judo. Prowokował, twierdząc, że nie wytrzymam nawet miesiąca. Wytrzymałem. Potem mówił, że dopiero po pół roku zostanę twardzielem. Wytrzymałem pół roku. Wówczas papa zmienił front i zaczął mnie namawiać, bym zrezygnował, bo judo to sztuka trudna i nie każdy się nadaje, aby posiąść wyższe stopnie wtajemniczenia. Wtedy się zaparłem i zacząłem ćwiczyć jak oszalały. Zostawałem po zajęciach i ćwiczyłem, nawet ujęty moim zapałem instruktor czasami zostawał ze mną i ćwiczyliśmy we dwóch. Szybko stałem się najlepszy w grupie i nawet nie zauważyłem, kiedy zacząłem całą tę zabawę lubić. Jeździłem na wszystkie letnie obozy treningowe. Startowałem w zawodach. I tuż przed wyjazdem do Anglii zdałem egzamin na czarny pas, czyli pierwszy dan, stopień mistrzowski. Byłem najmłodszym czarnym pasem judo w Polsce. Mogę powiedzieć, że już wtedy umiałem się bić, co mi się szybko przydało, bo chodziłem do dość podejrzanej średniej szkoły publicznej w zachodnim Londynie, zaraz obok Brixton. Wiesz, co to Brixton? To taki londyński Harlem, może nawet jeszcze bardziej menelski. Więc szybko miejscowe zakapiory chciały mnie sprawdzić, zwłaszcza że byłem Polakiem, nie znałem języka, a mojego nazwiska nikt nie starał się nawet wymówić. Odbyło się kilka walk. Niektóre wygrałem, niektóre przegrałem, ale goście zobaczyli, że nie jest ze mną łatwo, a jednocześnie nie donoszę, nie podlizuję się nauczycielom i nie staram się podlizywać rządzącym szkołą rzezimieszkom. No i zostawili mnie w spokoju. Od tej pory oni chodzili swoimi drogami, a ja swoimi. I tak ten zbrojny pokój trwał w najlepsze, kiedy w trzeciej klasie kolega zaproponował mi, abym z nim zaczął ćwiczyć boks tajski – bardzo brutalny i skuteczny. Jak poszedłem pierwszy raz na trening z tym kumplem, myślałem, że jestem na planie filmu „Rocky" – zadymiona i obskurna sala pozbawiona wentylacji, na środku ring bokserski, po bokach wiszące na ścianie worki i tłum zlanych potem ćwiczących kolesi wyglądających na kryminalistów. Szybko mi się spodobało i szybko doszedłem do niezłej wprawy. Istna zagadka, dlaczego mnie z tej szkoły nie wyrzucili. Wszystkie klasy przeleciałem na trójeczkach, bazując na wiadomościach z polskiej podstawówki. Uczyć się rzecz jasna nie miałem czasu. No, ale zostawmy to.

– Po jakichś dwóch latach tego beztroskiego festiwalu kultury fizycznej i sportu jeden z trenujących w moim klubie dżentelmenów, obdarzony bodaj największą muskulaturą i największą kolekcją blizn i tatuaży na imponującym ciele, sprowokował mnie do bójki. Przez kilka treningów robił przygotowania, docinał, krytykował techniki, mówił, że mój sposób walki nadaje się na wesela „gdzieś w gównianej Polsce" i tak dalej. No i dopiął swego – w końcu rzuciłem się na niego w odruchu niekontrolowanej wściekłości. Nie myślałem o tym, co robię, choć czułem przez skórę, że zamierzam się z motyką na słońce. Ale mój pierwszy lewy prosty doszedł, a ponieważ był wykonany z dużym uczuciem i z doskoku, gość fiknął prawidłowo na plecy. Oczywiście w tym momencie popełniłem błąd każdego początkującego ulicznego fightera przyzwyczajonego do reguł sportowych: przerwałem akcję. Koleś wstał i kopnął mnie nisko w udo, po czym fiknąłem ja. Wywiązała się regularna bójka, w której dwa razy schodziliśmy do parteru i której końca nie pamiętam. Gdy się ocknąłem, przez czas jakiś nie mogłem dojść do siebie, ale jak już wszyscy poszli do domu, a ja siedziałem cicho w szatni, kiwając się jak miś polarny w zoo w czasie upału, podszedł to mnie tamten facet. Przyznam, że się niewąsko przestraszyłem. Wydawało się, że bez świadków i bez rozgłosu chce dokończyć to, co zaczął na sali. A on wyjął fajki, poczęstował – przyjąłem, choć właściwie nie paliłem – i zaczął seplenić, że mu się zajebiście podobało, jak walczę, że mnie celowo sprowokował i że może chciałbym spróbować postartować w walkach bez reguł za kasę.

– Jakich walkach? – pytam.

– No, walkach.

– Aha.

– I tak, będąc już studentem, zostałem uczestnikiem walk bez reguł, organizowanych co sobotni wieczór w londyńskich dokach, zanim przekształciły się w ekskluzywną dzielnicę dla japiszonów. Chyba te imprezy nie były legalne. Myślę nawet, że były całkowicie nielegalne. W latach dziewięćdziesiątych praktyczni Amerykanie zrobili z takich walk komercyjną imprezę transmitowaną przez telewizję i nieźle na tym zarobili. Wtedy, w roku 1989, były zakazane i na pewno organizowane przez mafię. Reguły były dwie: nie wolno wydłubywać oczu i nie wolno gryźć. Poza tym wolno wszystko.

– No, to była niezła zabawa. Trafiali się zwykli frajerzy, jacyś „miszczowie" karate albo adepci stylu „wibrującej pięści". Tych wszyscy poważni zawodnicy, w tym ja, zjadali na pierwsze śniadanie. „Misz-czowie" zresztą szybko się wykruszyli i już nie było tak zabawnie. Trafiali się też prawdziwi twardziele, zwłaszcza, nie wiem czemu, wśród sowieckich marynarzy. Musiałem dodać sobie dwa lata, abym mógł „legalnie" wystartować. Ale już wtedy byłem duży: 187 centy-metrów wzrostu i prawidłowych 90 kilogramów wagi, choć miałem zaledwie osiemnaście lat.

– Widocznie dobry Pan Bóg miał inne plany wobec mojej skromnej osoby, bo walczyłem rok i przeżyłem. Bywało różnie. Czasem mnie znosili, czasem znosili mojego przeciwnika. Żeby było śmieszniej, nawet nie odniosłem poważniejszych kontuzji. Mówię poważniejszych, bo o takich drobiazgach jak wielokrotnie złamany nos, pęknięte łuki brwiowe, kontuzje kolan, pęknięte żebra i wstrząsy mózgu nawet nie chce mi się wspominać.

– Pewnego sobotniego wieczoru miałem walczyć z jednym sowiec-kim Gruzinem nazwiskiem Geliadze. To był straszny mutant: żeby mu spojrzeć w oczy, musiałem głowę wysoko zadrzeć. Wagę też miał odpowiednią, na pewno ponad 120 kilo żywego mięsa, złożonego głównie z muskułów. Był swego czasu w ZSRR zapaśnikiem, dużo też boksował. Wszystkich swoich przeciwników zdmuchiwał z ringu, żaden nie wytrzymał dłużej niż trzy minuty. Moi „promotorzy" mieli jednak jakieś porachunki z szefami Geliadzego, bo uparli się, żebym z nim walczył. Obiecali stawkę, o jakiej mi się nie śniło: za sam udział pięć tysięcy, za każdą „wytrzymaną" minutę – dwa tysiące, a za zwy-cięstwo dwadzieścia pięć tysięcy funtów. To były dla mnie gigantyczne, niewyobrażalne pieniądze, jako że normalnie walczyłem za pięćset funciaków. Jak się trafiła walka za tysiąc, mogłem odnotować wielki sukces finansowy.

– Przez tydzień chodziłem nieprzytomny ze strachu; zupełnie nie wiedziałem, co robić. Treningi przekroczyły zwykłą normę, myślałem, że na każdym z nich wypluję płuca. I wtedy, w piątkowy wieczór, kiedy po treningu wolnym krokiem zmierzałem w stronę najbliższego łóżka, spotkałem tę małą od Whitmanów.

– Panna Whitman była bez dwóch zdań właścicielką najdłuższych i najzgrabniejszych nóg w całym zachodnim Londynie. Miała nie-całe siedemnaście lat i nieprawdopodobne warunki. No, mówię ci, wszystko na swoim miejscu. Poznałem ją miesiąc wcześniej na impre-zie, na którą trafiłem całkiem przypadkowo, bo raczej byli tam ludzie z tak zwanych dobrych domów i prywatnych szkół. I zwariowałem. Przegadaliśmy całą balangę, świat mógłby dla nas nie istnieć. Okazało się, że nie tylko była ładna, to jeszcze miała całkiem sporo w głowie i nie zadzierała nosa. No i odwaliło mi. Od tej pory myślałem o niej non stop. Trenowałem i marzyłem. Wiesz, co mam na myśli?

– Więc jak ją spotkałem w piątek przed tą sobotą, to ucieszyłem się tak, że z rozpędu powiedziałem jej o walce, że się bardzo boję i takie tam pierdółki. Głupio zrobiłem, bo mieliśmy stanowczy zakaz jakiejkolwiek reklamy i w ogóle mówienia komukolwiek o tym, co się dzieje w dokach. Ale powiedziałem i nie żałuję. Panna Whitman strasznie się przejęła i naprawdę mocno się starała, aby mnie odwieść od tego szalonego, jej zadaniem, pomysłu. Zresztą nie tylko jej zdaniem. Heca z Geliadzem mnie również wydała się najbardziej poronionym pomysłem od czasów powstania Związku Radzieckiego. Ale uparłem się i powiedziałem, że będę walczył. Sprawa stanęła na ostrzu noża, ta mała była gotowa oddać mi się niemal na ulicy, bylebym tego nie robił. Namówiła mnie, żebym po tej walce, niezależnie od wyników, zrezygnował z dalszych startów. Dla niej gotowy byłem polecieć na księżyc, więc poszedłem na to. Umówiliśmy się, że zadzwonię, jak będzie po wszystkim, i poszedłem spać.

– Walka się odbyła i nawet ją wygrałem. Geliadzego zgubiła rutyna i ufność we własne siły. Załatwiłem go duszeniem gilotynowym i nawet nie byłem potem za bardzo poobijany. Moi szefowie tak się cieszyli, że zaproponowali mi znacznie wyższe stawki za następne walki i specjalną premię. To, co obiecali, wypłacili do grosza. Niestety, dałem wcześniej słowo, więc nie przyjąłem oferty. Ale żeby tak bardzo się z nimi nie kłócić – to nie było zdrowe dla nikogo, wierz mi – powiedziałem, że się zastanowię. Wziąłem kasę i w drzwiach natknąłem się na tę Whitman. Okazało się, że w ciągu niecałej doby od naszego spotkania znalazła dojście do organizatorów, zapłaciła tysiąc funtów za bilet i dopingowała mnie z miejsca prawie przy samej klatce. Oczywiście w czasie walki jej nie zauważyłem. No, w ogóle wtedy mało co widziałem.

– Jak później ją zobaczyłem pośród pijanej hordy, która nazywała sama siebie kibicami męskiego sportu, a złożona była głównie z dyrektorów banków, firm ubezpieczeniowych i grubych ryb przemysłu stoczniowego, jak stała samotnie jako chyba najmłodsza na sali – jakim cudem ją wpuścili, nie wiem – i uśmiechała się do mnie z czułością i trochę ze złością, bo jednak zła była na mnie, że omal nie zginąłem – więc jak tam stała i ją zobaczyłem, to wiedziałem, że chcę być z nią do końca swych dni. Że po prostu przeznaczenie się dopełniło. Większość ludzi szuka swojej prawdziwej drugiej połowy przez całe życie i nie znajduje. Część ma większego farta i znajduje w końcu, ale po wielu latach. A ja, osiemnastolatek bez wykształcenia, za to z poobijaną mordą i bezpowrotnie zdeformowanym nosem, mam już swoją kobietę i kompletnie nieistotny jest fakt, że ta kobieta, a właściwie nieśmiały zadatek na kobietę, nawet o tym nie wie. Adrenalina jeszcze krążyła we mnie z prędkością odrzutowca, więc po prostu podszedłem do niej, podziękowałem za przyjście i powiedziałem, że ją kocham i będę kochał do końca życia. Dookoła szalała pijana i rozwrzeszczana tłuszcza, każdy chciał się ze mną całować, a co najmniej złożyć gratulacje, a ja wyznawałem miłość swej dziewczynie. Ona wiedziała, że to powiem, poznałem po jej oczach. I powiedziała to samo. Myślałem, że oszaleję.

– Wziąłem ją za rękę i poszliśmy do mnie do domu. Papy nie było – jak zwykle gdzieś robił interesy, miałem wolną chatę przez trzy dni – więc spędziliśmy najbardziej upojne trzy dni w moim życiu. Gdybym dzisiaj spróbował tych wyczynów, pewnie padłbym na serce, możesz mi wierzyć.

– Byliśmy ze sobą.

– Trwało to jakiś czas. Był to najpiękniejszy okres w moim życiu. Nic innego się nie liczyło. Miałem kasę, wakacje i piękną kobietę u boku. Każdy dzień smakował jak cukierek.

– Pewnego dnia panna Whitman zniknęła. Szukałem jej, byłem u niej w domu, ale uzyskałem tylko suchą wiadomość, że jej rodzice wyprowadzili się razem z nią i wrócili do Stanów, nie zostawiając adresu. Z początku nie uwierzyłem. Szukałem jej, myśląc, że to pomyłka, że zaraz się gdzieś znajdzie i znowu będziemy razem. W końcu do mnie dotarło, że jej nie ma. Myślałem, że oszaleję. Spędziłem setki godzin, włócząc się po Londynie i szukając nie wiadomo czego. Nadal miałem nadzieję, że ją spotkam. Skasowałem paru typków, którzy weszli mi w drogę. Zresztą niewiele pamiętam.

– Po roku przyszedł list. Od niej. Powiedziałbym, że dość chłodny. Oznajmiała mi krótko, że musiała wyjechać, że postanowiła to zrobić bez pożegnania, bo „tak będzie lepiej dla nas obojga", że życzy mi wszystkiego najlepszego i żebym jej nie szukał i wspominał ją życzliwie. Wściekłem się. Wiedziałem, że ją utraciłem bezpowrotnie. I dopiero wtedy poczułem, że umieram. Że naprawdę nie chce mi się żyć. I popatrz, za jakiś czas przyszedł następny list. Pisała, że zrobiła straszny błąd. Że bardzo żałuje. Że zawsze będzie mnie kochać. I że kiedyś nadejdzie taka chwila, że znowu będziemy razem.

– No, oczywiście wolałbym, żeby tego nie pisała. Żeby zostało tak, jakby miało jej nigdy nie być. Wiesz, jak to jest – najgorsza jest niedotrzymana obietnica. Bolało jak diabli. Żeby bolało mniej, po jakimś czasie wróciłem do Polski, wstąpiłem do wojska i uznałem sprawę za zakończoną.

– No więc masz przed sobą gościa, którego majątek oceniany jest na ponad trzy miliony dolarów po zapłaceniu podatku, licząc po obecnym, eeemmm, to znaczy, powiedzmy, wczorajszym kursie.

– I który kiedyś kochał tę Whitman i dałby się dla niej zabić.

– Z tym że musisz wiedzieć, iż Whitman to panieńskie nazwisko. Po mężu nazywa się Sanchez. Nancy Sanchez.

4.

– O kurwa!

– Jestem w stanie podzielić ten pogląd, kapitanie.

– Masz jeszcze piwo?

– Ile chcesz.

– To sprzeczne z regulaminem!

– Masz na myśli picie przed walką? Zdecydowanie tak.

Wypuścił powietrze, sapiąc jak stara lokomotywa. Hałaśliwie otworzył puszkę, podrapał się zafrasowany w czoło i upił całkiem potężny łyk. Rozumiałem go. Zastanawiał się, co zrobić z tą nieoczekiwaną wiedzą. Ale był moim najlepszym kumplem, a ja musiałem komuś powiedzieć.

– Chyba cię pojebało! – wyrzucił w końcu z siebie. – Chcesz powiedzieć, że jesteś milionerem? I że największą miłością twojego życia jest panna, która nas wpakowała w to gówno? To co ty tu, kurwa, robisz? Powinieneś teraz leżeć na Hawajach, trzymać tę lalę za rękę i myśleć o założeniu rodziny i najwłaściwszych sposobach zainwestowania majątku.

Był zły, więc musiałem dać mu się wykrzyczeć.

– Posłuchaj – powiedziałem najspokojniej, jak umiałem. – Nie mogę z nią teraz leżeć na Hawajach. Nawet nie chcę. Ona mnie rzuciła prawie dwadzieścia lat temu i ulotniła się bez słowa pożegnania. Od dawna już o niej nie myślę. A pieniądze nie mają nic do rzeczy. Nie są zresztą jeszcze moje. Już pół roku temu chciałem odejść z wojska. Nawet ci mówiłem, pamiętasz?

– Pamiętam, no i co z tego? – Wzruszył ramionami. – Tym bardziej nie rozumiem, dlaczego zgodziłeś się objąć dowództwo batalionu.

– Sam dobrze nie rozumiem.

– Ejże! – Spojrzał na mnie podejrzliwie. – A przypadkiem nie jest tak, że zgodziłeś się wyjechać na wojnę do Afganistanu, bo Amerykanami dowodzi twoja dawna znajoma?

Zastanowiłem się przez moment.

– Może – przyznałem.

– A widzisz. Trzeba było odejść z wojska. Nie odszedłeś i teraz siedzimy w tym po uszy.

– A nawet jeszcze głębiej – przytaknąłem. – Ale nie przeze mnie. Nie dlatego, że nie odszedłem. Kiedy dostałem wiadomość od adwokata, który porządkował sprawy spadkowe po ojcu, plan był bardzo prosty. Wygrywam proces, odchodzę z wojska i korzystam z przyjemności życia. Może rozkręciłbym jakąś własną firmę, ściągnąłbym was wszystkich – ciebie, Johny'ego, Wójcika, może Stańczaka – i robilibyśmy coś sensownego, jednocześnie dobrze się bawiąc. Jak się ma trzy bańki zielonych, to można sobie pozwolić na różne rzeczy. Ale proces się ślimaczył, więc podejmowałem tę decyzję pięć razy dziennie i nie mogłem się ostatecznie zdecydować, choć Karski bardzo się starał. Lubię i was, i chyba w sumie tę pieprzoną armię. Ale w końcu się zdecydowałem – przedwczoraj wieczorem – tylko że wczoraj rano przyleciała Nancy. Jak ją zobaczyłem na lotnisku, myślałem, że śnię. Od razu ją poznałem, choć minęło osiemnaście lat. Prędzej bym się spodziewał Osamy bin-Ladena. Gdy Dreszer zaproponował mi tę idiotyczną wyprawę do Afganistanu, zgodziłem się od razu, jakkolwiek głupie by się to wydawało. Zabij, nie wiem czemu.

– To akurat jest bardzo proste. Bo nadal ją kochasz. Jesteś zły, bo cię kiedyś puściła w trąbę, ale nadal ci na niej zależy. Widzę, jak na nią patrzysz, i jak ona patrzy na ciebie. – Wiedziałem, że w końcu dojdzie do tego punktu. Nie wiadomo tylko, co mu odpowiedzieć. – Ale czegoś nie rozumiem. Dlaczego nie siedzisz nad Holdenem z wyciągniętą giwerą, dając mu do zrozumienia, że jego życie nie będzie warte złamanego centa, jak w tri miga nie napisze programu powrotnego? Po jakiego diabła chcesz się bawić w naprawiacza dziejów? Olać to, po prostu wróćmy do domu. A wtedy ożeń się z panienką albo ją puść w trąbę, tak jak ona ciebie. Wszystko jedno.

– Po pierwsze nie możemy. – Pokręciłem głową, na razie zostawiając analizę moich relacji z Nancy na boku. – Nie zapominaj, że tego dupnego programu nie ma. Owszem, pogadałem z Holdenem i nie byłem przyjemny, możesz mi wierzyć na słowo, ale szanse oceniam pół na pół. Przysięgam, w końcu chcę wrócić. Byłbym idiotą, gdybym nie chciał, mam trzy miliony powodów, dla których warto wrócić w nasze czasy. Po drugie Łapicki ma rację. Nie możemy bezkarnie stać na zapleczu korpusu pancernego i czekać na lepsze czasy. Ktoś nas w końcu znajdzie, da znać komu trzeba, podciągną artylerię i lotnictwo i nas załatwią. Nie zapominaj, że jak na razie MDS nie działa i nie możemy siedzieć pod tarczą jak u Pana Boga za piecem. A po trzecie… a po trzecie uważam, że możemy temu krajowi oddać jakąś przysługę. Po prostu zachować się jak mężczyźni. Napadnięto na nas, a tak się składa, że możemy Niemców poszczuć psami i wygarnąć z dwururki prosto w mordę. I to właśnie mam ochotę zrobić.

– Ja pierdolę, ty jesteś prawdziwy idealista. – Pokręcił z niedowierzaniem głową. – Zawsze cię o to podejrzewałem, ale myślałem, że to pic. W dzisiejszych czasach idealizm jest niemodny i nie ma na niego chętnych. Tobie odwaliło kompletnie. Dwa pierwsze argumenty to pikuś, jak by ich nie było, wymyśliłbyś inne. Bo ty chcesz się bić dla idei.

– A ty nie jesteś idealistą? – zapytałem przekornie. – Podobają ci się widoki dookoła?

– Nie mieszaj mnie do swoich spraw. – Podniósł się gwałtownie. – Zrobię, co będzie trzeba, ale mnie w to nie mieszaj.

Dopił piwo i wyszedł bez słowa.

Zostałem sam, ale wyglądało na to, że spanie będę musiał przełożyć na kiedy indziej. Zmęczenie, ranna kobieta, zły kumpel, pięciuset żołnierzy bliskich buntu i wmieszanie się w globalny konflikt – to było naprawdę za dużo na mnie jednego. Wojtek miał rację. Na tym cholernym lotnisku powinienem był zapakować Nancy do wozu i, nie zważając na groźbę wywołania międzynarodowego skandalu o niemożliwych do oszacowania reperkusjach, po prostu zwiać z nią tam, gdzie pieprz rośnie i nie ma umowy o ekstradycji. Albo jeszcze lepiej – zwiać gdziekolwiek bez niej. Lecz nie zrobiłem tego i teraz mam, co chciałem.

Bez przesady. Tego wcale nie chciałem.

Uświadomiłem sobie, że na zewnątrz panuje całkiem spory hałas. Chociaż zapowiedziałem dowódcom, żeby dali ludziom trochę czasu na odpoczynek, nikt nie zawracał sobie tym specjalnie głowy. Nawet słyszałem jakieś śmiechy, co oznaczało, że żołnierze pomału przychodzą do siebie. To akurat był dobry znak.

Wstałem z pryczy i zacząłem się ubierać. Starannie zapiąłem mundur, przytroczyłem do pasa radiostację, umieściłem w uchu słuchawkę połączoną z mikrofonem i spojrzałem w małe, umieszczone nad pryczą lustro. Nie był to specjalnie budujący widok: ściągnięta twarz, wory pod oczami, zmarszczki w kącikach ust. W ciągu jednego dnia postarzałem się o parę lat, chociaż teoretycznie powinienem odmłodnieć o sześćdziesiąt kilka.

Równie starannie jak radiostację i mundur potraktowałem broń. Wyciągnąłem z USP magazynek, przeliczyłem naboje, sprawdziłem działanie sprężyny. Magazynek wrócił na miejsce, przeładowałem i zabezpieczyłem broń, a potem schowałem do kabury. Z plecaka wyjąłem tęponosego smith&wessona kalibru .38, upewniłem się, że bębenek jest pełny i schowałem rewolwer do kieszeni na udzie. Po co to wszystko? Ano ktoś tego wirusa do systemu wpuścił, prawda? Pewnie dlatego pozwoliłem sobie na szczyptę nieufności.

Gdy wychodziłem na zewnątrz, właśnie mijała północ. Zaczynał się drugi września 1939 roku.

5.

Kiedy parę godzin temu latałem z Wieteską w okolicach Kłobucka i własną piersią zastawiałem drogę wrażym zagonom pancernym, Łapicki odwalił w obozie kawał dobrej, organizacyjnej roboty. Wozy bojowe były zatankowane, namioty zwinięte, stanowisko dowodzenia wyznaczone, kolacja wydana i zjedzona. Mogłem zatem uznać, że przygotowania do mojej pierwszej w życiu bitwy były w zasadzie ukończone.

Gdy wyszedłem, czterech kluczowych dowódców – Kurcewicz, Wieteska, Stańczak i Wójcik – tuż obok wozu dowodzenia ślęczało nad mapą i dogrywało ostatnie szczegóły. Jakkolwiek po spotkaniu z Wojtkiem zmitrężyłem nieco czasu na osobiste przygotowania, byłem pełen podziwu, jak szybko Kurcewicz ochłonął po naszej rozmowie. Nie był pewien moich intencji, wiedział jedynie, że posyłam ich wszystkich w bój, który na dłuższą metę może się skończyć tylko katastrofą.

Gdy podszedłem, podnieśli się niespiesznie i popatrzyli na mnie wzrokiem zadowolonych z siebie zawodowców. Podejrzanie szybko się otrząsnęli.

– Wyglądacie jak koty, które rozbiły słoik ze śmietanką – powiedziałem pogodnie. – Wiecie już, jak wygrać tę wojnę?

– Wiemy. – Wieteska strzepnął niewidoczny pyłek z marynarki. – Po prostu zabijemy ich wszystkich.

– Jasne. A tak bez metafor? – Nasza rozmowa na pewno nie była przewidziana w żadnym regulaminie, otwartym na stronie „odprawa dowódców przed natarciem". Dobrze, że nie było z nami Łapickiego lub Poklewskiego, bo zapewne umarliby gwałtowną śmiercią. Ten pierwszy na zawał ze zgrozy. Ten drugi z rozkoszy, że ma nas na widelcu. A potem drugi raz na zawał, że nie może połączyć się z Karskim. Boże, jak ja go nie doceniałem. – Są jakieś plusy dodatnie?

– Są. Ale chodzi o to, żeby te plusy nie przesłoniły nam minusów. – Wieteska trzymał się konwencji. – A tak bez jaj, to mamy konkretny plan. Popatrz. – Skierował latarkę na niemiecką sztabówkę. – Szwaby są tu. Pojedziemy najpierw tą drogą, to znaczy ci frajerzy – pokazał palcem Kurcewicza i Stańczaka – pojadą, bo ja sobie wygodnie polecę, a potem damy pstryczka zgrupowaniu pancernemu stacjonującemu w lesie koło Mokrej. Grupy Borsuk 1 i Borsuk 2... kurwa, jak ja kocham te wojskowe kryptonimy – skrzywił się teatralnie, bo aktorzyna z naszego Johny'ego był pierwszej wody – czyli szanowny pan kapitan Kurcewicz i równie szanowny pan porucznik Borek zaatakują od czoła, a grupa Borsuk 3, czyli pan porucznik Jamróz...

– Stop – zatrzymałem go. Porucznik Jamróz był dowódcą trzeciego plutonu w kompanii Borka, a regulamin mówił, że mieszanymi grupami czołgów i piechoty zawsze dowodzi dowódca oddziału pancernego. – Jamróz? A co na to Poklewski?

– O kurwa, następny miłośnik talentu porucznika Poklewskiego – zdenerwował się Kurcewicz. – Ja tu w końcu jestem kierownikiem tej szatni. Nie chcę porucznika Poklewskiego i co mi pan zrobi?

– Dobrze, dobrze. – Zamachałem rękami. – Ja też go nie chcę. Ciekawe tylko, jak to przyjął?

– Rzucał się, ale krótko. Dla niego najbardziej zrozumiałe są argumenty racjonalne, dlatego powiedziałem mu, że jak będzie dalej brzęczał, to tak dam w mordę, że go rodzona mamusia nie pozna. I wiecie co? Odczepił się! Wie, gamoń jeden, że ja nie żartuję, a on do swojego pułkownika raczej się nie dodzwoni.

– Może go w ogóle zdjąć z dowodzenia? – zapytałem.

– Nieeee, damy sobie radę. Szepnąłem Jamrozowi słówko, będzie na niego uważał. Nie mam pod ręką innego oficera, który by mógł dowodzić plutonem czołgów w nocnym natarciu.

– Taa… twierdzisz, że on może? – zapytałem ironicznie. – No dobra, zostawmy to. Co dalej z waszym genialnym planem?

– No więc Jamróz robi obejście i wypychamy to ugrupowanie w tym kierunku. – Wieteska znowu dziobał palcem w mapę. Świetnie się czuł w roli gospodarza programu. – Pan kapitan Wójcik obiecał mi, że postara się nie trafić w nas, tylko w las. Otóż to, panie pułkowniku. Podpalamy las i Niemcy z jednej strony mają ścianę ognia, a od czoła i z drugiego boku nasze borsuki. I uciekają dokładnie na wschód. Jak dobrze pójdzie, wylezą na pola pod Miedźnem. A wtedy zajmę się nimi ja, kapitan wojsk balonowych Jan Wieteska. – Wyprężył dumnie pierś, oczekując braw. – Do tej brygady kawalerii powinni już dolecieć tylko kucharze i markietanki, bo z regularnego wojska chyba nie będzie co zbierać. Potem udajemy się na zasłużony odpoczynek, a piękne hurysy wachlują nas wielkimi wachlarzami i robią nam… No, sami wiecie, co nam robią. Popijajmy drinki z palemką, czekamy następnej nocy i bierzemy się za tę drugą dywizję. I tak dalej, i tak dalej.

– Zdumiewające. – Pokręciłem głową z podziwem. – Sami na to wpadliście? Czy wyczytaliście w komiksach o Supermanie?

– To jest nasz plan autorski, panie pułkowniku – zaprotestował urażonym tonem.

– A, skoro tak, to przepraszam. Jest bardzo dobry.

– A konkretnie?

– Skąd wiemy, że pułk pancerny z artylerią będzie uciekał przed dziesięcioma czołgami?

– Jedenastoma. I pięcioma z boku. Szok. Zaskoczenie. Siła ognia…

– Możliwe, chociaż założenie jest ryzykowne. Trzeba dodatkowo położyć na nich ogień artyleryjski, bo mogą naprawdę szybko się zorientować, że atakują ich dwie kompanie. Jest jeszcze coś. Następną dywizją trzeba się zająć od razu. Nie możemy im dać ochłonąć. Po zlikwidowaniu 4 Dywizji Pancernej ładujemy zapasy i jazda dalej. Żeby nie mieli czasu spojrzeć, która godzina. Wtedy też przeniesiemy bazę na naszą stronę frontu. Nie możemy w nieskończoność działać z zaplecza Niemców.

– Ty w ogóle pomyśl o jakiejś szerszej współpracy z naszym wojskiem, jak już chcesz się koniecznie bawić w strategię. Jak rozwalimy te korpusy, to powstanie spora luka i nasi mogliby odzyskać dużo terenu. Może nawet przeskrzydlić tę szkopską armię… jak jej tam… ósmą.

– Myślę o tym. Może polecę spotkać się z Naczelnym Wodzem, rozjaśnić mu nieco w głowie…

– Poważnie? – zdziwił się Kurcewicz w imieniu całej czwórki. – Chcesz lecieć do Warszawy? Masz zdrowego hopla, jak słowo daję.

– Przecież sami mnie namawiacie, no nie? Przejdźmy do konkretów. Wójcik, znalazłeś stanowiska?

– Tak. Pół kilometra stąd jest nieduża polanka. Nawet się da dojechać bez specjalnego rąbania drzew. Wysłałem tam wozy amunicyjne i centrum dowodzenia.

– Dobra. – Spojrzałem na zegarek. Była dwunasta trzydzieści pięć. – Plan jest do kitu, ale innego nie mamy. Ryzyk-fizyk. Gotowość bojowa – pierwsza w nocy. Ty, Stańczak, jedź do swoich ludzi. Zabierzesz się z patrolem, który was zastąpi. Zaczynasz za dziesięć minut. Cichutko, na paluszkach, najlepiej jak potrafisz, i meldujesz Kurcewiczowi położenie nieprzyjaciela. Kapitan startuje punktualnie o pierwszej.

Popatrzyliśmy na siebie. Nic już nie będzie takie jak dawniej. Czy tego chcieliśmy, czy nie, musieliśmy stać się mężczyznami.

6.

Sam widok potężnych haubic krab, moździerzy AMOS i czterdziestolufowych wyrzutni rakietowych BM-21 jest przyjemny dla oka i mocno dodający otuchy. Natomiast nie jest niczym przyjemnym słuchanie warkotu tylu silników. Obiecałem sobie jednak, że osobiście pożegnam wyruszające pododdziały, więc stałem samotnie na środku polany i czułem się gorzej niż regulujący ruch samolotów facet na dużym, międzynarodowym lotnisku. Całe szczęście nie trwało to długo. Wójcik wskoczył do honkera, rzucił komendę do mikrofonu radiostacji i dywizjon rozpoczął krótką podróż na stanowiska. Przez chwilę miałem przed oczami obraz porwanych z ziemi namiotów lazaretu, dyndających na końcach długich luf haubic, ale kierowcom jakoś udało się o milimetry minąć płócienne balony i wszystkie wozy szczęśliwie znalazły się na północno-wschodnim kursie. Słuchałem jeszcze chwilę cichnącego warkotu motorów, kiedy ktoś lekko dotknął mojego ramienia.

– Nancy!

Była zaspana i zmęczona, ale prezentowała się znacznie lepiej niż późnym popołudniem. Prawą rękę zawieszoną miała na temblaku, a na ramionach mocno przydużą – widać pożyczoną – kurtkę od munduru.

– Umarłego byście obudzili – wychrypiała. – Nawet się wyspać nie można.

– Jak to przed atakiem – powiedziałem, wiele wysiłku wkładając w obojętny ton. – Doktor cię puścił?

– Nie pytałam. Może wyszedł na chwilę. Przed jakim atakiem? – zainteresowała się.

– Atakujemy niemiecki korpus pancerny. Zaczynamy – spojrzałem na zegarek – za piętnaście minut.

– Widzę, że coś mi umknęło. – Po zmęczeniu i chrypie nie zostało ani śladu. – Zdecydowaliście się zaatakować niemiecki korpus pancerny?

– Właśnie zaczynamy.

– Dżazi, posłuchaj. Chyba nie wiesz, co robisz. – Starała się być przyjacielska i stanowcza zarazem. – Konsekwencje mogą być niewyobrażalne. Sam o tym mówiłeś. Naruszycie porządek…

– To ty posłuchaj, Nancy. Brak mi czasu na szczegółowe dyskusje historyczne. Nie mamy najmniejszych szans siedzieć tutaj, na bezpośrednim zapleczu wielkiej niemieckiej armii, i liczyć na to, że nikt nas nie znajdzie do czasu, aż twoi ludzie ewentualnie napiszą program umożliwiający nam powrót. Dyskutowałem o tym ze sztabem i wszyscy byli zgodni, że ktoś się w końcu napatoczy. Więc atakujemy, bo możemy sami wybrać czas i miejsce i pogonić tym draniom kota. A twoi ludzie pracują nad programem tak czy inaczej.

– Ale nie możesz zmieniać rzeczywistości...

– Nie ja ją zmieniam. Zmieniło ją twoje urządzenie, fundując nam interaktywną wycieczkę historyczną. Gdy nad obóz nadleci eskadra sztukasów, mam nie strzelać i pozwolić się zbombardować w imię prawdy historycznej? W imię rzeczywistości znanej z podręczników? To my jesteśmy tą rzeczywistością, Nancy...

Spojrzała na mnie z ukosa.

– Chcesz mi zrobić na złość – stwierdziła. – Teraz to widzę. Odkąd się spotkaliśmy, jesteś złośliwy i zachowujesz się jak obrażony dziesięciolatek...

– Żartujesz? – Roześmiałem się gorzko. – Myślisz, że ryzykuję życie moich ludzi, bo chcę się odegrać za sprawę sprzed lat? Że ty czegoś chcesz, a ja bez względu na cenę robię wszystko na odwrót?

– Znam cię. Byłbyś do tego zdolny...

– Daję ci słowo, że nie tym razem – powiedziałem. – Mam na uwadze tylko argumenty taktyczne i czas. Musimy zapewnić sobie przewagę, aby zdążyć napisać program i odblokować system. Potem wracamy. W taką czy inną rzeczywistość. A my... nie mamy tu nic do rzeczy.

Zamyśliła się głęboko. Z pewnością nie podobało jej się to, co mówię. Ale również nie podobały jej się widoki wojny zaobserwowane podczas zwiadu.

– Rozmawiałeś z Holdenem? – odezwała się w końcu.

Tak, zawiłości systemu informatycznego MDS-a to był bezpieczny konkret, na którym mogliśmy się skupić.

– Rozmawiałem. Przyrzekł mi, że dołoży wszelkich starań, aby prace nad programem posuwały się bez zbędnej zwłoki.

Popatrzyła na mnie uważnie, ale zrobiłem najbardziej niewinną minę, na jaką mnie było stać, więc nie była pewna, co takiego przeskrobałem.

– Zaraz do nich pójdę. – Westchnęła, widząc, że mnie nie odwiedzie od planu ataku. – Muszę im jakoś to wszystko wytłumaczyć.

– To prawda. Znaleźli się o wiele dalej od domu niż my. Jak się czujesz?

– Dobrze, że w ogóle zapytałeś. – Jej oczy błysnęły wojowniczo. – Mogłam umrzeć w tym smrodzie, a ty sobie po prostu poszedłeś.

– Dziewczyno, mam pięciuset ludzi i wojnę na głowie. – Oczywiście musiałem jej przyznać trochę racji, więc broniłem się blado i nieprzekonująco. – Tak się składa, że oboje w niej bierzemy udział, więc tym razem będę miał sporo czasu, żeby się tobą zajmować. W każdym razie więcej niż przez ostatnich osiemnaście lat – zakończyłem złośliwie.

Wyrwała rękę, którą od dobrej chwili trzymałem w swojej, odwróciła się i odeszła. Żadna kobieta nie lubi, gdy jej takie rzeczy wypominać. Cóż takiego, tyle lat rozłąki? Jednak diabełek w jej wzroku powiedział mi, że wróciła Nancy z dawnych czasów, co było pierwszym wielkim sukcesem tego dnia. Musiałem tylko uważać, żeby diabełek nie zwrócił się przeciwko mnie – jak się dowie o rozmowie z Holdenem, nie będzie o to tak trudno – bo koalicja niemieckiego korpusu pancernego i wściekłej Nancy mogła być dla mnie zbyt wielkim wyzwaniem, nawet biorąc pod uwagę, że dysponowałem nowoczesną techniką wojskową, poważną siłą ognia i kapralem Galasiem w charakterze Wunderwaffe.

– Johny – powiedziałem do mikrofonu – masz jakieś wiadomości od Kuligowskiego? – Sierżant Kuligowski był dowódcą śmigłowca, którym polecieli Łapicki i Wilgat.

– Owszem. Nasze zuchy poszły półtorej godziny temu na poszukiwania tego sztabu i do tej pory ich nie ma. Ale wiadomo było, że to może potrwać.

– Czyli kłopoty?

– Niekoniecznie. Może im się rozmowy trochę przeciągnęły.

– Dobra. Opóźniamy start?

– Nie ma potrzeby. Lecimy we trzech. Jak Kuligowski wróci, zatankuje paliwo, to zajmie dziesięć minut, i dołączy do nas. I tak przecież na początku tylko tropimy i podajemy koordynaty Wójcikowi.

– Dobra. Leć.

– Tak jest.

Punktualnie za piętnaście pierwsza zagrały kolejne motory. Wieteska nie miał w zwyczaju zbyt długo zwlekać ze startem. Trzy opływowe sylwetki oderwały się kolejno od ziemi, nabrały wysokości i tak jak przed kilkoma godzinami tuż nad koronami drzew poleciały na północny wschód.

– Stańczak! Gotowy?

– Właśnie dojechałem do swoich ludzi.

– Wszystko w porządku?

– No. Ale w wozie się ruszyć nie można, bo wszędzie skrzynki z amunicją...

– Nie narzekaj. Wolałbyś bez?

– Wolałbym, żeby w ogóle tej wojny nie było, panie pułkowniku...

– Bądź pewien, że ja też. Zaczynaj!

– Tak jest.

Musiałem przyjąć na wiarę, że rozpoczął akcję, bo był za daleko, żebym cokolwiek usłyszał. Ze wszystkich trybów potężnej wojennej machiny, którą puszczałem w ruch, pozostał tylko oddział Kurcewicza. Najważniejszy.

Wojtek stał przy otwierającym kolumnę czołgu i zerkał na rozpostartą na burcie płachtę, ale miałem niejasne wrażenie, że robi to, bo nie chce ze mną gadać. Wszystkie dane, łącznie z pozycjami zajmowanymi przez Niemców, były wprowadzone do komputera, więc pierwszy z brzegu fragment terenu, wraz z naniesieniami o dowolnym stopniu szczegółowości, mógł przywołać jednym kliknięciem. Nie było zatem potrzeby przepalania wzrokiem zdobycznej mapy.

– Możecie jechać – powiedziałem. – Powodzenia.

– Dzięki – odparł zdawkowo.

– Uważaj na siebie.

– Będę. – Uścisnął jednak podaną dłoń i wskoczył zgrabnie na pancerz. Usiadł w otwartym włazie, podpiął słuchawkę systemu łączności i nie patrząc na mnie, rozkazał: – Grupy bojowe – naprzód!

Pancerna armada, złożona z szesnastu czołgów, dziesięciu transporterów piechoty, trzech szyłek i trzech kołowych transporterów saperów ruszyła niemalże z piskiem opon. Oszczędne zużycie paliwa nie było priorytetem kapitana Kurcewicza. Basowe uderzenia fal dźwiękowych emitowanych przez trzydzieści dwa silniki omal nie powaliły mnie na ziemię, gdy ciężkie wozy przejeżdżały nieopodal.

Postałem jeszcze chwilę, poczekałem, aż ostatnie światełko zniknęło za zakrętem, i pokiwałem głową. Wszystkie trybiki machiny wskoczyły na swoje miejsce. Proces nieodwracalnych zmian definitywnie się rozpoczął.

– Panie pułkowniku. – Głos Wojtyńskiego w słuchawce był zduszony. Prawie podskoczyłem. Mniej bym się przestraszył, gdyby znienacka klepnął mnie w ramię. Z moimi nerwami zdecydowanie było coś nie tak. – Słyszy mnie pan?

– Słyszę – powiedziałem, starając się zachować pozory chłodnego profesjonalizmu.

– Jesteśmy na stanowiskach. Mam przed sobą sztab 4 Dywizji.

– Świetnie! Nie było kłopotów?

– Żadnych.

– Możecie się wstrzymać z atakiem jakieś dziesięć minut?

– Myślę, że tak.

– Dobra. Dam wam znać.

Rozłączyłem się i zacząłem myśleć intensywnie. Naprawdę nie spodziewałem się, że Wojtyńskiemu pójdzie tak gładko. Nie jest prosto w nieznanym terenie i w nocy znaleźć nieprzyjacielski sztab, a potem podejść go tak, żeby nikt się w niczym nie zorientował. Takie rzeczy ładnie się ogląda w amerykańskich filmach, ale w tym wypadku, o czym oczywiście nikomu nie mówiłem, miałem złe przeczucia. Całe szczęście mnie zawiodły.

Sprężystym krokiem poszedłem do wozu dowodzenia. Była piękna, wrześniowa noc. W obozie zapadła pełna wyczekiwania cisza.

Obaj przyboczni kaprale siedzieli na swoich miejscach i z nabożnym skupieniem wpatrywali się w monitory komputerów. Wszystko było przygotowane: wóz idealnie posprzątany, na blatach ani jednej zbędnej rzeczy. Przy moim stanowisku – jako dowódcy należał mi się większy ekran, władza w końcu to też przywileje – stał tylko kubek z kawą. O oparcie fotela przewieszona była końcówka kabla łączności.

Usiadłem i podłączyłem kabel do przytroczonej do pasa radiostacji, dzięki której mogłem się łączyć ze wszystkimi dowódcami. Na ekranie komputera widziałem kolorową mapę terenu, obejmującą obszar z grubsza pięciuset kilometrów kwadratowych. Galaś naniósł na mapę pozycje całego niemieckiego zgrupowania – dwóch dywizji pancernych, dwóch dywizji piechoty i jakichś mniejszych oddziałów – które wielkimi niebieskim plamami zalegało ogromny obszar całkiem już sporo oddalony od granicy.

Do tych wielkich niebieskich plam zbliżały się trzy grupy czerwonych kropeczek. Zgodnie z planem jedna grupka oddzieliła się od reszty i zaczęła obchodzić niemieckie zgrupowanie z prawego skrzydła. Dwie pierwsze grupy – Kurcewicza i Borka – parły całym gazem na wprost, nieznacznie się od siebie oddalając. Gdy były może dwa kilometry od celu, rozsypały się na krótkie tyraliery uformowane w szyk, w wojskowym żargonie zwany schodami w prawo.

Skuteczny zasięg ognia z armaty twardego wynosi półtora kilometra, czyli trzy razy tyle, co czołgów niemieckich. Ustaliliśmy w przedbitewnych założeniach, że Kurcewicz postara się wykorzystać tę właśnie przewagę nad nieprzyjacielem, na razie nie podchodząc do niego zbyt blisko.

Gdy więc obie tyraliery zbliżyły się na odpowiedni dystans, powiedziałem do mikrofonu:

– Wójcik. Gotów?

– Tak jest!

– Zaczynaj.

Nie słyszałem komend wydawanych przez kapitana, tak jak nie słyszałem nieustannej litanii koordynat płynących od obserwatora znajdującego się na pokładzie jednego z helikopterów, toteż od rozkazu upłynęły całe trzy sekundy, zanim niebo na wschodzie rozjaśniło się blaskiem salwy. Ostrzał zaczęły wyrzutnie rakietowe, wysyłając w kierunku oddalonego o dwanaście kilometrów nieprzyjaciela sto sześćdziesiąt rakiet z głowicami zapalającymi. Wyobraziłem to sobie: cztery wielkie ciężarówki z wyszczerzonymi w niebo czterdziestorurowymi prowadnicami rakietowymi kalibru sto dwadzieścia dwa milimetry. Każda strzela dziesięciopociskową salwą, po czym nieznacznie przesuwa prowadnice na wschód. W tym czasie odpala rakiety druga wyrzutnia następną dziesięciopociskową salwą, lokując ładunek kilkaset metrów od poprzedniego celu. I tak szesnaście razy. Mieliśmy nadzieję podpalić w ten sposób kilkanaście kilometrów lasu, tworząc ścianę ognia, która skutecznie uniemożliwi nieprzyjacielowi ucieczkę. Gdy już Wójcik rozkręcił się na dobre – był końcu artylerzystą rakietowym – całkiem nieźle mu szło. Prawdziwe niespodzianki zaczną się, gdy otworzy ogień z haubic i moździerzy.

Usłyszałem w słuchawce głos Kurcewicza:

– Nieprzyjaciel w zasięgu wzroku!

Niemal fizycznie poczułem, że z przeciągłym brzękiem wyciągam srebrzysty miecz z pochwy i wzniósłszy go nad głowę, gromkim głosem krzyczę, niczym Jagiełło pod Grunwaldem:

– No to zaczynaj, w imię Boże!

– Idiota!

– Tego nie było w oryginale. Jak się odzywasz do dowódcy? – zapytałem, przenosząc się z piętnastego wieku w nasze czasy, czyli trzydziesty dziewiąty rok. Całe szczęście Galaś z Cuprysiem nie mieli podsłuchu mojej rozmowy. Inaczej szybko zaczęliby myszkować po obozie w poszukiwaniu kaftana bezpieczeństwa.

– Jak na to zasługuje. Ognia! – ryknął do swoich.

Aż się wzdrygnąłem.

Wójcik odpalił pierwszą haubiczną salwę i cztery ciężkie pociski kasetowe, które wybuchną nad ziemią, zmiatając wszystko w promieniu ponad stu metrów każdy, poszybowały w stronę niemieckiego ugrupowania.

– Wojtyński!

– Zgłaszam się

– Załatw ten sztab!

Zaczęło się na dobre.

7.

Jak wielkie postępy poczyniła technika wojskowa przez ponad sześćdziesiąt lat od rozpoczęcia II wojny światowej, przekonałem się na własne oczy, gdy parę godzin później przejeżdżałem przez pobojowisko. Niemal przeraziłem się skutków własnej stanowczości. Na przestrzeni kilkunastu kilometrów wszystkie przecinki leśne, drogi i pola były dosłownie zasłane popalonym żelastwem. Powyginane, poskręcane w najdziksze formy wraki, często nie przypominały produktu ludzkich rąk. Szczególnie utkwił mi w pamięci widok gąsienic – ciężko było nawet stwierdzić, od jakiego typu czołgu – które leżały na drodze owinięte dookoła ocalałych kół i osi. Poza nimi był tylko wystrzępiony kawałek podwozia i właściwie nic poza tym. W promieniu kilkudziesięciu metrów leżały jakieś osmalone szczątki, ale diabli wiedzą, czy w ogóle były od tego pojazdu. Tak jakby reszta wyparowała. Wóz dostał pewnie jedną z rakiet przeciwpancernych z helikoptera. Głowice bojowe tych rakiet skonstruowane zostały z myślą o znacznie grubszych i wytrzymalszych pancerzach, toteż nawet najbardziej staranny i cierpliwy kolekcjoner militariów nie złożyłby z tych szczątków niczego sensownego.

Ogłoszenie początku bitwy przez grupy Borsuk 1 i Borsuk 2 było dla znużonych ciężkim, pracowitym dniem Niemców całkowitą, stuprocentową niespodzianką. Nikomu nie przyszło do głowy – terkoczących wysoko helikopterów nikt nie potraktował jako zagrożenia, bo Polacy w nocy nie latali – że od zaplecza, od strony granicy, za którą było własne państwo, zaczną nadlatywać ciężkie 125-milimetrowe pociski – statystycznie rzecz biorąc, jeden na sekundę – rozbijając w proch i pył mit o niezwyciężoności niemieckich armad pancernych. Pierwsze trafienia, zamieniające dumne pojazdy w nierozpoznawalne stalowe wraki, podziałały orzeźwiająco na najbardziej nawet zaspane i znużone załogi, jednak na jakąkolwiek sensowną reakcję z ich strony było za późno. Większość ginęła od wybuchów odłamkowo-burzących granatów, z których każdy rozpryskiwał dookoła siebie istną nawałnicę żelastwa. Na dodatek w tym samym momencie z piekielnym chichotem nadleciała pierwsza partia zapalających rakiet Wójcika i wybuchła po lewej stronie niemieckiego biwaku, w jednej chwili zamieniając spory kawałek terenu w najprawdziwsze piekło dymu i strzelających pod niebo płomieni. Po chwili do towarzystwa dołączyły eksplozje 155-milimetrowych granatów wystrzeliwanych sześć razy na minutę z krabów.

Płonący na kilkukilometrowym odcinku las skutecznie oświetlał pole walki, toteż noktowizyjne i termowizyjne zabawki ułatwiające nocną obserwację i celowanie okazały się chwilowo niepotrzebne. Wszystko dało się doskonale zaobserwować gołym, a właściwie uzbrojonym w peryskop okiem. Widząc, że atak rozbił tylną straż zorientowanego na wschód niemieckiego ugrupowania, Kurcewicz zmienił nieco ustalenia i postanowił pójść za ciosem. Gdy pierwsze czołgowe i haubiczne salwy zgruchotały większość nieprzyjacielskiego sprzętu, skrócił dystans, żeby do akcji mogły się włączyć 30-milimetrowe działka transporterów i karabiny maszynowe. W przeraźliwie jasnym świetle szalejącego pożaru dowódcy wszystkich wozów widzieli, jak resztki nieprzyjacielskich oddziałów zrywają się do panicznej ucieczki: pieszo, czołgami, motocyklami i co tam jeszcze ocalało od pierwszego uderzenia. W tej fazie bitwy do Kurcewicza i jego ludzi nie oddano ani jednego strzału.

Koordynacja działań funkcjonowała jeszcze wtedy bez zarzutu, więc grupa Jamroza – pięć czołgów, trzy transportery piechoty, szyłka i transporter saperów – w idealnie dobranym momencie uderzyła w skrzydło uciekającego nieprzyjaciela. Według wszelkich danych mieliśmy do czynienia z pułkiem pancernym, dwoma albo trzema dywizjonami artylerii i jakąś zmotoryzowana piechotą – w sumie grubo ponad trzy tysiące ludzi – a nikomu nie przyszło do głowy stawić jakikolwiek opór. Zgodnie z naszym planem strumień uciekinierów posuwał się wąskim tunelem pomiędzy płonącym lasem a grupą Jamroza, która, strzelając gęsto, prowadziła coś w rodzaju pościgu równoległego. O dziwo, czołg Poklewskiego nie dość, że nie zostawał w tyle, to nawet prowadził pluton. Zdumiewające. Zawsze miałem go za tchórza.

Jeszcze kilometr i bezładna masa pojazdów i piechoty wypadnie na obszerną, liczącą kilka kilometrów długości równinę pod Miedźnem. A tam już czekał Wieteska.

Usłyszałem odległy warkot helikopterowego silnika, więc najprawdopodobniej nadlatywał Kuligowski z Łapickim i Wilgatem na pokładzie. Musiałem jednak skupić się na dowodzeniu, uznałem więc, że nie muszę witać ich z kwiatami na lądowisku. Współdziałanie Wołyńskiej Brygady Kawalerii było na razie sprawa drugoplanowa.

– Galaś – mruknąłem do kaprala, obserwując monitor. Dziejące się na nim cuda tym różniły się od zaawansowanej technicznie gry komputerowej, że z luf nie wylatywał symulowany ogień i ścieżkę dźwiękową trzeba było sobie dorobić w wyobraźni. Poza tym – pełen realizm w 3D.

– Tak jest, panie pułkowniku. – Z uwagą śledził rozwój sytuacji na swoim ekranie, jednocześnie nasłuchując krzyżujących się komend.

– Niezły z ciebie specjalista od kampanii wrześniowej – stwierdziłem lekkim tonem. Włączyłem podgląd z kamery umieszczonej na czołgu Kurcewicza, ale obraz drgał tak bardzo – musieli jechać przez jakieś wertepy – że właściwie nic nie było widać.

– Melduję posłusznie, że nic takiego, panie pułkowniku. Trochę sobie czytałem…

– Trochę? – zdziwiłem się uprzejmie. – Zasuwasz danymi jak z encyklopedii.

– W domu się sporo mówiło i jakoś tak poszło. – Nie patrzył na mnie, więc nie wiedziałem, czy próbuje mnie zbyć. – Dziadek walczył w armii „Poznań", opowiadał sporo, jak lali Niemców nad Bzurą. Wie pan, jak to jest: dla dziesięcioletniego chłopaka takie opowieści to było coś. Opowiadał, a ja się zacząłem zastanawiać, że skoro nasi lali tak ładnie Szkopów, to czemu w końcu przegrali? No i zacząłem czytać i tyle. Takie tam hobby.

– Więc to tak? – uśmiechnąłem się. – Nie ma żadnej tajemnicy?

– Nie ma…

– Zwalniamy. Piechota z wozów! – usłyszałem w słuchawce głos Kurcewicza.

– Co jest?

– Nic. Wjechaliśmy na chwilę w las. Nie chcę, żeby mi ktoś strzelił w dupę, więc chłopaki się trochę przelecą i będą nas osłaniać.

– Na razie gładko idzie?

– Tak jakby. Pewnie ze dwieście wozów mamy na rozkładzie. Zaraz wyjedziemy na tę równinę. Szkopy, zdaje się, już tam są.

– Wieteska mówi, że owszem. Zaraz się do nich dobierze.

– Przed nami odprzodkowuje jakaś artyleria. Ognia! – Usłyszałem w słuchawkach odgłos wystrzału z działa.

– Panie pułkowniku. – Znowu podskoczyłem na krześle. Znowu przestraszył mnie Wojtyński. Znowu coś było ze mną nie tak. – Czy dowódca tej dywizji przypadkiem nazywał się Reinhardt?

– Możliwe. Sprawdza pan dane teleadresowe?

– Niezupełnie. Trzymam w ręku jego legitymację wojskową. Georg Hans Reinhardt. Generalleutnant. Zgadza się?

– Pewnie tak. Czy to znaczy, że się panu udało?

– Mnie tak. Im nie bardzo. – Jeżeli była w jego głosie jakaś satysfakcja, to jej nie znalazłem. – Cały budynek spłonął. Myślę, że dowódcę dywizji oraz cały jego sztab możemy uznać za wyeliminowany z walki.

Aż mnie dreszcz przeszedł.

– Zdobył pan jakieś dokumenty?

– Mamy mapy i parę rozkazów na jutro, a także trzech jeńców, w tym jednego pułkownika. Prawie na nas wpadł, bo wracał zdaje się z objazdu jednostek. Aha, zdobyliśmy też coś, co wygląda na rozkaz operacyjny ze sztabu armii, na jutro.

– To cenne. Gratuluję sukcesu, poruczniku. Niech pan się zabiera do drugiego dowództwa.

– Właśnie wsiadamy do samochodów.

Tę niezwykle inspirującą rozmowę przerwało wejście Łapickiego. Szczerze mówiąc, pochłonięty bitwą niemal zapomniałem o jego zadaniu. Niesłusznie. Przecież nie ma nic bardziej ekscytującego niż wypytywanie z wypiekami na ustach o osobiste wrażenia uczestnika zderzenia dwóch cywilizacji. Bo czy nie było zderzeniem cywilizacji spotkanie ludzi, pochodzących co prawda z jednego kraju, ale oddzielonych przepaścią techniczną, zupełnie różną mentalnością i poglądami, nie mówiąc o diametralnie różnej sytuacji politycznej?

Więc rozłączyłem się z Wojtyńskim i z zainteresowaniem spojrzałem na majora. Całe jego nieco korpulentne jestestwo wyglądało na zmęczone, ale niezmiernie zadowolone z siebie. Major zasalutował.

– Melduję powrót z misji nawiązania kontaktu – mruknął dla formalności.

– Dziękuję. Niech pana siada. Jak rezultaty?

– Więcej niż dobre. – Uśmiechnął się ze zmęczoną miną, usiadł na krześle i z westchnieniem ulgi pozbył się hełmu. – Najważniejszy jest taki, że nas nie rozstrzelali jako szpiegów. Po pierwsze mieliśmy kłopoty z lądowaniem, bo nie chcieliśmy siadać zbyt daleko od stanowisk brygady, a z drugiej strony też nie za blisko, żeby się ktoś nie zdenerwował i nie posłał nam serii. A jeszcze trzeba było znaleźć jakiś płaski kawałek terenu. No więc lataliśmy trochę w kółko i oczywiście zaczęto do nas strzelać, ale kto, nie mam pojęcia. W końcu sierżant znalazł miejsce i jakoś tam wylądowaliśmy. Wysiadamy z Wilgatem, tych łącznościowców zostawiliśmy w śmigłowcu, idziemy, dookoła las, ciemno, a tu światło w oczy i ktoś krzyczy: „Stój, kto idzie?". No to my na ziemię i porucznik Wilgat woła: „Łącznik od Naczelnego Wodza do pułkownika Filipowicza". A oni nie wiedzą, co robić, więc cisza. Słyszę, że coś tam szepczą. No to my znowu: „Major Łapicki i porucznik Wilgat od Naczelnego Wodza do pułkownika Filipowicza". A oni: „Nie ruszać się" i podchodzi do nas z pięciu – nie widziałem dokładnie, bo księżyc zaszedł za chmury – ludzi. Obszukali nas, zabrali pistolety, kazali wstać i idziemy. Idziemy i idziemy, kluczą przez las, myślę, że specjalnie. Dwóch z tyłu z karabinami. Szliśmy tak z pół godziny. W końcu doszliśmy. Jakaś leśniczówka na środku małej polany. Przed budynkiem parę samochodów, parę koni, trochę żołnierzy... Ludzie zmęczeni jak cholera. Wchodzimy, wszędzie zdziwione spojrzenia, bo Wilgat wygląda jak swój, ale ja... wie pan, my się nawet wyglądem od nich różnimy: mundury inne, hełmy inne, słowem wszystko, nawet fryzury... No więc wchodzę do jakiejś izby, hełm na głowie, kamizelka, a tam siedzi taki niewysoki oficer, patrzę na pagony: pułkownik. Pewnie on. No więc salutuję i zanim ktokolwiek coś zdążył powiedzieć, mówię: „Panie pułkowniku, melduje się major Łapicki z misją specjalną od Naczelnego Wodza". Trochę to było ryzykowne, bo wie pan – westchnął i zaczął klepać się po kieszeniach w poszukiwaniu papierosów – nie mam pojęcia, jak wyglądała wtedy łączność, mogli przecież gdzieś zadzwonić i sprawdzić moje referencje. Gadam dalej, że batalion, że nowe czołgi, że natarcie i tak dalej. A Wilgat stoi przy mnie i wszystko potwierdza. Jest w tej izbie z dziesięć osób, sami oficerowie, i cisza. Proszę o mapę, nawet mi podali, i pokazuję, gdzie jesteśmy i gdzie chcemy uderzyć. Gadam i gadam, a oni tylko patrzą. W końcu ten pułkownik wstaje i zaczyna mnie przypierać do ściany: dlaczego nic o nas nie wie, dlaczego w sztabie armii o nas nie wiedzą, i on nie zna takiego planu uderzenia, i tak dalej. Wtedy jeden z tych strażników podaje mu mojego wisa, on go waży w ręku i mówi, że takiego pistoletu też nie widział. No więc Wilgat opowiada, a gadać umie, jak to lotnik, cuda-niewidy, jakbyśmy byli armią pancerną co najmniej. Tamten patrzy i myśli. Na to ja: „Panie pułkowniku. Rozumiem, że jest pan nieufny, bo spadamy panu niespodziewanie na kark. Ale właściwie chcemy tylko od pana, żeby pan trzymał ludzi w gotowości, bo będziemy resztki tej dywizji pancernej pędzić prosto na pana i chodzi o to, żebyście nie byli zaskoczeni". A on na to: „Ja doskonale rozumiem, co pan mówi, ale jak pan wytłumaczy fakt, że wy siłą jednego batalionu chcecie pokonać dywizję pancerną? My walczyliśmy całą brygadą, siedem tysięcy ludzi, a z najwyższym trudem ich zatrzymaliśmy i mamy ponad pięciuset zabitych i rannych". A ja na to: „Niech pan zaryzykuje i niech pan pójdzie z nami. Pokażemy panu, czym dysponujemy. Jak pojedziemy samochodem, to będzie piętnaście minut". No i w sumie tak się stało. Pojechaliśmy, nie oddali nam broni, ale już nas nie trzymali cały czas na muszce, i w końcu zobaczyli helikopter. Otoczony był kordonem żołnierzy, a przed helikopterem stał pilot, operator uzbrojenia i tych dwóch łącznościowców. Aż dziwne, że się nie postrzelali. Wilgat gadał cały czas, a ten pułkownik obejrzał helikopter, postukał w rakiety i działko, pokiwał głową i stwierdził, że zrobią, tak jak mówię. Zgodził się wziąć naszych chłopaków z radiostacją – nie wyglądali na zachwyconych, mówię panu – a my wsiedliśmy, i w tym momencie się zaczęło. Domyśliłem się, że to Wójcik, więc powiedziałem na pożegnanie, że zaatakowała nasza artyleria. Tym, zdaje się, ich do końca przekonałem. Nawet broń nam oddali.

Patrzyłem na niego, słuchałem, co mówi i teoretycznie wszystko rozumiałem bardzo dobrze. Poleciał, znalazł, przekonał, wrócił. Czyli wykonał zadanie. Ale w tej suchej relacji nie było nic, dosłownie nic o zdziwieniu, niepewności, strachu... o poczuciu nierealności, które musiało Łapickiemu towarzyszyć. Mnie w każdym razie nie odstępowało, gdy parę godzin temu oglądałem z okna helikoptera walkę Wilgata. Musiałem mocno sobie wmawiać, że to nie hiperrealistyczny film, tylko rzeczywistość. Nadal sobie wmawiałem.

– Wilgat gdzie?

– Został w śmigłowcu. Uparł się, że poleci z Kuligowskim. Cały czas stał mu za plecami i zdaje się, że już niedługo przejmie stery.

Roześmiałem się wesoło. Jeśli nie brać pod uwagę jego sympatii do Nancy, porucznik Wilgat był jednym z nielicznych pozytywnych aspektów naszego położenia.

– Wracając do pana misji. Możemy liczyć na współdziałanie brygady? – zapytałem.

– Myślę, że tak – odparł. – Nie byli przekonani do końca, mają przecież swoje rozkazy. Sam nie byłbym przekonany. Jednak moje argumenty były sensowne, a zadanie nie wymagało od nich jakiejś specjalnej aktywności. Zresztą – zerknął na ekran komputera, gdzie czerwone kropeczki od początku ataku przesunęły się o kilka kilometrów na wschód – przekonamy się na własne oczy. Zdaje się, że kapitan Kurcewicz za moment wypchnie resztki niemieckiego ugrupowania prosto przed pozycje brygady.

– Jeszcze trzy kilometry. – Skinąłem głową. – Właśnie wyjechali na otwartą przestrzeń.

Nadszedł czas Wieteski.

8.

Ciężki szturmowy śmigłowiec Mi-24 można uzbroić na kilka sposobów, w zależności od tego, komu ma się dobrać do tyłka. Ponieważ celem w tym wypadku były czołgi, Wieteska zrezygnował z rakiet powietrze-powietrze i każdy z helikopterów dźwigał sto dwadzieścia osiem niekierowanych rakiet odłamkowo-burzących, osiem kierowanych rakiet przeciwpancernych i dwie amerykańskie tysiącfuntowe bomby kasetowe CBU-89 Gator, z których każda wypełniona była dwudziestoma dwoma minami przeciwpiechotnymi oraz siedemdziesięcioma dwoma przeciwpancernymi i umożliwiała zaminowanie terenu o powierzchni dwudziestu czterech boisk piłkarskich.

Skuteczność naszego planu wynikała z jego prostoty. Nie zakładaliśmy żadnych skomplikowanych manewrów, po prostu postawiliśmy na brutalną siłę, przewagę ognia i szybkości. Pomimo tego, że od początku ataku minęło już prawie pół godziny, Niemcy, pędzeni przez dwie grupy uderzeniowe wąskim korytarzem pomiędzy płonącym lasem a grupą Jamroza, nadal nie mogli zorganizować żadnego znaczącego oporu. Każda próba zawrócenia i zajęcia stanowiska kończyła się zawsze w ogniu potężnej eksplozji, więc niemieckie zgrupowanie, przemieszane i bezradne, znaczyło szlak swojej ucieczki spalonymi wrakami i setkami trupów, topniejąc szybciej niż śnieg na wiosnę. Nie więcej niż tysiąc ludzi, może czterdzieści czołgów i setka innych pojazdów wypadła na równinę pod Miedźnem. Nie mam pojęcia, czy zdawali sobie sprawę, że w szybkim tempie zbliżają się do stanowisk brygady kawalerii, z którą walczyli cały poprzedni dzień. Może spodziewali się, że wpadnięcie na kawalerię nie będzie największą z przykrości, która ich spotkała tej nocy.

I w sumie mieli rację.

Klucz Wieteski leniwie, nie forsując tempa, nadleciał nad równinę od strony lasu, zachodząc uciekinierów od tyłu. Tak jak parę godzin temu, gdy niemieckie myśliwce niespiesznie skradały się, by zapolować na mieszkańców wioski, również teraz cztery stalowe drapieżniki ustawiły się w krótkim szeregu, w odstępach kilkudziesięciu metrów od siebie. Przy czym obecna zwierzyna była nieporównanie bardziej niebezpieczna od poprzedniej – zawsze istniała możliwość, że w przypływie rozpaczliwej desperacji odwróci się i kłapnie zębami. Myśliwi co prawda również przewyższali pod każdym względem polujących na bezbronną ludność wojowników spod znaku Luftwaffe, ale kapitan postanowił nie sprawdzać, czy percepcja uciekających żołnierzy pozwoli im dostrzec nowe niebezpieczeństwo, a odwaga podjąć próbę obrony. Niezwłocznie przystąpił do dzieła.

Na dany sygnał każdy z helikopterów wypluł połowę swoich niekierowanych rakiet – sześćdziesiąt cztery – tworząc kilkusetmetrowej długości płonący korytarz. Wszystko, co się wewnątrz znalazło, skryło się w morzu płomieni i dymu, nie dając szans ocalenia niczemu, co nie było schowane głęboko pod ziemią. Jeszcze parę poprawkowych, krótkich salw, i zgodnie z planem nieprzyjacielskie ugrupowanie praktycznie przestało istnieć.

Dantejskie piekło, wytworzone dzięki najnowszym technologicznym wynalazkom z zakresu techniki zniszczenia, obserwowali, rozciągnięci w długą linię obronną na skraju lasu, żołnierze Wołyńskiej Brygady Kawalerii. To był uboczny efekt planu – ułani na własne oczy przekonali się, że opowiadanie Łapickiego nie było sennym majaczeniem schizofrenika. Nie można sobie wyobrazić lepszych argumentów. Przerażeni Niemcy, których kilkudziesięciu dobiegło lub dojechało do linii lasu, z ochotą oddali się do niewoli, a to, co opowiadali podczas przesłuchań, było z pewnością jednym wielkim hymnem pochwalnym na naszą cześć.

Zarówno Wieteska, jak i grupa Kurcewicza wykonali pierwszą część zadania. Stańczak właśnie meldował o ruchach pozostałych oddziałów dywizji – w obliczu braku jednolitego dowództwa trudno się było doszukać w ich działaniach jakiejś myśli przewodniej – a ponieważ niezawodny system IVIS przekazywał, że oddziały mają jeszcze spore zapasy paliwa i amunicji i nie wykazują strat, wydałem rozkaz kontynuowania walki. Kurcewicz mruknął coś, co mogłem uważać za potwierdzenie otrzymania rozkazu, zawrócił swoich ludzi niczym Kmicic Tatarów i pomknął na północ.

Na razie szło niepokojąco dobrze.

VI. WIZYTA

1.

– Ty sukinsynu! – Nawet mi przez myśl nie przeszło, że pół godziny później ja, Jerzy Grobicki, podpułkownik, zwycięzca nocnej II Bitwy Pod Mokrą, pogromca niemieckiego korpusu pancernego, będę z trudem walczył o przetrwanie, starając się ochronić skołataną głowę przed obijaniem jej o stalową ścianę kabiny wozu dowodzenia. – Ty draniu. Zabiję cię!

Zawsze mówiłem Nancy, że najładniej wygląda podczas ataków gniewu, co przy jej temperamencie nie występowało wcale rzadko. Nie sądziłem jednak, że teraz, w bladym świetle przedświtu, kiedy przez chwilę nie było nikogo w zasięgu wzroku w zwykle rojnym obozie, nadszedł najwłaściwszy moment, aby o tym mówić. Występowała obecnie w roli furii wcielonej i chociaż nie podała mi na razie powodu swojego wybuchu, mogłem go z dużym prawdopodobieństwem zgadnąć. Musiała być naprawę zła, bo szarpała mnie tylko jedną ręką – druga spoczywała na temblaku – a i tak moje plecy i głowa jęczały w niemym proteście przeciwko takiemu traktowaniu. Dodatkowo sprawę komplikował fakt, że nie miałem odpowiednio zgrabnej riposty, którą mógłbym podtrzymać nasz dialog. Nancy zresztą nie czekała na żadną ripostę, tylko kontynuowała:

– Jeżeli jeszcze raz zbliżysz się do Holdena, to ci gnaty połamię! Co ty sobie wyobrażasz? Jest ważną figurą w Pentagonie, współtwórcą systemu, a ty go straszysz bronią i grozisz? – Nadal mną potrząsała, ale częstotliwość drgań spadła do poziomu średniej statystycznej, z którą z reguły potrząsa się podpułkownikami Wojska Polskiego.

– Był – wtrąciłem.

– Słucham?

– Był ważnym człowiekiem w Pentagonie. W dwa tysiące siódmym roku. Mamy trzydziesty dziewiąty. Jego protektorzy jeszcze się nie urodzili.

– Nie chrzań. To głównie od niego zależy, czy naprawi system i czy wrócimy w nasze czasy.

– Tak? – zdziwiłem się uprzejmie i korzystając z tego, że była przez moment pochłonięta rozmową, delikatnie, acz stanowczo uwolniłem się z uchwytu. – Jakoś nie zauważyłem u niego przesadnego zapału do pisania programu. Wiesz o tym, że ktoś wam wpuścił wirusa?

– Wiem, mówił mi. Uważa, że to niemożliwe.

– No właśnie, to jego największy problem. Zamiast skoncentrować się na naprawie tego gówna, lamentuje, że ktoś obszedł zabezpieczenia. Jakie to ma teraz znaczenie? Niech po prostu napisze program powrotny i nie filozofuje.

– Ja mu wydaję rozkazy. – Jeszcze mówiła z naciskiem, ale wyglądało na to, że największą nawałnicę mamy już za sobą. – Będę go pilnowała, a ty masz się do tego nie mieszać.

– Przejmujesz dowodzeie? – Byłem od niej wyższy stopniem, funkcją, wiekiem i doświadczeniem, a ona się kłóci. Zwykła męska duma kazała mi protestować ile wlezie. – Proszę cię, Nancy, nie chcę wyjść na drętwego nudziarza, ale pamiętaj, że mamy wojnę i w końcu jesteśmy oddziałem wojskowym. A ja tym oddziałem dowodzę i jestem odpowiedzialny za życie pięciuset ludzi, w tym twoje, nie mówiąc o sprzęcie za kilkaset milionów dolarów. Trochę mnie poniosło, to fakt, ale pomijając wszystko inne, wolałem się wyładować na Holdenie niż na tobie...

– Chciałeś się wyładować na mnie? – Spojrzała na mnie w sposób, jaki dobrze znałem sprzed lat. Odwróciłem wzrok, żeby nie zobaczyła czegoś w moich oczach.

Milczeliśmy chwilę, po czym oboje doszliśmy do wniosku, że na razie będziemy ciągnęli dalej dyskusję historyczną.

– Naprawdę sądzisz, że – mruknęła już całkiem ugodowo i zatoczyła ręką dookoła – to nasza wina? Że my specjalnie?

– Nie. Nie sądzę, że przenieśliście nas w czasy kampanii wrześniowej, żeby dać nam historyczną szansę naprawienia tego i owego. W końcu co ona was obchodzi? Mam żal, że nic nie wiedzieliśmy o waszych wynalazkach, byliście zadufani w sobie i nie dopuszczaliście myśli, że coś może pójść nie tak i nie przewidzieliście żadnego koła ratunkowego na tę okoliczność. O nic więcej.

– Właściwie masz rację. Ale co z tego? Wyładowałeś frustrację na Holdenie zamiast na mnie. Okej. Pomogło?

– Pomogło go zmobilizować do lepszej pracy.

– Wątpię. On jest i tak dostatecznie zmobilizowany. Ale jest coś ważniejszego. Jak sobie wyobrażasz powrót w nasze czasy po tym wszystkim, co tutaj zrobiliście? Po ataku? Przecież rzeczywistość będzie zupełnie inna. W ogóle nie wiadomo, co tam zastaniemy. Mamy podgląd IVIS-a. Widziałam, co wyrabialiście. Zabiliście kilka tysięcy ludzi…

– Niemców. Wrogów. Napadli na mój kraj – przerwałem jej, bo gdy rozmowa wjeżdżała na te tereny, robiłem się podejrzanie agresywny. No, powiedzmy, stanowczy. – Zabiłem ich parę tysięcy, za to uratowałem pewnie parę innych tysięcy… moich rodaków.

– Dżazi, nie gadaj głupstw. Wpadliśmy tu chwilowo, rozumiesz? Nie zmieniaj tego, co było! Jesteśmy jak widzowie w teatrze. Oglądamy spektakl i znikamy.

– Po pierwsze skąd wiesz, że znikamy? Taka jesteś pewna, że będziemy mieli jak wrócić? Po drugie to nie my zaczęliśmy. Napadnięto nas, pamiętasz? W węższym i szerszym sensie. Nie lubię dostawać po nosie i nie oddać. Znasz mnie przecież.

– O tak. Znam cię. A właściwie myślałam, że cię znam. To, w co się pakujesz, jest dla mnie sporą nowością. I żeby było jasne: bez nas, rozumiesz? Nikt z moich ludzi nie będzie brał udziału w tej waszej wojnie.

– Ta wojna może was nie pytać o zdanie. Ale jak chcesz. Napiszcie ten program powrotny, wróćmy w nasze czasy i wszyscy będziemy zadowoleni.

Spojrzałem jej głęboko w oczy i nie byłem pewien, czy podoba mi się to, co tam zobaczyłem. Była na mnie zła, ale czy aby na pewno chodziło o Holdena albo konsekwencje ingerencji w historię? A może chodziło o nasze, hm, zaszłości?

No cóż, nawet nadgryziona zębem czasu wielka miłość, rzucona na wojenne tło, doskonale wypada na szerokim ekranie z dźwiękiem

Dolby Surround, jednak w realnym życiu co i rusz napotyka na nie-
spodziewane przeszkody. W tym wypadku w charakterze przeszkody
wystąpił kapitan Wieteska, który w typowym dla siebie stylu nadleciał
nad obóz. Przed chwilą go jeszcze w ogóle nie było, pstryk! i ryczące
machiny pojawiły się tuż nad naszymi głowami niczym Zeus Gromo-
władny w wersji quatro.

Nancy skrzywiła się, jakby popisy Wieteski zupełnie jej nie przy-
padły do gustu. Miała pretensje do mnie, miała pretensje do Wieteski,
wygląda na to, że miała pretensje do całego świata. Moja była dziewczyna odwróciła się na pięcie i po raz kolejny w ciągu ostatnich paru
godzin zostawiła mnie samego na placu. Pewnie poszła koić skołatane
nerwy tego geniusza od komputerów. Miałem niejasne wrażenie,
że koalicja przeciwko mnie powiększa się w szybkim tempie.

Śmigłowce przy lądowaniu tak hałasowały, że nie usłyszałem kolejnych motorów. Na drodze pojawił się zakurzony BRDM Stańczaka,
a za nim sznur czołgów i reszty pancernych potworów. Stańczak
ominął mnie zgrabnym łukiem, ale pierwszy z czołgów, z numerem
taktycznym wskazującym na dowódcę kompanii, parł prosto na mnie,
chcąc się prawdopodobnie w ten sposób odegrać za wszelkie trudy
i niewygody, które spowodowałem. Nerwy mi prawie puściły, ale
Kurcewicz w ostatniej chwili się zlitował. Skręcił, sypnął piachem
prosto w oczy i z wielką wprawą zajął miejsce na parkingu.

Wszystkie pojazdy stopniowo wyłączyły silniki i na moment świat
zastygł w bezruchu. Nie potrafiłem oprzeć się wrażeniu, że w wielkim
obozie, wypełnionym po brzegi śmiercionośnymi zabawkami, zostałem sam. Cisza aż dzwoniła w uszach.

Twardy. Fachowo mówiąc – czołg podstawowy PT-91A1. Całkiem
udana modernizacja sowieckiego T-72. Bardzo płaska sylwetka, stosunkowo mała wieża, długa lufa, która, oświetlona nisko jeszcze
leżącym nad horyzontem słońcem, wyglądała na dłuższą niż w rzeczywistości. Wieża i masywny przód czołgu pokryte regularnymi
gruzełkami reaktywnego pancerza, czyli niczym innym, jak małymi
ładunkami wybuchowymi, mającymi za zadanie rozpraszanie energii
trafiających w czołg ładunków kumulacyjnych. Groźnie wyglądający
przeciwlotniczy kaem 12,7 milimetra. Wyrzutnie granatów dymnych.
Sporo zewnętrznej elektroniki. Niemal fizycznie czułem wszystkie
z pięćdziesięciu czterech tysięcy kilogramów masy spoczynkowej
czołgu.

Jak w powiększającej soczewce widziałem każde uszkodzenie, każdy odprysk na pancerzu, rozbity reflektor czy uszkodzoną gąsienicę. Gdzieś tam, daleko, w fabryce Rheinmetall, Krupp albo Thyssen, parę lat albo parę miesięcy temu wyprodukowano karabiny, armaty i naboje, które zmierzyły się z wozami bojowymi w zasadzie jeszcze nieistniejącymi, opuszczą one bowiem fabryki dopiero za sześćdziesiąt parę lat. A niedaleko stąd kilkanaście kilometrów kwadratowych pól i lasów usłanych było żelaznym złomem zniszczonym techniką wojskową stworzoną sześćdziesiąt lat później. Tę zaawansowaną technikę wojskową wyprodukują dopiero dzieci i wnuki walczących na froncie żołnierzy. I to dopiero było zabawne. To nie miało prawa się zdarzyć. Moja podświadomość broniła się ze wszystkich sił przed zaakceptowaniem przedstawionych w ten sposób faktów. O takich drobiazgach, jak wpływanie na bieg historii i możliwość wykreowania alternatywnych dziejów dwóch narodów, które w naszych właściwych czasach były nawet ze sobą zaprzyjaźnione, już nie wspomnę.

Szaleństwo.

Widać było, że druga część starcia z niemiecką dywizją pancerną nie poszła tak gładko jak pierwsza. Doliczyłem się co prawda kompletu maszyn, co oznaczało, że na razie żadna nie wypadła z gry, ale kilkanaście uszkodzeń pancerza, powybijane reflektory i parę rozbitych peryskopów świadczyło jednak o tym, że Niemcy próbowali się bronić i zaliczyli szereg trafień. Całe szczęście ich broń nie była zbyt skuteczna.

Włazy bojowe wszystkich maszyn stopniowo wyskoczyły w górę i coraz więcej ludzi z wyraźną ulgą wychodziło na zewnątrz. Obawiałem się strat, ale zauważyłem tylko jednego rannego piechociarza od Borka. Nie mogła to być zbyt poważna rana, bo żołnierz o własnych siłach pomaszerował do lazaretu. Powitałem dowódców, pozwoliłem im chwilę odpocząć i doprowadzić się do stanu używalności, a potem tradycyjnie zarządziłem odprawę.

Mimochodem zauważyłem, że nieopodal lądowiska Wilgat rozmawia z Nancy. Oboje sprawiali wrażenie, jakby rozmowa sprawiała im niekłamaną przyjemność. Nancy śmiała się wesoło, a porucznik perorował ze swadą. Nawet dotknął – niby niechcący – ręki pani kapitan. Nie protestowała.

Odwróciłem się i szybkim krokiem poszedłem w stronę przeciwległego końca obozowiska.

Właściwie było już zupełnie widno. Zapowiadał się piękny, słoneczny dzień. Nie zauważyłem na niebie żadnych chmur, które skryłyby nas przed wścibskimi, lotniczymi oczami. Sawicki nawet nie czekał na rozkaz, tylko od razu zapędził ludzi do maskowania pojazdów, a uzupełnianie amunicji rozpoczęto od zestawów przeciwlotniczych szyłka. Zresztą nie były to jakieś wielkie uzupełnienia. W czasie bitwy szyłki oddały parę serii do celów lądowych, bo o ile mi wiadomo, nad polem bitwy nie pojawił się ani jeden samolot.

Co, jak sądzę, szybko się zmieni, bo zaskoczenie niemieckich dowództw zacznie niebawem mijać. Narobiliśmy im strasznego bałaganu, rozbiliśmy całą dywizję, ale z pewnością sztab armii, zaniepokojony napływającymi hiobowymi meldunkami, rozpocznie poszukiwania sprawcy nocnego ataku. I wyśle lotnictwo. Będzie ono starannie przeszukiwać teren, wychodząc ze słusznego skądinąd założenia, że nocny myśliwy, dostatecznie silny, by w cztery godziny przetrącić kręgosłup dywizji pancernej, nie mógł zniknąć jak duch.

Stopniowo nad obozem zapadła cisza, szyłki ustawiły się na stanowiskach, radary starannie przeczesywały niebo, a kucharze zabrali się do wydawania wczesnego śniadania albo – jak kto woli – bardzo późnej kolacji.

Kapral nadterminowy Józef Galaś, jak powszechnie wiadomo, miał niezwykłą umiejętność nagłego pojawiania się znikąd. Toteż, gdy stałem przy skraju lądowiska i oceniałem staranność maskowania śmigłowców, wyrósł przede mną całkiem niespodziewanie, na dodatek przyozdobiony w stojącego przy jego boku kaprala Cuprysia.

– Melduję posłusznie, panie pułkowniku, że teraz jest najlepszy moment – zameldował kapral głośno i wyraźnie.

– Domyślam się, że najlepszy. Ale na co konkretnie? – zapytałem.

– Na nawiązanie kontaktu z Naczelnym Wodzem. – Popatrzył mi w oczy. – Tu nam naprawdę świetnie poszło, panie pułkowniku, i musimy to wykorzystać. Nasi muszą to wykorzystać – poprawił się.

– No dobrze. A jak sobie wyobrażasz nawiązanie kontaktu? – Zapowiadała się poważna rozmowa na tematy strategiczne, więc przybrałem stosowny do sytuacji, skupiony wyraz twarzy.

– Nawiążę łączność. Zaanonsuję pana. I poleci pan do Warszawy na spotkanie.

– Rozumiem. – Uśmiechnąłem się. – Nawiążesz łączność. Zaanonsujesz mnie. I polecę na rozmowy z marszałkiem Rydzem-Śmigłym.

– No, ja wiem, panie pułkowniku, że to proste nie jest. Mogą nam nie uwierzyć, może nas zestrzelić nasza artyleria, mogą… No, różne rzeczy mogą. Ale powinniśmy być konsekwentni, panie pułkowniku. Co z tego, że zniszczymy jedną albo nawet dwie dywizje niemieckie. Szkopy mają takie rezerwy, że wystawią następne i najwyżej zabawa potrwa nieco dłużej. Nie. – Pokręcił głową. – Musimy ich załatwić po całości.

– Posłuchaj, Galaś – powiedziałem całkiem poważnie. – Zgadzam się, że jak powiedzieliśmy A, trzeba powiedzieć B. No dobrze, załóżmy, że jakoś się zaprosimy do kwatery głównej i jakoś dolecimy do Warszawy. Ale co dalej? Co mam powiedzieć marszałkowi Śmigłemu?

– Prawdę, panie pułkowniku. Po prostu pan mu powie, że jesteśmy polskim wojskiem z roku dwa tysiące siódmego i mamy maszynkę do przenoszenia się w czasie. I przybyliśmy, żeby mu pomóc. Na dowód może se obejrzeć śmigłowiec. Przecież on będzie wiedział najlepiej, że jego wojsko takiego nie ma i mieć nie może. A jak się skontaktuje ze sztabem armii „Łódź" – powinni już mieć meldunki od Filipowicza, powiedziałem naszym chłopakom, co tam siedzą, żeby dokładnie pułkownikowi zreferowali przebieg bitwy – to potwierdzą, że 4 Dywizję Pancerną trafił szlag i raczej nie zrobiły tego krasnoludki, no nie?

– Okej. Przypuśćmy, w co wątpię, że uwierzy. Prędzej ja bym na jego miejscu uwierzył w inwazję Marsjan niż w takie banialuki. Ale dobra, niech ci będzie. I co dalej? On ma zmienić cały plan wojny na podstawie opowiastki jakiegoś przybysza znikąd?

– Melduję posłusznie, że tak jest, panie pułkowniku. Jego plan właśnie się trochę wali i na Śląsku, i na Mazowszu, i na Pomorzu też. Myślę, że on już wie, że może być cienko. A pan tylko przedstawi racjonalne argumenty…

– Jakie? – zapytałem. – Jakie argumenty? Przecież nie mam żadnego alternatywnego planu wojny.

– Ale ja mam. – Galaś uśmiechnął się. – Mam to obcykane do ostatniej karty, panie pułkowniku. Nawet kiedyś zrobiłem se taką mapę, wie pan, „Co ja bym zrobił na jego miejscu". Jak się nasi sprężą, można w trzy, cztery dni całe nasze ugrupowanie mocno przebudować, a my przecież też nie będziemy ziewać, no nie? Rozpirzymy te dwa szybkie korpusy, generał Kutrzeba uderzy z Wielkopolski i cały front środkowy uda się na pewno co najmniej utrzymać, o ile nie odepchnąć za granicę.

– A co na północy i południu?

– No pewnie, panie pułkowniku, łatwo nie ma. Trzeba przekonać marszałka, żeby paru baranów zdjął z dowodzenia, wstawił kilku innych, przytomnych, ale wszystko da się zrobić...

Galaś aż się zaróżowił z emocji. Gdyby mógł, pewnie szarpałby mnie za rękaw kurtki. Był jedną wielką swadą i Jednym Wielkim Racjonalnym Argumentem. Zamiast wyśmiać go i odesłać do wszystkich diabłów, całkiem serio pomyślałem, że w tej wariackiej gadaninie jest sens. Nawet całkiem sporo. Nie mówiąc o tym, że w CV będę sobie mógł napisać: „Osobiste rozmowy z Wodzem Naczelnym, Marszałkiem Rydzem-Śmigłym". A to już było coś.

– Dobrze – powiedziałem. – Posłuchaj, Galaś. Nawiąż łączność i zapowiedz mnie jako wysokiego rangą przedstawiciela brytyjskiego War Office, który został wydelegowany przez rząd Jego Królewskiej Mości do omówienia sytuacji strategicznej i leci do Warszawy dwoma specjalnymi aparatami. Uzgodnij, że wylądujemy... gdzie jest kwatera Naczelnego Wodza?

– Na Rakowieckiej, na skraju Pól Mokotowskich.

– Tam właśnie wylądujemy. Pójdę do marszałka sam i jak już mnie wpuszczą...

– Straszne ryzyko – miał wątpliwości Galaś.

– No pewnie – odparłem. – Ale masz lepszy pomysł? Chodzi o to, żeby nas nie zestrzeliła nasza artyleria nad Warszawą, bo może artylerzystom zdążą dać znać, i żeby mnie wpuścili do kwatery głównej. Potem, jak już się spotkam z marszałkiem, nie będę musiał nikogo więcej udawać.

– Cholera, nawet nie ma pan żadnych dokumentów. Poza tym taki anons powinien chyba iść kanałami dyplomatycznymi, no nie? A jak się skonsultują z ambasadorem brytyjskim?

– Niech się konsultują. Ogłosisz misję jako całkowicie tajną, więc akurat nic dziwnego, że nie mam dokumentów, na wypadek gdybym wpadł w ręce wroga, bla, bla, bla. Mam za to ważne informacje...

– Racja, panie pułkowniku. Oni naprawdę są gotowi uczepić się każdej nadziei, że Zachód zaatakuje Hitlera od drugiej strony. Przyjmą pana z otwartymi ramionami, zobaczy pan.

– Dobra. Wylecimy za godzinę, czyli koło szóstej. Aha, jeszcze jedno. Musisz zasłonić szachownice na kadłubach. Zaklej je RAF-owskimi kółkami. Wytnij je z dykty albo coś...

– Tak jest. – Aż podskoczył z radości. – Zaraz się do tego wezmę. Panie pułkowniku, mam jeszcze jedną prośbę. A właściwie kapral Cupryś ma.

– No?

– Ja... yyy... tego – jąkał się Cupryś – panie pułkowniku, zwracam się z prośbą o pozwolenie na wzięcie udziału w tym locie, panie pułkowniku...

– A po co? – zdziwiłem się. – Ty też jesteś spec od historii?

– Nie. Ale moja rodzina zginęła w bombardowaniu 5 września, właśnie w Warszawie. Ocalała tylko moja matka, miała pół roku, i jeden wuj, który ją uratował. A dziadkowie i masa ciotek i wujków... Jakbym ich ostrzegł i powiedział, żeby gdzieś wyjechali...

– Przecież ty jesteś z Żyrardowa?

– No tak, ale matka pochodzi z Warszawy.

– I co, pojedziesz, zapukasz do drzwi, powiesz, żeby się wynosili, bo pojutrze będzie bombardowanie, w którym zginą, a oni cię posłuchają?

– Coś wymyślę – upierał się nerwowo. – Chcę spróbować, bo parę osób można by uratować...

– Zamiast nich zginie parę innych – mruknąłem, czując, jak bardzo bez sensu jest ta cała rozmowa. – Ile ty masz lat?

– Melduję, że dwadzieścia sześć, panie pułkowniku. Jestem najmłodszy z rodzeństwa. A matka miała ponad cztery dychy, jak mnie urodziła...

Zaczęło się. Z teoretycznych rozważań o tworzeniu nowej historii przeszliśmy do czynów. Uratujemy czyjeś życie, ono da następne życie i okaże się, że w naszych właściwych czasach połowa składu dzielnego polskiego narodu jest inna niż dwa dni temu. Co ja mówię, jakie dwa dni temu? Dwa dni temu był trzydziesty pierwszy sierpnia trzydziestego dziewiątego roku. Taaa... A nie przypadkiem trzydziesty pierwszy sierpnia dwa tysiące siódmego?

Zaraz odwiozą mnie do Tworek.

– Dobra – powiedziałem, zanim zdążyłem się nad tym głębiej zastanowić. – Za godzinę zbiórka przy śmigłowcu kapitana Wieteski. A teraz zejdźcie mi z oczu.

2.

Na odprawę, która zaczęła się pół godziny później, Kurcewicz przytaszczył piękne parabellum kalibru 9 milimetrów. Nie wiem, po co. W obozie mieliśmy kilkadziesiąt sztuk zdobytej wczoraj broni i po początkowym okresie wzmożonego zainteresowania nikt już na nią nie zwracał specjalnej uwagi. Kapitan wszedł w milczeniu do wozu dowodzenia, ostentacyjnie położył pistolet na blacie i spojrzał na mnie beznamiętnym wzrokiem. Może piękną zdobycz traktował jako amulet przynoszący szczęście? Każdy z nas chwytał się różnych sposobów, by nie oszaleć.

Od czasu powrotu do obozu nie powiedział do mnie ani słowa. Plan bitwy zrealizował z zegarmistrzowską precyzją, poza niegroźną raną jednego z żołnierzy i paroma zadrapaniami lakieru na czołgach wyszedł z wielkiej bitwy obronną ręką, właściwie niedraśnięty. Nie protestował, nie kłócił się, nie uchylał się od podjęcia ryzyka. Ale coś stanęło między nami.

Pozostali oficerowie schodzili się bez widocznego pośpiechu. Zdążyli się jako tako umyć i doprowadzić do porządku, ale żadna woda nie była w stanie zmyć rozszerzonych źrenic i przyspieszonego oddechu. Darli się, jakby nadal musieli przekrzykiwać huk motorów.

Najbardziej dumny z siebie był Wójcik. Dowodził haubicami pierwszy raz w życiu i na dwanaście oddanych salw nie trafił w cel zaledwie dwa razy. Jako wielki sukces odnotowałem fakt, iż nie uszkodził nikogo z naszych. Z moździerzy przezornie nie strzelał. Może trzymał je w charakterze niespodzianki na Boże Narodzenie.

Rozsiedli się wygodnie na krzesłach, a ja rozłożyłem na stole mapy.

– Może zacznę. – Właściwie oni powinni złożyć meldunki, ale postanowiłem na początku udowodnić, że też nie zasypiałem gruszek w popiele. – Wojtyński załatwił sztab czwartej dywizji. Teraz szuka sztabu pierwszej, ale pół godziny temu meldował, że tam zrobił się niezły bajzel, Niemcy się kręcą, jakby ich osa w tyłek ugryzła, więc musiał się schować i czeka, aż się trochę uspokoi. Major – skinąłem nieznacznie w stronę Łapickiego – nawiązał kontakt z pułkownikiem Filipowiczem z Wołyńskiej Brygady Kawalerii i zapewnił nam współdziałanie brygady. Dostałem meldunek od naszych łączników w ich sztabie, że jeden z pułków kawalerii rozpoznaje teren w rejonie walk i w ciągu pierwszej godziny wziął czterystu jeńców z błąkających się po lasach niedobitków. Na razie znaleźli przeszło sto sześćdziesiąt zniszczonych czołgów, sześćdziesiąt dział i ponad pięćset innych pojazdów. A to jeszcze nie wszystko, bo nie wszędzie byli i nie wszystko policzyli. Jak do tego dodamy straty zadane wczoraj przez brygadę, zorganizowany byt 4 Dywizji Pancernej i jej dowódcy możemy uznać za zakończony. Brygada powoli odzyskuje teren i przemieszcza się na swoje wczorajsze pozycje.

Pokiwali głowami. Odwalili kawał dobrej, żołnierskiej roboty i tylko potwierdzałem fakty – dla nich oczywiste. Mieli takie miny, jakby nie było to nic nadzwyczajnego.

– Żal mi ich – mruknął Wieteska. – Nie mają radarów, nie mają systemów celowania do walki w nocy. Czołgi, żeby oddać strzał, muszą się zatrzymać. Obronę przeciwlotniczą zniszczyliśmy w ciągu pierwszych dziesięciu minut.

– Tak łatwo nie było – skrzywił się Kurcewicz. – Zwłaszcza te największe czołgi próbowały się odgryzać. Dostaliśmy parę trafień. Nie byli zbyt skuteczni, ale w tych warunkach i tak się dziwię, że udało im się strzelić i trafić. Są dobrze wyszkoleni...

– No jasne – powiedziałem. – Przecież to pierwszorzutowe jednostki. Jakby mieli czas się okopać, ustawić artylerię i wezwać lotnictwo, oberwalibyśmy mocniej. Dlatego przy następnym ataku musimy ich znowu zaskoczyć. Tylko szybki manewr daje nam szansę.

– Bijemy się dalej? – zapytał Kurcewicz.

– Pewnie – odparłem. – Chcesz zostawić to w połowie? Robimy tak, jak ustaliliśmy. Nie mamy żadnych strat, amunicji jeszcze od cholery. Wystrzelaliśmy dopiero jednostkę ognia. Dobrze idzie, więc nie ma powodu, aby rezygnować. – Rozejrzałem się i nieznacznie ściszyłem głos: – Jest jeszcze coś. Rozmawiałem z Holdenem. I to, o czym wam powiem, musi zostać między nami. Dlatego wywaliłem z wozu Galasia i Cuprysia.

– Masz coś do Galasia? – zdziwił się Wieteska.

– Możliwe – odparłem. – Otóż Holden twierdzi, że to nie wskutek pioruna znaleźliśmy się tutaj. Ktoś nam wpuścił wirusa, który zmienił program i zafundował przemiłą wycieczkę. To było zaplanowane...

W pełni udało mi się wyrwać oficerów z ogarniającego ich stopniowo odrętwienia. Być może większość pogodziła się z faktem, że wskutek niesamowitego zbiegu okoliczności zaawansowana technologicznie maszyneria oszalała i umożliwiła nam osobiste zbadanie fragmentu dziejów ojczystych. Ale to, co mówiłem, rozdrapywało świeżą jeszcze ranę i zakłócało pogodzenie się z losem. Jeżeli nasza przygoda była efektem świadomego działania, to sytuacja zmieniła się radykalnie. I – być może – nasz plan też powinien się zmienić.

– Co ty chcesz powiedzieć? – zapytał Kurcewicz. – Że jest wśród nas jakiś oszalały przewodnik wycieczek historyczno-krajoznawczych?

– Owszem. – Skinąłem głową. – Albo wśród nas, albo w brygadzie. Mam oczywiście na myśli Piątą Brygadę Pancerną, a nie Wołyńską Brygadę Kawalerii. Wątpię, żeby to był któryś z Amerykanów. Pewności nie mam, ale nie jest to zbyt logiczne. To któryś z naszych…

Rozejrzeli się po sobie, bo właśnie znaleźliśmy się w klasycznej sytuacji: „morderca jest wśród nas". Kompletna nowość – wirusowym dowcipnisiem może okazać się najbliższy kumpel, brat od bitki i wypitki. Co z tego, że na razie nikogo nie zabił. Wpuszczając tego cholernego wirusa, skierował nas wprost w przepaść.

– Ale po co? – Wieteska był, jak na niego, bardzo wstrzemięźliwy w ocenach i reakcjach. – Po co ktoś miałby robić coś takiego?

– Nie wiem. – Wzruszyłem ramionami. – Myślę o tym od paru godzin. W grę wchodzi albo głupi żart, albo…

– No?

– Kradzież – powiedziałem po chwili. – Jedyny w swoim rodzaju sposób na kradzież nowoczesnej technologii. Może ty, Johny, miałeś rację…

– Ja? – zdziwił się. – A w jakiej kwestii? Przypomnij mi, bo nie pamiętam.

– Nie mam na to żadnych dowodów, ale sprawa mogła wyglądać tak: ktoś wpuszcza wirusa, przenosimy się w czasie, dookoła wojna i ogólna rzeź, wskutek zamieszania dowcipniś kradnie MDS-a, odjeżdża nim gdzieś w bezpieczne miejsce, odblokowuje system, przenosi się w nasze czasy, z tym że jest już daleko od Polski i w ogóle od terenu objętego wpływami NATO. I na przykład sprzedaje system Al-Kaidzie…

– Bardzo sprytne – przyznał Kurcewicz. – Taki postmodernistyczny napad na bank? Nie bardzo wiem, jak miałby w pojedynkę wydostać się z Polski MDS-em, ale niech tam. Tylko po co Al-Kaidzie MDS? Rozumiem, bomba atomowa albo parę ton napalmu. Albo jakiś super laser. Albo satelita szpiegowski... – Zatrzymał się na chwilę i spojrzał na mnie bystro.

– No, no – pokręciłem głową z podziwem. – Dobrze kombinujesz. Wszyscy zafiksowaliśmy się na myśli, że MDS służy do przenoszenia się w czasie. Ale przecież to nie jedyna jego funkcja. Byłbym zielonym Chińczykiem, gdyby się okazało, że nie można z jego pokładu łączyć się z satelitami szpiegowskimi, elementami systemu Wojen Gwiezdnych i czym tam jeszcze chcecie. Można z niego wejść w najgłębiej strzeżone tajemnice Pentagonu, można podglądać wszystko i wszystkich, a diabli wiedzą, czy nie można odpalać jakichś rakiet.

Zapadła cisza, ale moja ekipa po prostu zadumała się gwałtownie nad zawiłościami tego świata.

– To ma ręce i nogi – przyznał Łapicki. – Trudno mi tylko sobie wyobrazić, dlaczego akurat ktoś, kto chciał ukraść MDS-a, musiał nas wypchnąć aż w czasy II wojny światowej?

– Nie wiem na pewno – odparłem. – Być może chodziło o wywołanie takiego zamieszania, że będzie można łatwo i niepostrzeżenie się tym MDS-em oddalić. A może naszemu złodziejaszkowi trochę coś się nie udało... Naprawdę nie wiem.

– Co dla nas z tego wynika? – zapytał Kurcewicz, jak zwykle praktyczny do bólu. – Coś ugramy na tej wiedzy?

– Musimy mieć MDS-a na oku – powiedziałem. – Nie wzmacniałbym jakoś specjalnie ochrony, bo to może naszego człowieka wystraszyć, a szczerze mówiąc, chcę go złapać i zapytać, o co mu tak naprawdę chodzi. Holdena przekonałem, żeby nie tracił czasu i usunął wirusa, jednocześnie pisząc program powrotny. Jak mu się uda – świetnie, po prostu spierniczamy w nasze czasy. Jeśli nie...

– Złodziej powinien mieć program powrotny – wszedł mi w słowo Wieteska. – Jeśli jest tak, jak mówisz, to złodziej ma program, który może zarówno usunąć wirusa, jak i przenieść go w nasze czasy.

– Właśnie na to liczę. – Uśmiechnąłem się. – I dlatego tak mi zależy na tym, żeby złodzieja złapać. I dlatego nie będziemy zmieniali naszego harmonogramu...

– Oszalałeś? – zaprotestował Kurcewicz. – Przecież ta wojna jest teraz naszym najmniejszym zmartwieniem...

– Odwrotnie – powiedziałem. – Jest naszą największą szansą.

– Nie rozumiem.

– To proste. Nie mówię teraz o powodach, o których rozmawialiśmy ostatnio, czyli pomocy naszym rodakom, obowiązku wobec kraju i tak dalej. Mówię tylko o naszym interesie. A w naszym interesie jest, aby złodzieja złapać razem z jego programem, bo wtedy mamy realne szanse na powrót do domu. Holden sam nie da sobie rady, mówię wam, a żeby złodzieja złapać, trzeba dać do zrozumienia, że wszystko idzie po jego myśli. Wplątaliśmy się w walkę, a on nie protestował, więc rozumieniem, że jest mu ona na rękę. A więc walczymy dalej i mamy oczy dookoła głowy. Oczywiście zwłaszcza dotyczy to mnie, bo jest prawdopodobne, że złodziej zaatakuje, gdy was nie będzie w obozie. A ponieważ najbardziej korzystna dla niego byłaby sytuacja, gdyby obozie nie było ani was, ani mnie, trochę zmienimy plany, aby do tego nie dopuścić. Ja teraz polecę do Warszawy – brzmi to śmiesznie, ale jadę pogadać z marszałkiem Rydzem-Śmigłym – a wy dacie odpocząć ludziom i przygotujecie się do uderzenia na 1 Dywizję Pancerną. I dyskretnie pilnujecie MDS-a. Jak wrócę, ruszymy razem, wy pojedziecie na Kłobuck, a ja z zapleczem i artylerią na naszą stronę frontu.

Żadna aberracja, żaden nawet najbardziej szalony i nieprawdopodobny pomysł nie był w stanie wzbudzić w nas zdziwienia. Wywody o konieczności spotkania z facetem, który nie żył od ponad sześćdziesięciu lat, nie wywołały nawet wzruszenia ramion. Miałem wrażenie, że moi chłopcy są skłonni do udzielenia mi wszelkich możliwych błogosławieństw. Jak w wielu sprawach, w tej również się myliłem.

– No to leć – powiedział Wieteska, wychodząc za mną ze stara. – Tylko wracaj szybko, bo będziemy się niepokoić.

– Dzięki za troskę. – Prawie miałem łzy w oczach. – Ale będziesz miał okazję się o mnie zatroszczyć osobiście, bo chcę, żebyś poleciał ze mną. A Grabek jako eskorta.

– O kurna, jakbyśmy jakiegoś prezydenta wieźli albo co? – skrzywił się kapitan. – Dałbyś trochę odpocząć.

– Wszyscy odpoczniemy w trumnach. – Jakoś, nie wiem czemu, nikt się z tego pierwszorzędnego dowcipu nie roześmiał. – A teraz załaduj sidewindery, amunicję do działek i lecimy.

– Lecimy, lecimy. Ty lepiej albo Nancy, albo Wilgata weź ze sobą, bo jak oboje zostaną w obozie… – Uśmiechnął się ironicznie.

– Och, Johny, zamknij się wreszcie, dobra?

Rozstanie było proste i węzłowate. Przekazałem dowodzenie Łapickiemu, wydałem stosowną liczbę szczegółowych poleceń dotyczących planowania ataku i przygotowań do przenosin obozu, a także zabrałem ze sobą zdobyczne mapy. Nie umknął mojej uwadze fakt, że Nancy nawet nie przyszła zapytać, gdzie lecę i dlaczego tak bardzo się narażam. Wilgata też nie miałem w zasięgu wzroku. Być może Wieteska miał rację. Scenarzysta naszej telenoweli z elementami reality show powinien dostać kopa w tyłek.

3.

– Jerzy! – Trzymałem już jedną nogę na schodku prowadzącym do kabiny helikoptera, ale znajomy głos spowodował, że cofnąłem ruch i odwróciłem się. – Poczekaj moment. – Wojtek Kurcewicz najwyraźniej nie miał zamiaru puszczać mnie w daleką drogę bez pożegnania.
– Słowo…
– Teraz? Może po powrocie?
– Teraz. Nie chcę, żebyś leciał.
Przyjrzałem mu się dokładnie. Przez ostatnią dobę zmienił się fizycznie. Nie był już prącym do przodu zawadiaką, pokonującym każdą życiową przeszkodę z energią i skutecznością czołgu, którym dowodził. Mundur nadal leżał na nim idealnie, ale to był tylko zewnętrzny objaw dawnej chwały. Coś się w nim zapadło, stracił pewność siebie. Nie wiem, czy drżały mu ręce, bo trzymał je głęboko w kieszeniach. Przekrwionych oczu nie był w stanie ukryć.
– Tak nagle ci się odwidziało?
– Nie nagle. Od początku byłem niechętny. Nie widzę sensu, żebyś leciał i rozmawiał z duchami. W ogóle nie widzę sensu tej walki…
– Znowu to samo. – Skrzywiłem się. – Przecież rozmawialiśmy o tym. Uzgodniliśmy plan…
– Ty uzgodniłeś – odparł. Chciałem się w nim dopatrzeć jakiejś złości, agresji, jakiegoś zdecydowania. Nic. Tylko obojętność. I bezwład.
– Przesz do przodu jak lodołamacz. Nie słuchasz nikogo, tylko tego osła Galasia. Uparłeś się, że zrobisz porządek z rodzimą historią i nic cię więcej nie obchodzi.

– Obchodzi, zapewniam cię. Obchodzi mnie pięciuset ludzi, których los mi powierzył…

– I których wysyłasz w środek największej zawieruchy, jaką widział świat. Pewnie dlatego, że tak jest najbezpieczniej, co? – Ten okropny grymas. – Nie pieprz…

– Nie pieprzę. Moim zdaniem to logiczny i racjonalny ruch. Ryzykujemy, owszem, ale to jedyne wyjście z sytuacji.

Zamilkliśmy obaj, ważąc nasze racje. Wojtek przyglądał mi się, jakby widział mnie pierwszy raz w życiu.

– Znam cię osiem lat – powiedział w końcu – i myślę, że nie najgorzej. A właściwie myślałem. Naprawdę sporo się od ciebie nauczyłem. Jesteś dobry, jak ci się chce, jesteś najlepszy w tym, co robisz. Widziałem, jak się miotasz, jak cię wkurza Karski, ale nigdy nie miałem wrażenia, że się tym przejmujesz serio. Robiłeś porządnie, co do ciebie należało, ale przecież wojsko nie jest twoim życiem, prawda? A teraz jakby ci odbiło. Postanowiłeś zbawić świat… Z początku myślałem, że chcesz odzyskać panienkę i nawet to rozumiem. Ma niezłe cycki, supertyłek, równo pod sufitem i ładnie się uśmiecha. Wszystko gra. Ale tobie nie o to chodzi…

– Wojtek, proszę cię. – Zależało mi, żeby jakoś go przekonać. Z drugiej strony ta psychoanaliza od siedmiu boleści zaczęła mnie już wkurzać. – Nie doszukuj się w tym wszystkim drugiego dna. Mamy wrócić w miarę bezpiecznie do domu. To jest nasz cel numer jeden. A reszta to tylko taktyka…

– Pieprzysz – powiedział. – Sam nie wierzysz w to, co mówisz.

– Przysięgam. A że przy okazji trochę skopiemy Niemcom tyłek…

– Otóż to. To jest dla ciebie gwóźdź programu. Skopać Niemcom tyłek.

– I to cię wkurza?

– Wkurza mnie, że ryzykujesz życie nas wszystkich, bo zamarzyła ci się kariera Napoleona…

– Nieprawda. To tylko taktyka, powtarzam.

– Ale…

Machnąłem ręką, bo uznałem, że ta dyskusja i tak nas nigdzie nie zaprowadzi. Zresztą zobaczyłem nadchodzących kaprali, więc nie mogliśmy dalej ciągnąć tematu.

– Idź do Nancy i dowiedz się, jak idzie Holdenowi. Przypomnij mu, że ma złożyć raport z postępów prac po moim powrocie. I miej oczy szeroko otwarte. Schwytamy naszego człowieka od wirusa i pięć minut później jesteśmy w domu.

Klepnąłem go przyjacielsko w ramię i żeby uniknąć kontynuowania rozmowy, wsiadłem do kabiny. Kaprale przeprosili grzecznie stojącego w drzwiach Kurcewicza i raźno wskoczyli na pokład. Cupryś taszczył pokaźnych rozmiarów brezentową torbę turystyczną, niewiele mającą wspólnego z wojskowymi standardami.

Jeszcze podczas startu widziałem, jak kapitan stoi na lądowisku i wpatruje się w helikopter.

Czytałem kiedyś parę relacji z wrześniowych walk. Jednym z powtarzających się motywów była piękna pogoda, która ułatwiała wykonanie zadań niemieckim lotnikom i pancerniakom. Mogę potwierdzić – mimo że przed chwilą wybiła dopiero szósta rano, słońce było już całkiem wysoko na niebie, a temperatura z pewnością niewiele mniejsza od dwudziestu stopni.

Gdy wznieśliśmy się nieco nad obóz, przez sekundę, zanim Wieteska w swoim stylu dał cały gaz, mogłem osobiście ocenić jakość maskowania. Była bez zarzutu, nawet z bliska niewiele dało się dostrzec. Miałem nadzieję, że batalion pozostanie nieodkryty do mojego powrotu.

Gdy już kapitan ustawił śmigłowce na kursie do Warszawy i osiągnął prędkość przelotową – dwieście siedemdziesiąt kilometrów na godzinę – odwróciłem się do Galasia i powiedziałem:

– No, kapralu. Udało się nawiązać łączność z kwaterą Naczelnego Wodza?

– Tak jest. Nawet nie miałem specjalnych kłopotów. Chyba się trochę zdziwili, że używam ich szyfru, ale zapowiedź misji przyjęli gładko. Oczywiście powiedziałem, że już lecimy, bo z Anglii jest trochę dalej do Warszawy niż stąd…

– W porządku. Mamy ponad godzinę. Gadaj o tym planie.

Galaś posłusznie sięgnął do plecaka i wyciągnął wspomnianą już mapę „co by było, gdyby". Cały teren przedwojennej Polski upstrzony był dziesiątkami symboli jednostek wojskowych, które składały się w grupy operacyjne, armie i fronty.

– Pan uważa, panie pułkowniku – powiedział kapral belferskim tonem, na co zresztą nie zwrócił najmniejszej uwagi. – Najważniejszą sytuację mamy na zachodzie. Tu są trzy polskie armie: „Poznań", „Łódź" i „Prusy". Bije się tylko „Łódź", a Wołyńska Brygada, z którą współpracujemy, jest właśnie z tej armii. Ta biedna armia „Łódź" ma cztery dywizje i dwie brygady kawalerii i wzięła na siebie w zasadzie całe uderzenie od zachodu. Armia „Poznań" stoi bezczynnie w Wielkopolsce, a armia „Prusy" dopiero się zbiera koło Piotrkowa. Zaraz będziemy pewnie nad nią przelatywali. Cztery dywizje się biją, a jedenaście się przygląda. Wszystko to jest jedna wielka kicha. Trzeba rozwiązać armię „Prusy", trzy dywizje i brygadę kawalerii z dwoma batalionami czołgów oddać armii „Łódź", a resztę dywizji wycofać na Wisłę i San. I czym prędzej zmontować uderzenie armii „Poznań" na północne skrzydło Niemców. Jak my jeszcze wykosimy do końca ten korpus pancerny, a potem korpus lekki, to armie „Poznań" i wzmocniona do siedmiu dywizji i trzech brygad „Łódź" powinny sobie dać radę z niemiecką ósmą armią i lewym skrzydłem dziesiątej. I wtedy można zmontować całkiem silną obronę na Wiśle i Sanie, bo zanim się Szkopy uporządkują, minie ze dwa tygodnie. Problem jest raczej na północy… – Zafrasował się.

– No? – zachęciłem go.

– No nic, panie pułkowniku – odparł. – Wszystkiego nie damy rady. Ale też można podpowiedzieć marszałkowi to i owo, zanim Guderian zdąży z Pomorza…

Gawędząc sobie w ten sposób, spędziliśmy podróż niezwykle pożytecznie. Można powiedzieć, że pod koniec lotu byłem ekspertem w kwestii prawidłowego ustawienia naszych wojsk. Wieteska nie meldował żadnych przeszkód, o ile mnie słuch nie mylił, na razie nikt do nas nie strzelał, pruliśmy równo piętnaście metrów nad ziemią. Cupryś nerwowo kręcił się w fotelu. Wyglądało na to, że bardzo nie lubi latać, a już na pewno nie z Wieteską. Poluzowywał kołnierzyk munduru, głośno wzdychał, siedemnaście razy sprawdzał, czy pod fotelem nadal tkwi brezentowa torba. Prezenty w niej miał dla tej swojej rodziny?

Wyjrzałem przez bulaj i intuicja wzmocniona widokiem kilku słupów unoszącego się w niebo dymu powiedziała mi, że zbliżamy się do celu naszej podróży.

Uzgodniliśmy przed startem, że wlecimy do Warszawy dokładnie od południowego zachodu, na wysokości lotniska Okęcie, wzdłuż funkcjonującej do dzisiaj szosy krakowskiej, po czym polecimy dalej, trzymając się ulicy Żwirki i Wigury. Po trzech kilometrach znajdziemy się nad Polem Mokotowskim, czyli właściwie na miejscu. Postaramy się wylądować na rogu alei Niepodległości i Rakowieckiej, bo tam, według relacji Galasia, mieścił się punkt dowodzenia marszałka.

Polscy artylerzyści raczej nie byli o nas poinformowani albo po prostu strzelali do wszystkiego w zasięgu wzroku, bo mniej więcej od Okęcia znowu zobaczyłem obok śmigłowców pierzaste obłoczki. Mniejsze niż wczoraj, kiedy ostrzelała nas nad Mokrą niemiecka artyleria, ale w znacznie większej ilości – najwyraźniej działa były mniejszego kalibru, za to bardziej szybkostrzelne. Na szczęście ówczesna technika nie pozwalała na szybkie obracanie luf, toteż, choć nawet według ówczesnych standardów nie lecieliśmy wcale szybko, szczęśliwie nikt nas nie trafił. Wieteska konsekwentnie trzymał się taktyki lotu tuż ponad dachami budynków i drzew.

Warszawa robiła niesamowite wrażenie. Było to w końcu moje rodzinne miasto, ale nie mogę powiedzieć, że poznawałem każdy kąt. Ulice były wąskie, przeważnie wybrukowane kocimi łbami, części znanych mi ulic w ogóle nie mogłem się dopatrzeć. Im bliżej centrum, tym zabudowa robiła się bardziej zwarta, ale ogólnie miasto sprawiało wrażenie chaotycznie rozrzuconych skupisk zabudowań, dość luźno powiązanych drogami. Po ulicach chodziło sporo ludzi, jeździły dorożki i samochody. Gdyby nie kilka pożarów, w ogóle nie miałbym wrażenia, że jest wojna.

Wieteska też znał miasto, więc pozostawiłem mu nawigację. Chyba się jednak trochę zagapił albo zafascynował go widok za oknem, bo polecieliśmy zdecydowanie za daleko. Dojrzałem znajome dachy i mruknąłem:

– Szukasz Naczelnego Wodza na Nowym Świecie?

– Piękny, nie? – Wieteska nie okazywał skruchy. – Nawet nie wiedziałem, że tamtędy tramwaje jeździły.

Utkwiły mi w pamięci równiuteńkie chodniki i wesołe, kolorowe neony, reklamujące niezliczoną liczbę restauracji, nocnych klubów i teatrzyków variétés. Nocne życie, przy odpowiednich zasobach finansowych, musiało być w tym mieście czymś fascynującym.

Helikoptery zawróciły i pomknęliśmy nad Marszałkowską w stronę Mokotowa. Ludzie na ulicy – a ruch był ogromny – zadzierali głowy, niektórzy nawet machali rękami. Schludne, czyste ulice, zadbane domy, autobusy, tramwaje – wszystko to wydało mi się z jednej strony egzotyczne i dalekie, z drugiej – właśnie teraz uświadomiłem sobie z całą ostrością, jak wiele mamy wspólnego z tymi ludźmi i z tą wojną. Zacząłem żałować, że nie wziąłem ze sobą Kurcewicza.

Kierując się bardziej instynktem niż przekonaniem, Wieteska skręcił w prawo, uznając, że jesteśmy na wysokości Pola Mokotowskiego. Przeskoczyliśmy jego skrajem, lecąc wzdłuż alei Niepodległości. Galaś z Cuprysiem byli tak przyklejeni do szyby, że bałem się, iż ją wypchną i wylecą na zewnątrz.

Róg alei Niepodległości i ulicy Rakowieckiej wyglądał kompletnie inaczej niż dziś. W pewnym sensie był to skraj miasta. Pole Mokotowskie pełniło nawet swego czasu rolę lotniska, a tuż przed wojną, o ile się nie mylę, znajdował się tam tor wyścigów konnych. Dzisiejsza ulica Batorego nie została jeszcze zbudowana.

Wieteska wybrał na lądowisko spory kawałek bezdrzewnego terenu, oddalony od celu naszej wizyty może o trzysta metrów. Oba śmigłowce bez specjalnych trudności usiadły w upatrzonym miejscu. Nawet z tej odległości widać było, że przed okazałym budynkiem, okolonym solidnym ogrodzeniem, który, jak przypuszczałem, był celem naszej podróży, ruch panuje jak w ulu. Dziesiątki oficerów przyjeżdżało, odjeżdżało, w pośpiechu wchodziło do środka. Praca wojenna wrzała na całego.

Dopiero teraz zauważyłem, że na skraju lądowiska zainstalowane jest stanowisko działa przeciwlotniczego. Długa, lejkowato zwieńczona lufa celowała w nas całkiem niedwuznacznie, a obsługa wyglądała, jakby zaraz miała nacisnąć spust. Nieco z boku stało kilku oficerów w asyście drużyny piechoty, również z bronią gotową do strzału.

Sympatycznie się zaczyna.

Popatrzyłem na swój ciemnozielony mundur pokryty maskującymi ciapkami, na zaklejone taśmą samoprzylepną wykaligrafowane nazwisko na lewej piersi, które nijak nie wskazywało na mnie jako na tajnego wysłannika rządu Jej Królewskiej Mości, i doszedłem do spóźnionego wniosku, że pomysł z wyprawą do Warszawy był zgoła idiotyczny.

Łopaty wirnika zaczęły wyhamowywać swój bieg. Galaś gapił się na mnie jak sroka w gnat, zapewne uważając, że w ten sposób dodaje mi otuchy. Uświadomiłem sobie, jak mocno i szybko – niemal obijając się o żebra – bije mi serce. Wieteska wychylił się z kabiny, spojrzał na mnie uważnie i zapytał:

– Może pójdę z tobą?

– Nie – powiedziałem przez zaciśnięte gardło. – Zostań przy śmigłowcach. Ktoś może chcieć je zarekwirować, może być nalot, trzęsienie ziemi, cokolwiek. Musisz pilnować interesu. Mam ze sobą krótkofalówkę, więc postaram się być w kontakcie. Gdyby jednak coś się stało... – Spojrzałem na zegarek. – Masz za dwie godziny, punktualnie o dziewiątej piętnaście, odlecieć do bazy.

– Co miałoby się stać?

– Nie wiem. Wszystko jedno. Jeżeli się w ciągu dwóch godzin nie skontaktuję, lecisz do Łapickiego i postępujecie zgodnie z rozwojem sytuacji. – Nie chciałem dopuścić do dalszej dyskusji, więc po prostu wziąłem teczkę z mapą i dokumentami, włożyłem na głowę hełm i położyłem dłoń na klamce. – Aha, Cupryś. Masz być z powrotem w ciągu dwóch godzin. Nie ma cię – odlatujemy. Jasne?

– Tak jest – odpowiedział jak zwykle, ale jakoś nie zwróciłem uwagi na fakt, że nie zachowywał się jak zwykle. Był wyraźnie zdenerwowany.

– No – podsumowałem w stylu Nikodema Dyzmy, szarpnąłem za rączkę i wysiadłem.

4.

Grupka oficerów otoczona drużyną asystencyjną stała w takiej odległości od śmigłowca, żeby podmuchy nie zwiały im rogatywek, ale jednocześnie aby możliwe było otwarcie skutecznego ognia, gdyby sprawy – z ich punktu widzenia – poszły nie tak. Gdy wysiadłem z kabiny i powoli ruszyłem w ich stronę, kilkanaście par oczu obserwowało uważnie każdy mój ruch, czekając na najmniejszą oznakę wrogości. Mając powyższe na uwadze, starałem się nie oddychać zbyt głęboko, aby ruchów klatki piersiowej nie wzięli za próbę ataku. Długolufa pelotka mierzyła w sam środek helikoptera Wieteski. Nawet gdyby kapitan dał cały gaz i próbował poderwać maszynę, artylerzyści z pewnością zdążą w niego wpakować kilkanaście pocisków kalibru – o ile mnie wzrok nie mylił – 40 milimetrów, co nawet dla takiego smoka jak Mi-24 mogło stanowić pewien problem.

Coraz bardziej skłaniałem się ku przypuszczeniu, że pomysł z wizytą u Naczelnego Wodza był, oględnie mówiąc, nie do końca przemyślany.

Porzuciłem jednak przelotną myśl, aby, nie bacząc na konsekwencje, odwrócić się na pięcie, wskoczyć do helikoptera, krzyknąć „gazu" i zwiać gdzie pieprz rośnie. Nawet zakładając, że uszlibyśmy z życiem, śmiechom w obozie nie byłoby końca.

Więc nieznacznie przyspieszyłem kroku, podszedłem do stojącego na czele grupy oficera w randze pułkownika i powiedziałem po angielsku:

– Panie pułkowniku! Melduje się podpułkownik John Smith, wysłannik rządu Jejgo Królewskiej Mości do Marszałka Śmigłego-Rydza.

Zupełnie nie miałem pojęcia, czy tak powinien wyglądać prawidłowy meldunek według obowiązujących regulaminów. Jednak nie sądzę, że zaskoczenie malujące się na twarzach wszystkich bez wyjątku członków komitetu powitalnego było spowodowane nieprawidłowościami przy powitaniu. Wzrok mieli wbity w stojące za mną maszyny. Prawie było mi ich żal.

Jednak oficer ocknął się w końcu i z wahaniem w głosie powiedział, a stojący obok porucznik, zacinając się i jąkając z wrażenia, przetłumaczył:

– Pułkownik Józef Jaklicz, zastępca szefa Sztabu Naczelnego Wodza. Powiedziano nam, że przybędzie delegat rządu brytyjskiego…

– Jestem pracownikiem Ministerstwa Wojny i przybywam do panów, aby omówić kwestię pomocy waszemu krajowi w sytuacji, gdy trzymacie na sobie cały ciężar uderzenia niemieckiego – improwizowałem na całego, ale musieli chyba wziąć moje gadanie za dobrą monetę, bo na ich twarzach pojawił się wyraz zrozumienia połączonego z widoczną ulgą.

– Rozumiem – powiedział Jaklicz. – Cóż to za maszyny? – Wskazał na helikoptery.

– Ach, to najnowsze konstrukcje fabryki Vickersa. Trzęsą jak cholera, ale mają duży zasięg i tę zaletę, że nie wymagają pasa startowego – starałem się zbagatelizować sprawę. Nie chciałem, aby na razie zbytnio zagłębiali się w temat.

– Niebywałe. – Pokręcił głową. – Spodziewaliśmy się pana w samolocie, a nie w takim aparacie… Lecieliście nad Niemcami?

– Nie. Ruszyliśmy z Francji, potem lecieliśmy nad Belgią, Holandią, Danią i Bałtykiem.

– Długa trasa…

– Bardzo. Niemniej moja misja jest jak najbardziej poważna, panie pułkowniku. – Przybrałem nieco ostrzejszy ton, aby dać do zrozumienia, że nie mam najmniejszego zamiaru więcej mitrężyć czasu na błahe rozmówki o niczym. – Więc może jednak pójdziemy na spotkanie z marszałkiem. Muszę niezwłocznie wracać do Londynu.

– Oczywiście. – Jeżeli jeszcze się wahał, ukrył to starannie.

Zupełnie dobrze go rozumiałem: na Polach Mokotowskich powinien wylądować samolot, możliwie mały i możliwie szybki. Anglia jeszcze nie była w stanie wojny z Niemcami, ale rzeczywisty wysłannik, mający ustalić z polskim Naczelnym Wodzem zasady wspólnego prowadzenia wojny, z pewnością nie powinien się Niemcom rzucać w oczy. A helikoptery nie były najbardziej dyskretnym środkiem lokomocji ze względu na swoją, jak by to powiedzieć: awangardowość? Futurystyczne kształty? Sprawa była dziwna, ale Galaś miał rację. Waga bezpośredniego wysłannika od ważnego sojusznika była tak znaczna, że zgromadzeni oficerowie przymknęli oko na bzdury i nielogiczności naszego kamuflażu. I nie zapytali o dokumenty.

Poszliśmy w stronę masywnego budynku, stojącego w miejscu dzisiejszej siedziby SGGW. Idący obok ludzie albo dyskretnie, albo całkiem otwarcie taksowali mnie wzrokiem. Im bliżej budynku Kwatery Głównej, tym gęściejsza siatka patroli żandarmerii i wojska. Jednak nikt nas nie zatrzymywał. Wojsko wyglądało na dobrze wyposażone i umundurowane: głębokie, baniaste hełmy, zgniłozielone mundury, na oko wyciągnięte prosto z magazynu, bardzo porządne skórzane buty i ryglowe karabiny – dla mnie anachroniczne, ale niewątpliwie potrafiące skutecznie zabijać. Nie widziałem jakichkolwiek oznak załamania czy przygnębienia. Może jeszcze nie dotarło do nich, jak poważna jest sytuacja na frontach. Doszliśmy do sporego, trzypiętrowego budynku, bez wątpienia niedawno oddanego do użytku. Miał jasną elewację i nowe, pięknie pomalowane okna. Przed budynkiem parkowała spora liczba samochodów osobowych i motocykli. Moja asysta wylegitymowała się strażnikom i weszliśmy do środka. Po przeciwnej stronie ulicy stała budowla, którą znałem bardzo dobrze: do dziś istniejąca siedziba Szkoły Głównej Handlowej.

– Pan pozwoli, że poprowadzę – powiedział Jaklicz przy wejściu.

– Oczywiście – odparłem.

Weszliśmy w długi korytarz, po którym przemieszczały się tłumy wojskowych – od szeregowców po dwugwiazdkowych generałów włącznie. Każdy niósł powierzoną mu sprawę z namaszczeniem i miną świadczącą o śmiertelnie poważnym traktowaniu obowiązków. Chyba im się wydawało, że to sztaby wygrywają wojny, tak przejęci byli swoją rolą. W połowie korytarza znajdowała się klatka schodowa. Prowadziła w dół. Zeszliśmy po betonowych schodach dwie kondygnacje, co uważałem za całkowicie zrozumiałe i logiczne. Kwatera Główna powinna być zabezpieczona przed byle nalotem.

Poszliśmy dalej betonowym korytarzem, kiepsko oświetlonym gołymi żarówkami. Po lewej stronie znajdował się długi szereg drzwi, zza których, pomimo ich sporej grubości, słyszałem dzwonki telefonów, stukanie telegraficznych kluczy i podniesione głosy rozmów.

– Spory ruch tu macie – zauważyłem. – To wszystko Sztab Naczelnego Wodza?

– Tak, oczywiście – powiedział, ale miałem wrażenie, że nie chce rozmawiać na ten temat. – Uderzycie? – zapytał wprost. – Razem z Francuzami?

– To skomplikowana sprawa, panie pułkowniku – odparłem, licząc na to, że dojdziemy do celu, zanim będę zmuszony mu powiedzieć, że nie uderzymy. Konkretnie, to Anglicy nie uderzą. – W każdym razie jutro Anglia wypowie Niemcom wojnę. Wyjaśnię to bardziej szczegółowo w obecności pana marszałka.

– Oczywiście. Jesteśmy już zresztą na miejscu.

Otworzył drzwi i weszliśmy do niewielkiego pomieszczenia, w którym kilku oficerów pochylało się nad sporym stołem, studiując rozłożone mapy. Jaklicz stanął na baczność i zameldował:

– Panie marszałku, melduję posłusznie, że przybył specjalny wysłannik rządu Jej Królewskiej Mości, podpułkownik John Smith.

Zgromadzeni przy stole oficerowie wyprostowali się i popatrzyli na mnie uważnie. Nie bardzo pamiętałem z historii, jak wyglądał marszałek, ale zanim zdążyłem popełnić jakąś nieodwracalną gafę, niewysoki – co najmniej głowę niższy ode mnie – facet z marszałkowskimi dystynkcjami rzekł:

– Witam. Pańska wizyta jest dużą niespodzianką dla nas wszystkich.

Uścisnąłem wyciągniętą dłoń. Miałem niewątpliwą i niedostępną dla mojego pokolenia okazję bezpośredniej rozmowy z człowiekiem, który wywarł wielki wpływ na pewien fragment naszej historii. Od wczoraj zdołałem się trochę oswoić z myślą o pobycie w czasach moich dziadków, ale stojąc przed nieżyjącym od sześćdziesięciu sześciu lat marszałkiem Rydzem-Śmigłym, czysty surrealizm sytuacji znów odczuwałem ze zdwojoną siłą.

Stał przede mną – niewysoki, łysy jak kolano, trzymający się prosto. Miał bardzo regularne rysy twarzy i był, o ile się znam na męskiej urodzie, całkiem przystojny. Szare oczy patrzyły śmiało. Czuło się w tym człowieku władzę i autorytet. Ale wyczytałem z jego twarzy także trudno uchwytne zmęczenie i obawę. Może poczucie odpowiedzialności, przekraczające siły jednego człowieka? Napływające z frontów meldunki jeszcze nie zdążyły załamać koncepcji prowadzenia wojny, ale niewątpliwie już przysparzały wszystkim sporo zmartwień – całkiem wystarczająco, aby zacząć się obawiać o losy kraju.

– To generał Stachiewicz, szef Sztabu Naczelnego Wodza – przedstawił marszałek swoich oficerów – pułkownik Kopański, szef Oddziału III Sztabu. Pułkownika Jaklicza pan już zna.

– Tak jest.

– A więc przybywa pan z Anglii…

– Nie, panie marszałku – powiedziałem po polsku. Nastąpił właśnie ten moment. Cokolwiek bym wymyślił, żeby ta rozmowa miała jakikolwiek sens, muszę powiedzieć prawdę. – Nie, panie marszałku – powtórzyłem wśród martwej ciszy. – Przybywam do panów z misją specjalną rządu polskiego… z roku dwa tysiące siódmego.

Granat wybuchający pod stołem nie spowodowałby większego zaskoczenia. Bez tłumacza zaczęli rozumieć słowa, ale treści, którą te słowa niosły – ani trochę. Marszałek i towarzyszący mu oficerowie patrzyli w niemym zdumieniu, więc skorzystałem z okazji i mówiłem dalej, wychodząc ze słusznego założenia, że im więcej zdążę powiedzieć, zanim się ockną, tym lepiej dla mnie.

– Dowodzę specjalną jednostką Wojska Polskiego, przysłaną przez nasz rząd z roku dwa tysiące siódmego, na pomoc panu marszałkowi i naszemu krajowi. Przybycie moje i moich żołnierzy do roku trzydziestego dziewiątego było możliwe dzięki specjalnemu wynalazkowi, który pozwala na podróże w czasie nawet całkiem sporym oddziałom. Moja jednostka jest ugrupowana w tej chwili dwanaście kilometrów na południowy zachód od wsi Mokra, pod którą wczoraj walczyła z niemiecką 4 Dywizją Pancerną Wołyńska

Brygada Kawalerii. Dziś w nocy tę dywizję rozbiliśmy, dzięki czemu wyłom we froncie został zlikwidowany.

Czy mogłem się dziwić grobowej ciszy, która zapadła w pokoju?

Wbrew ich wiedzy, zdrowemu rozsądkowi i logice, pojawia się przed nimi człowiek, który urodzi się dopiero za trzydzieści lat, przylatuje futurystyczną maszyną, dowodzi oddziałem wojskowym, którego nie ma w żadnych, nawet najbardziej tajnych wykazach kwatermistrzowskich, i wymądrza się na temat poprawiania historii. I liczy na to, że mu uwierzą.

W ich czasach jest już co prawda od kilku dziesięcioleci znana książka Wellsa „Wehikuł czasu", ale nie byłem do końca pewien, czy powoływanie się na tę pionierską powieść z gatunku science fiction było najlepszym wyjściem z sytuacji.

Moja gadanina trwała na tyle długo, że zdążyli się ocknąć i spoglądali zarówno po sobie, jak i na mnie z tak wyraźnym niedowierzaniem i niezrozumieniem, że gdyby nie powaga chwili, byłoby to całkiem zabawne.

Marszałek najwyraźniej nie otrzymał swojego stanowiska wyłącznie dzięki protekcji, bo pierwszy się otrząsnął i odzyskał głos:

– Pan nie przylatuje z Anglii? – zapytał, starając się pomału, metodą kolejnych przybliżeń, uporządkować fakty.

– Nie. Przybywam z przyszłości.

I gadam jak postać z komiksu!

– Z przyszłości? – upewnił się marszałek.

– Tak.

– Podróże w czasie nie są możliwe, drogi panie…

– Są możliwe, panie marszałku. Dzięki specjalnej maszynie, która wykorzystuje w praktyce teorię względności Alberta Einsteina. Skonstruowano ją na początku dwudziestego pierwszego wieku. W ten sposób było możliwe moje zjawienie się u panów. A mojej jednostki pod Mokrą.

Tylko delikatny szum wentylatorów zakłócał martwą ciszę. Miałem wrażenie, że w pomieszczeniu panuje nieziemski upał. Czułem na sobie kilka par tak intensywnie wpatrujących się we mnie oczu, jakby spojrzenia były czymś fizycznym.

Coś musiałem zrobić. I to szybko!

Z prawej kieszeni na piersi wyciągnąłem podniszczoną książeczkę.

– Proszę, panie marszałku. Oto moja legitymacja wojskowa.

Żaden z nich nie wyciągnął ręki. Może po prostu bali się, że jakikolwiek cielesny kontakt z rzeczą, która należy do mnie, każe im bezpowrotnie uwierzyć, że to jawa. Nie sen.

W końcu Jaklicz podszedł, sprawiając przy tym wrażenie, jakby widział mnie pierwszy raz w życiu, i ostrożnie wziął dokument. Zaczął go niespiesznie kartkować. Musiałem mieć podobną minę wczoraj, gdy oglądałem ausweisy Bregnitzów.

– Podpułkownik Jerzy Grobicki. Urodzony drugiego grudnia tysiąc dziewięćset siedemdziesiątego pierwszego roku. Ostatni awans: trzydziesty sierpnia dwa tysiące siódmego roku. Ostatni przydział: Piąta Brygada Pancerna z L. Przecież L. leży w Niemczech? – Spojrzał na mnie.

– Po wojnie wróciło do Polski.

Znowu zapadła męcząca cisza. Jaklicz podał legitymację marszałkowi. Ten obejrzał ją starannie. Parę razy zerkał na mnie uważnie, po czym wracał do lektury. W ciszy słychać było natarczywe buczenie wentylatorów i szelest przewracanych kartek.

W końcu zamknął książeczkę i trzymając ją w ręku, powiedział:

– Pan rozbił dywizję pancerną?

– Tak. Dziś w nocy.

– A pana jednostka jest…

– Za frontem. Tuż za naszą granicą.

– Rozumiem. Jak silna ta jednostka?

– Wzmocniony batalion.

No, tu mnie miał. Mogłem sobie gadać o podróżach w czasie i tajnych misjach polskiego rządu, powołanego do życia za sześćdziesiąt lat, ale rozbijanie dywizji pancernej przy pomocy batalionu było dowodem na to, że łżę jak pies i każda minuta więcej spędzona na rozmowie ze mną będzie zbrodniczą stratą czasu.

– Pan wybaczy, panie pułkowniku, ale nie jest możliwe, aby zniszczyć dywizję pancerną siłą batalionu. Nie uwierzymy w to wszystko…

– Oczywiście, panie marszałku, to się może wydawać nieprawdopodobne. Tu ma pan zestawienie sprzętu i uzbrojenia będącego na wyposażeniu batalionu.

Podałem mu wyjęty z teczki dokument otrzymany trzy dni temu od Dreszera. Bardzo starannie i klarownie przedstawiono w nim skład oddziału, wymieniając szczegółowo wszystkie detale, łącznie z kalibrami dział i rakiet, danymi taktyczno-technicznymi sprzętu i stanem zapasów. Do dokumentacji dołączyłem szereg zdjęć, które nad ranem Galaś wykonał aparatem cyfrowym, a następnie wydrukował, korzystając ze znakomicie wyposażonego laboratorium w MDS-ie.

Lektura dokumentu trwała dość długo, bo, jak rozumiem, był on dla marszałka dziełem fascynującym. Skorzystałem z ciszy i powiedziałem:

– Nie musi mi pan wierzyć na słowo. Proszę rozkazać połączyć się z generałem Rómmlem. Powinien mieć już meldunki od pułkownika Filipowicza o naszych nocnych działaniach. Umieściłem w sztabie brygady dwóch łącznościowców z radiostacją, więc odbierają meldunki z mojego sztabu i przekazują pułkownikowi na bieżąco przebieg działań batalionu. Ułani z brygady właśnie czyszczą teren nocnej bitwy.

Mówiłem pewnym tonem, głośno i wyraźnie. Słowa z pewnością do nich docierały, były zrozumiałe i jasne, ale przecież musieli to traktować jak bajkę, jako chwilowe zaćmienie umysłu, jako gwałtowny przypływ koszmarów sennych na jawie. Jednak marszałek oderwał się od lektury i nieznacznie skinął głową Kopańskiemu, który bez słowa wyszedł z pokoju. Odprowadziłem go wzrokiem i kontynuowałem:

– Po prostu, panie marszałku, dysponuję techniką wojskową daleko potężniejszą niż najnowocześniejsze obecnie rozwiązania. Przyleciałem aparatem, który stoi trzysta metrów stąd. Gdyby zechciał pan pójść ze mną i go obejrzeć, zobaczy pan, że to, co mówię, jest prawdą. Zresztą pułkownik Jaklicz już widział…

Marszałek spojrzał pytająco na Jaklicza, który niezbyt pewnym głosem powiedział:

– Tak jest, panie marszałku, pan pułkownik przyleciał dwoma maszynami, które mogą lądować pionowo, bez potrzeby używania pasa startowego, mają ogromne, poziome śmigła, większe niż jakikolwiek samolot. A pod skrzydłami takie dziwne pociski…

– Rakiety – dorzuciłem. – Czyli pociski z własnym napędem, szybsze i celniejsze od granatów artyleryjskich.

– Rakiety. I pod kabiną podwieszony pięciolufowy karabin maszynowy…

– Kalibru dwadzieścia pięć milimetrów – znowu wpadłem mu w słowo. – Strzelający przeciwpancernymi pociskami, które rozprują każdy pancerz.

– Pan przybywa z przyszłości, powiada pan – przerwał tę interesującą wymianę zdań marszałek. Oddał mi raport, słuchał tego, co mówimy, ale myślami krążył chyba dość daleko od ciasnego i dusznego, betonowego pokoju. – Dobrze pana zrozumiałem?

– Tak jest. Z roku dwa tysiące siódmego.

– Wojna już się skończyła?

– Tak.

– A zatem przybywa pan z czasów, można rzec, powojennych?

– Tak, panie marszałku.

– No dobrze. – Zastanowił się przez chwilę. – Na razie pominę, jak to jest technicznie wykonalne. Mówi pan, że jakiś aparat to umożliwia, więc niech będzie. Ale może pan powiedzieć, jak się wojna skończyła?

Dobre pytanie. Przecież nasza ingerencja już zmieniła bieg historii znanej z podręczników. Jeżeli będziemy dalej tak skuteczni, to wojna się skończy za dwa tygodnie zatknięciem biało-czerwonej flagi na Reichstagu.

Ale postanowiłem przedstawić wersję zapisaną w podręcznikach historii, aby jednak nie robić wykładu na temat przebiegu całej II wojny światowej, ograniczyłem się do obecnej kampanii, siłą rzeczy najbardziej interesującej tych ludzi.

– Niestety, panie marszałku. Przegraliśmy ją.

To ich ruszyło. Zaczęli szeptać między sobą, spoglądać na mnie i na marszałka. Może potwierdziłem ich najgłębsze obawy?

– Przegraliśmy? – zapytał. – A Zachód?

– Nie uderzył. – Pokręciłem głową. – Anglia i Francja wypowiedzą jutro Niemcom wojnę, ale działania wojenne ograniczą się do zrzucania ulotek nad Linią Zygfryda…

– Niemożliwe – zaperzył się marszałek. – Mamy zobowiązania, mamy deklaracje pomocy, mamy obietnice dostaw sprzętu.

– Przykro mi. Oni nie dotrzymają zobowiązań. Mało tego. Na podstawie tajnego układu pomiędzy Niemcami a Sowietami z dwudziestego trzeciego sierpnia Sowieci wkroczą siedemnastego września na teren Polski i zajmą przeszło pół kraju. Po Bug. Przez Rumunię i Węgry zdoła się do Francji przedostać może sto tysięcy naszych żołnierzy – bez broni, bez sprzętu, bez dowódców.

– To niemożliwe! Sowieci? A jaki oni mają powód, aby na nas napadać?

– Taki sam jak dwadzieścia lat temu, panie marszałku. Pozwolili Hitlerowi rozpętać tę wojnę i czekają spokojnie, aż się weźmie za łeb z Zachodem. A na Zachód bliżej znad Bugu niż znad Prypeci.

To było logiczne. Dobrze wiedzieli, że Sowieci czekają tylko na okazję, aby ponieść sztandar rewolucji na Zachód przez trupa „bękarta traktatu wersalskiego", czyli Polskę. O ile pamiętam, przygotowania wojenne II Rzeczypospolitej przede wszystkim obrócone były na wschód. Dla tych ludzi, weteranów wojny z 1920 roku, zagrożenie bolszewickie było całkowicie realne. Czyli wcale nie opowiadałem herezji.

Marszałek westchnął głęboko, uspokoił ruchem ręki rozdyskutowanych oficerów i powiedział:

– Zatem wygląda na to, że oddział pana pułkownika jest naszym jedynym poważnym sojusznikiem na Zachodzie, czy tak? – Uśmiechnął się smutno.

– W pewnym sensie tak, panie marszałku. Przybyłem właśnie po to, abyśmy mogli omówić plan działań na najbliższe dni, korzystając z mojej znajomości realiów tej wojny, które panom, z całym szacunkiem, nie są do końca znane. I abyśmy uwzględnili w tych kalkulacjach wykorzystanie mojego batalionu.

Nie wiem jakim cudem, ale przyjęli mnie i moją rzekomą misję jako fakty. Może tak bardzo rozpaczliwie potrzebowali nadziei, że wbrew rozsądkowi, ryzykując oskarżenia o utratę zdrowia psychicznego, postanowili zaakceptować oferowaną pomoc. Sądzę, że każdy człowiek, postawiony w normalnych warunkach przed taką jak oni sytuacją, uznałby ją za halucynację, a mnie w najlepszym razie za wariata. Ale warunki nie były normalne, więc marszałek zapytał:

– Jaka jest zatem pańska propozycja?

– Panie marszałku, proponowane przeze mnie działanie będzie wymagało od panów wielkiej elastyczności w podejściu do tematu, a także odwagi i wyobraźni, których wiem, że panom nie brakuje. Będzie wymagało bardzo szybkich i konsekwentnych decyzji. I niezależnie od tego, co się dalej stanie, musicie panowie pozostać na miejscu, w Warszawie, nawet jeżeli przejściowo Warszawa będzie oblężona. Stąd bowiem są zapewnione najlepsze środki łączności z armiami i tu jest najlepsze miejsce do kierowania oporem.

Śmigły kiwnął głową. Ciekawe, czy zgadzał się z argumentacją, czy po prostu chciał, żebym kontynuował. Otworzyłem trzymaną w ręku teczkę, wyjąłem przygotowaną przez Galasia mapę, rozłożyłem ją na stole i powiedziałem:

– To jest mapa proponująca ustawienie naszych jednostek w dniu pierwszym września. Czyli wczoraj. Ale ogólne założenia, zaznaczone, jak panowie widzą, kolorem niebieskim, są nadal aktualne. Przewidują natychmiastowe utworzenie trzech grup armii: północnej, środkowej i południowej. Wymagają od panów szybkiego zmontowania zwrotu zaczepnego armii „Poznań" i wzmocnienia armii „Łódź" kosztem sił armii „Prusy" na froncie środkowym, twardych decyzji ustalających bezwzględną obronę linii rzeki Narwi siłami pozostałych wojsk z armii „Pomorze", „Modlin", „Narew" i odwodu „Wyszków" na froncie północnym, a także pozostawienia części sił armii „Kraków" na Śląsku i uporczywej obrony tegoż, a wycofania reszty sił armii na linię Sanu. Z wszelkich pozostałych sił konieczne jest zmontowanie mocnej obrony na linii Sanu i Wisły. Rozegrana z pomocą mojego batalionu bitwa na froncie środkowym pozwoli zyskać czas na utworzenie obrony linii wielkich rzek. Jeżeli wojska będą twardo dawały Niemcom odpór, to jest szansa, że Sowieci nie wkroczą... Niemcy zapasów wojennych mają na góra półtora miesiąca intensywnych walk.

Jasno i klarownie to wykładał podpułkownik marszałkowi. Bez dwóch zdań był to dobry plan, pozwalający na zminimalizowanie strat polskich i porządne przetrzepanie Niemcom skóry. Nie rozwiązywał kwestii przewagi nieprzyjaciela w powietrzu i aktywności dwóch korpusów pancernych, których nie miałem szans dorwać – von Kleista na południu i Szybkiego Heinza, czyli Guderiana na północy – ale miał daleko realniejsze szanse powodzenia niż oryginalny plan marszałka i jego sztabu. Kwestią otwartą pozostaje, czy marszałek weźmie moje wywody za dobrą monetę.

Przez następne pół godziny trwała intensywna dyskusja. W jej trakcie przybył pułkownik Kopański, nachylił się do marszałka i dłuższą chwilę szeptał mu coś na ucho. Obaj zerkali w moją stronę, ale marszałek wyraźnie się rozluźnił. Moje racje – chwilowo nie zdradzałem się z faktem, że duża część omawianych tu strategicznych pomysłów była dziełem kaprala nadterminowego – były brane pod uwagę i analizowane. Ci ludzie niewątpliwie byli fachowcami – posługiwali się dla mnie niezrozumiałymi terminami, o alokacji wojsk mówili w kategoriach poruszania się piechotą – i dążyli do wypracowania planu, który pozwoliłby na odzyskanie inicjatywy. Całość utonęła jednak w nieco jałowej dyskusji. Stopniowo wyłączałem się z tej rozmowy.

Marszałek w końcu zakończył naradę i rzekł:

– Myślę, że pan generał Stachiewicz teraz się odmelduje i poleci opracowanie rozkazów do poszczególnych armii. Muszą one wyjść jak najszybciej. Trzeba koniecznie dopilnować, aby dotarły do dowódców. A pana pułkownika nie będziemy więcej trzymać, choć jest jeszcze bardzo dużo pytań, które chciałbym zadać.

– Oczywiście, panie marszałku, z przyjemnością na nie odpowiem. Po zwycięstwie. – Uśmiechnąłem się.

– No cóż, wydaje mi się, że nie powinienem podporządkowywać pana oddziału generałowi Rómmlowi, ale nakażę mu współdziałanie z panem. Jaki będzie pana następny ruch?

– Po moim powrocie uderzamy na 1 Dywizję Pancerną. Rano zlokalizowana była w okolicach Kłobucka. Chcę również przenieść bazę za naszą linię frontu. Po zniszczeniu 1 Dywizji chcę po południu marszem rokadowym przemieścić się na tyłach armii „Łódź" na północ i w nocy uderzyć na XIV Korpus Zmotoryzowany, w rejonie Wróblew-Skomlin. Dla nas najlepsza pora na atak to noc.

– Rozumiem – powiedział marszałek. – Życzę powodzenia.

– Dziękuję. Panom również – odparłem.

Gdy wychodziłem z kwatery marszałka, zdałem sobie sprawę, że tak naprawdę nie wiem, co dalej. Owszem, dyskutowali nad moimi pomysłami, ale poza enigmatycznym stwierdzeniem Rydza-Śmigłego, że należy przystąpić do opracowywania planu, nic więcej nie było wiadomo. Ani o koordynacji działań, ani o uderzeniu armii „Poznań". Tak jak przed wizytą, tak i teraz zdany byłem na siebie. Choć tak naprawdę, czego się spodziewałem? Właściwego użycia mojego batalionu przez tych ludzi? Podporządkowania go któremuś z wrześniowych generałów? Błyskotliwego, genialnego planu przekuwającego klęskę w zwycięstwo?

Chyba nie.

5.

Gdy doszedłem do helikopterów, Wieteska, Galaś i reszta lotników pochłonięci byli rozmową z grupą żołnierzy nominalnie mających swe stanowiska nieopodal. Obsługa działa przeciwlotniczego co prawda nadal przy nim tkwiła, ale miałem wrażenie, że najchętniej z takim samym zainteresowaniem jak reszta przysłuchiwałaby się wywodom kapitana. Nie wiem, co im opowiadał, ale słuchacze nie zwracali uwagi na otoczenie. Najprawdopodobniej awangarda niemieckiej dywizji pancernej, wjeżdżająca z biciem bębnów na Pole Mokotowskie, nie byłaby w stanie oderwać ich od wykładu.

Ja niestety musiałem.

– O, pan pułkownik – uśmiechnął się do mnie Wieteska przez tłum. W rezultacie nawet nie zdążyłem podsłuchać, o czym tak zajmująco opowiadał. – Witamy z powrotem. Czy wizyta u pana marszałka była udana?

Na dźwięk słowa „marszałek" żołnierze jakby mimowolnie stanęli na baczność. To się nazywa dyscyplina.

– Oczywiście, kapitanie – odparłem. – Bardzo udana. A teraz odlatujemy.

Słysząc to, otaczający helikopter żołnierze zaczęli się niechętnie rozchodzić w kierunku swoich stanowisk. Wieteska nachylił się do mnie i powiedział:

– Nie bardzo odlatujemy. Nie ma Cuprysia.

Spojrzałem na zegarek. Było dwadzieścia po dziewiątej. Jeżeli chciałbym być konsekwentny, powinniśmy właśnie rozgrzewać silniki.

– Nie dawał znaku życia? – zapytałem, choć wiedziałem, że kapral nie miał ze sobą żadnych środków łączności, przy pomocy których mógłby dać znak życia.

– Nie. Parę minut po twoim odejściu przebrał się w cywilne ciuchy i pobiegł tam. – Machnął ręką w stronę Śródmieścia.

– Cywilne ciuchy? – osłupiałem.

– No. Powiedział, że w mundurze będzie się za bardzo rzucać w oczy. Miał w tej torbie jakieś łachy, przebrał się i poszedł.

Czułem, że coś jest nie tak. To głupie, bo sam się zgodziłem na tę wyprawę, nawet uważałem ją za sensowną, ale spóźnienie kaprala bardzo mi się nie podobało. Czy chodziło o coś poważnego? Na przykład o dezercję?

Bez sensu. Po co dezerterować w sam środek wojny? Największe szanse wywinięcia się z awantury miał razem z batalionem. Osobno nie zdziała nic i powinien doskonale o tym wiedzieć.

Po raz pierwszy od dłuższego czasu nie miałem pomysłu, co dalej.

Życie postanowiło jeszcze bardziej utrudnić mi wybór. Usłyszałem zawodzący, niski dźwięk, jakby nagle zaczęło płakać stado oszalałych z rozpaczy słoni. Stojący obok śmigłowca żołnierze rozprysnęli się w poszukiwaniu schronienia. Zdaje się, że zaczynał się nalot. Sądząc po nerwowych ruchach obsady pelotki, bombowce prawdopodobnie zmierzały w naszą stronę.

Decyzja mogła być tylko jedna – natychmiastowy odlot. Na ziemi nie mieliśmy żadnych szans obrony, a prawdopodobieństwo trafienia w śmigłowce było spore. Już otwierałem usta, aby wydać rozkaż startu, kiedy zauważyłem nadjeżdżający od strony Śródmieścia z całkiem sporą prędkością mały, czarny samochód. Był to niewątpliwie model kolekcjonerski – gdybym bardziej znał się na samochodach, stwierdził-bym, że to polski fiat 508, rocznik 1936. Wehikuł ten sprawiał wrażenie, jakby zamierzał rozbić się o któryś ze śmigłowców, bo dystans malał gwałtownie, a prędkość – nie. W ostatniej chwili, kiedy zacząłem się rozglądać za jakąś prowizoryczna kryjówką, która pozwoliłaby mi przeżyć nieuchronną katastrofę, szofer zaczął hamować. O ABS-ie oczywiście wtedy nikt nie słyszał, ale mimo to samochód nawet nie wpadł w poślizg, w ostatniej chwili skręcił i zatrzymał się o włos od naszego śmigłowca.

Nawet nie zdawałem sobie sprawy, że w tamtych czasach – człowiek nad tyloma rzeczami się nie zastanawia – funkcjonowały w Warszawie taksówki. Tymczasem Cupryś po prostu zajechał sobie pod helikopter taryfą. Wyskoczył z niej jeszcze w biegu, wyszarpnął ze środka Nie Wiadomo Po Jaką Cholerę Zabraną turystyczną torbę i jednocześnie próbując zmienić cywilną koszulę na mundurową kurtkę, pofrunął w stronę wejścia do śmigłowca.

Działko przeciwlotnicze otworzyło ogień. Wyraźnie usłyszałem huk lotniczych motorów. Bez podnoszenia głowy mogłem zgadnąć, że nadlatuje co najmniej dywizjon bombowców.

Mimo to stałem przy drzwiach i czekałem, aż Cupryś wejdzie do środka. Spojrzał na mnie przelotnie i przyspieszył biegu. Nie-małże szczupakiem wskoczył do kabiny, a ja z hukiem zamknąłem za nim drzwi. Wieteski nie trzeba było dodatkowo motywować, bo już podczas hamowania taksówki z nieszczęsnym kapralem zaczął uruchamiać silniki, a teraz, gdy zajęliśmy miejsca w fotelach i przypięliśmy się pasami, poderwał maszynę i ruszyliśmy z kopyta na południowy zachód. Miałem jakieś dziwne przeczucie, że lot może tym razem nie przebiegać tak gładko jak nasze poprzednie przygody wojenne.

Samego nalotu nie widziałem, bo naprawdę szybko opuściliśmy rejon stacjonowania Naczelnego Wodza i Sztabu. Kapitan konsekwentnie trzymał się poziomu dachów, ale i tak miałem wrażenie, że jesteśmy w blasku wrześniowego słońca widoczni jak mucha na białej ścianie. Popatrzyłem na Cuprysia: był mocno zziajany i nie patrzył mi w oczy, całkowicie pochłonięty zmianą spodni. Wydawało mi się, że dostrzegłem błysk zadowolenia przebijający się całkiem wyraźnie przez warstwę strachu.

– Mieliście się zjawić na lotnisku dwie godziny po opuszczeniu helikoptera, kapralu – powiedziałem. – O mały włos nas nie zbombardowali przez wasze spóźnienie.

– Przepraszam, panie pułkowniku – wysapał Cupryś. – Bardzo przepraszam. Zanim żem znalazł ten dom... Warszawa naprawdę wygląda inaczej niż za naszych czasów. To śródmieście... nijak się nie można połapać gdzie, co i jak. No, ale w końcu znalazłem. Potem trzeba było przekonać rodzinkę, żeby się zwijała, a to też nie było łatwe. No i się późno zrobiło... dobrze, że tego taryfiarza znalazłem i na patriotyzm go wziąłem, bobym nie zdążył...

– I tak nie zdążyłeś. – Nie mogłem pozwolić, żeby miał zbyt dobre samopoczucie. – Zastanowię się w bazie, jaka kara byłaby odpowiednia. Może nawet podciągnę to pod niewykonanie rozkazu w czasie działań wojennych...

– Ależ panie pułkowniku – odezwał się Galaś w obronie kumpla, bo choć znał mnie dobrze, nigdy nie był pewien, kiedy mówię serio. – Tylko kwadrans...

– Aż kwadrans, kapralu – ciągnąłem – niewykonanie rozkazu...

Nie mogłem niestety skończyć zdania, bo śmigłowcem zatrzęsło jak jeszcze nigdy w historii moich wycieczek z kapitanem. Maszyna pochyliła się na bok, przez moment miałem nawet obawy, że potężne łopaty wirnika zawadzą o ziemię. Jednak Wieteska wyrównał lot. Wsłuchałem się w otaczający mnie huk silnika, który na moje niefachowe ucho brzmiał tak samo jak przedtem. Ale może się myliłem.

– Co to było? – zapytałem, walcząc z nudnościami. Kaprale byli bladzi jak papier.

– Znowu artyleria, ale tym razem większego kalibru – odpowiedział kapitan. – Było blisko...

– Nasza?

– Nasza.

– Wszystko okej?

– Możliwie. Trochę mi się silnik zaczął grzać... – urwał.

– Co jest?

– Nic takiego. Chyba mamy gości.

Wyjrzałem przez bulaj, ale miałem bardzo ograniczony zasięg widzenia, więc nie dostrzegłem niczego niepokojącego poza rozmazanym krajobrazem, przesuwającym się z dużą prędkością piętnaście metrów pod moim siedzeniem.

– Nie widzę.

– Pewnie, że nie widzisz. Są dwa kilometry nad nami. Sporo ich, bombowce i myśliwce. Raczej nie nasze, bo szybko lecą, i to na wschód.

– Widzą nas?

– Chyba nie. – Zamilkliśmy, żeby zbędnym gadaniem nie sprowokować nieprzyjaciela. – Jednak nas zobaczyli. Część myśliwców oderwała się od formacji i leci w naszą stronę.

– To na pewno Niemcy?

– Pan pozwoli, panie pułkowniku, że teraz nie będę z panem gadał – odrzekł, ale nie mogłem go nawet za te szorstkie słowa zganić, bo miał rację. – Grabek! Widzisz ich?

– Tak jest, panie kapitanie.

– Podnosimy się. Strzelamy na moją komendę. Najpierw po dwa sidewindery. Potem działka i wiejemy.

– Tak jest.

W trakcie tej krótkiej wymiany zdań obie maszyny poszły ostro do góry – kapitan chciał zyskać trochę przestrzeni na ewentualne manewry.

Niemcy nadlatywali od strony Warszawy. Puścili maszyny w lot nurkowy i nabierając coraz większej prędkości, bardzo szybko nas doganiali. Wieteska jednak ani myślał czekać, aż dolecą i wpakują w nas kilka efektownych serii. W odległości trzech kilometrów od nadlatującej formacji, mając już dobrych pięćset metrów wysokości, nagle zaczął zawracać, jakby chciał iść z myśliwcami na czołowe zderzenie.

Potrzebował wizualnej konfrontacji – radarowy obraz nie pozwalał jednoznacznie stwierdzić przynależności atakujących samolotów.

– Myśliwce. Takie same jak nad Mokrą – mruknął bardziej do siebie niż do mnie. – Sześć sztuk. Atakujemy.

Skinąłem głową, ale Wietesce moje przyzwolenie nie było do niczego potrzebne.

Zamontowany w śmigłowcu precyzyjny, amerykański radar pozwala na śledzenie kilku celów jednocześnie. Dzięki temu operator uzbrojenia, siedzący w kabinie ulokowanej przed pilotem i nieco poniżej niego, mógł uzbroić dwa pociski, stawiając każdemu z nich zadanie wytropienia i zniszczenia odrębnego celu.

Cała ta operacja zajęła kilka sekund. W tym czasie obie formacje, nasza i niemiecka, zbliżyły się na odległość kilometra. Był najwyższy czas, aby zaatakować, bo lecieliśmy ku sobie z prędkością ponad ośmiuset kilometrów na godzinę.

Nawet nie poczułem wstrząsu, usłyszałem natomiast lekki świst, kiedy rakietowy silnik nadał stukilogramowemu pociskowi prędkość dwóch i pół macha. Cztery białe smugi pomknęły do celu.

AIM-9 sidewinder jest pociskiem klasy powietrze-powietrze, typu określanego jako „wystrzel i zapomnij". Oznacza to, że dzięki umieszczonemu w głowicy czujnikowi reagującemu na podczerwień rakieta sama naprowadza się na najbliższe źródło ciepła, wydzielane na przykład przez silnik samolotu. Rola operatora ogranicza się zatem do naciśnięcia spustu.

Z punktu widzenia Niemców musiało wyglądać to jak koszmarny sen – dwie nieznane maszyny, wyraźnie wolniejsze i wydające się łatwym celem, nie zbliżyły się nawet na odległość celnego strzału, wystrzeliły cztery niewielkie pociski, które w ułamku sekundy dopadły myśliwce i w następnym ułamku sekundy zamieniły je w cztery kłęby ognia i niezidentyfikowanych metalowych części.

Pozostałe dwa messerschmitty poderwały się gwałtownie, zrobiły ciasny zwrot i pognały na wschód, błyskawicznie nabierając wysokości. Sądzę, że w eter szły rozpaczliwe wołania o pomoc – walki w zasadzie nie było, a dwie trzecie grupy zostało rozpylone na terenie kilku okolicznych wsi. Wieteska nie czekał na dalszy rozwój wypadków. Obie nasze maszyny również zawróciły i stopniowo obniżając lot, pomknęły na zachód.

– Z głowy? – zapytałem.

– A skąd. Zaraz tu będzie taka gromada Szkopów, że dopiero zacznie się zabawa.

– Ile mamy do bazy? Może wezwiemy pozostałe dwie maszyny?

– Sto trzydzieści kilometrów. Dwadzieścia parę minut lotu, a jeśli nasi wystartowaliby w tym momencie i lecieli nam na spotkanie, to może piętnaście do spotkania z nimi. Nie ma sensu, zwłaszcza że przecież nie wylecą zaraz. Musieliby się przezbroić. To następnych piętnaście minut.

– Dobra. Grzej, ile wlezie. Może nas nie znajdą.

Muszę przyznać, że po mocno sformalizowanym spotkaniu u marszałka rozmówki z Wieteską działały na mnie nad wyraz ożywczo. Gdyby nie to, że dotyczyły całkiem realnego niebezpieczeństwa, byłoby zupełnie miło. Cupryś siedział sztywno na fotelu i z mieszaniną strachu i zadowolenia wymalowaną na twarzy gładził trzymaną na kolanach torbę. Galaś zapewne chętnie by go opierniczył – rzecz jasna z nieco innych niż ja powodów – ale gdyby zrobił to przez interkom, miałby mnie za świadka, a bez interkomu połajanki byłyby tylko bezużyteczną pantomimą. Nie odzywał się więc, ale widać było, że go nosi.

Upłynęło dziesięć minut lotu, podczas których pokonaliśmy pięćdziesiąt kilometrów. To sporo, ale okazało się, że jak dla Niemców niewystarczająco. Wieteska bowiem zakomunikował:

– No, teraz dopiero się zacznie. Trzydzieści samolotów zapiernicza w naszą stronę. Dobrze, że kazałem podwiesić dodatkowe działka.

Wspomniałem już, że Mi-24 można uzbrajać na kilka sposobów. Obecnie, ponieważ kapitan nie przewidywał ostrzeliwania celów lądowych, a raczej walki powietrzne, oprócz sidewinderów i standardowego działa pod kadłubem, helikopter został uzbrojony w podwieszone pod skrzydłami dwa dwulufowe działka kalibru 23 milimetry z całkiem pokaźnym zapasem amunicji. Wyglądało na to, że bardzo się teraz przydadzą.

Kapitan poderwał maszynę, chcąc uzyskać swobodę manewru. I znów zatoczył obszerne półkole, ustawiając się frontem do nacierających samolotów. Jednak Niemcy tym razem zmienili taktykę, podzielili się bowiem na trzy grupy. Jedna z nich została na dotychczasowym pułapie, lecąc dobry kilometr nad nami. Dwie pozostałe formacje rozeszły się na boki, stopniowo przechodząc w lot nurkowy i nabierając prędkości. Były tak blisko, że nawet ja, zaglądając Wietesce przez ramię – z jego kabiny był znacznie lepszy widok niż z mojej

– zauważyłem, że atakują nie tylko małe messerschmitty 109, z którymi mieliśmy już dwukrotnie do czynienia. Lewą, bardziej północną formację stanowiły dwusilnikowe, o ile pamiętam z historii, ciężkie myśliwce messerschmitt 110, uzbrojone w całkiem groźne dwudziestomilimetrowe działka. Część górnej formacji również złożona była ze stodziesiątek.

Kapitan Wieteska będzie musiał wykazać cały swój kunszt wyszkolonego pilota zabójcy.

– Grabek. Dwa sidewindery w lewą grupę. Już.

– Tak jest.

Porucznik Grabek za wszelką cenę starał się upodobnić do swojego szefa: twarde spojrzenie, miękkie ruchy, zdecydowane działanie. Lakoniczność w wypowiedziach. Odwaga. Profesjonalizm. Skuteczność. To było ich kredo. To był ich styl.

Towarzysząca nam maszyna odbiła nieco w lewo i wzniosła się kilkadziesiąt metrów wyżej, aby oba śmigłowce nie leciały w jednej linii. Bez zbędnej zwłoki porucznik odpalił dwie rakiety, które tak jak poprzednio bardzo szybko i skutecznie pozbawiły atakującą grupę dwudziestu procent siły bojowej. Nasz helikopter powtórzył ten nieprzyjazny manewr w stosunku do prawej formacji i dwa kolejne, bajecznie kolorowe wybuchy ozdobiły pogodne, wrześniowe niebo. Ta feeria barw nie mogła jednak przesłonić faktu, że rakiety się skończyły.

Pod względem szybkości i zwrotności nie mogliśmy się nawet mierzyć z Niemcami, natomiast górowaliśmy nad nimi siłą, celnością i zasięgiem skutecznego ognia. Było to zresztą dla nas jedyne wyjście: trzymać ich na dystans i nie dopuszczać na odległość pozwalającą na skuteczne użycie uzbrojenia pokładowego.

Takie właśnie rozkazy zostały wydane. Wieteska być może pluł sobie w brodę, że za jednym zamachem nie zlikwidował pierwszej, atakującej nas grupy, wtedy bowiem, być może, obecna wataha nie byłaby przez uciekinierów wezwana na pomoc. Teraz było za późno na takie refleksje. Zbliżał się decydujący moment.

Sekundy przed rozpoczęciem bitwy, zanim padły pierwsze strzały i pierwsze kule zaczęły szukać sobie drogi do celu, w moich i Wieteski słuchawkach rozległ się całkowicie niespodziewany, aczkolwiek w efekcie zbawienny głos:

– Orzeł 1, Orzeł 1, jak mnie słyszysz? Tu Orzeł 2.

Orzeł 1 był kryptonimem pary naszych śmigłowców. Orzeł 2 – pary, która została w obozie.

– Orzeł 2, tu Orzeł 1. Słyszę cię.

– Orzeł 1, lecimy wam na spotkanie. Gdzie jesteście?

– Pięć kilometrów na południe od Piotrkowa.

– Okej, zaraz was będziemy mieli na radarze. Jesteśmy pięćdziesiąt kilometrów od was.

– Zrozumiałem. Pospieszcie się. Mamy gości.

– Wykonuję, Orzeł 1.

Błogosławiony niech będzie major Łapicki i pomysły jego. Zaniepokojony naszą przedłużającą się nieobecnością, wysłał pomoc. Chociaż pięćdziesiąt kilometrów to dla gnających ku nam helikopterów dziesięć minut. Za dziesięć minut możemy już dopalać się na okolicznych polach. Trzeba spróbować lecieć im na spotkanie. I odstraszyć atakujące nas samoloty.

Wieteska być może myślał podobnie. W każdym razie operator uzbrojenia wybrał dwa skrajne samoloty, które oderwały się od szyku i próbowały wyjść na nasze tyły. Usłyszałem słaby grzechot, przez śmigłowiec przeszedł lekki dreszcz. Pierwsza seria oderwała skrzydło jednej z maszyn, dwie następne trafiły silnik i kabinę pilota drugiej. Pierwszy myśliwiec wpadł w dziki, niekontrolowany korkociąg i z rosnącą prędkością zaczął zmierzać ku ziemi. Drugi po prostu rozprysnął się w powietrzu. Nie było jakiegoś specjalnego wybuchu, po prostu samolot rozleciał się na kawałki.

Reszta formacji zaczęła strzelać – sądząc po rozbłyskujących na opancerzonej kabinie ognikach tuż przed nosem Wieteski, całkiem celnie – i po dwóch sekundach przeleciała z rykiem nad nami. Wieteska gwałtownie zawrócił, aby ani przez chwilę nie pozostać tyłem do nieprzyjaciela. Zobaczyłem tylko, że maszyna Grabka prowadzi ciągły ogień do „swoich" myśliwców, że dwa samoloty opadają na ziemię, ciągnąc za sobą pióropusze dymu, że górna eskadra zaczyna wchodzić w lot nurkowy, aby ostatecznie się z nami rozprawić, kiedy Johny skończył pętlę i uchwyciwszy nieprzyjacielskie maszyny w końcowej fazie ciasnego zwrotu, ponownie otworzył ogień.

Tym razem zagrały dwudziestotrzymilimetrowe działka podwieszone pod skrzydłami. Mają mniejszą szybkostrzelność i zasięg od amerykańskiej maszynki szczerzącej zęby pod kadłubem, ale są równie jak ona śmiercionośne. Najprawdopodobniej kapitan wystrzelał cały magazyn amunicji, ale kiedy skończył, trzy nieprzyjacielskie samoloty musiały zostać definitywnie wykreślone z ewidencji Luftwaffe.

Świetnie nam szło, ale nie mogę z ręką na sercu powiedzieć, że dalibyśmy sobie sami radę. Za dziesięć sekund najprawdopodobniej weszłaby do gry trzecia, pikująca z góry grupa samolotów, i mogłoby być z nami naprawdę źle. Jeden z nich otworzył nawet przedwczesny, ale o dziwo celny ogień i bardzo nieprzyjemne staccato uderzeń o kadłub nadwątliło moje i tak już nie najlepsze samopoczucie. Jednak na szczęście tuż przed wejściem całej trzeciej eskadry do boju usłyszałem w słuchawkach zbawienny komunikat:

– Orzeł 1, tu Orzeł 2. Widzimy was. Odpalamy rakiety w górną grupę. Zjeżdżajcie na boki.

Wietesce i Grabkowi nie trzeba było dwa razy powtarzać. Obie maszyny położyły się w głębokim skręcie i zaczęły rozlatywać się w dwóch różnych kierunkach.

Sidewindery mają w optymalnych warunkach zasięg dwudziestu dziewięciu kilometrów. Grupa Orzeł 2 była z pewnością znacznie bliżej, bo już po krótkiej chwili zobaczyłem nieco na prawo i powyżej osiem białych, skrzydlatych pocisków, które z sześciokrotnie większą od najszybszego niemieckiego myśliwca prędkością wleciały w nieprzyjacielską formację. Czy wszystkie trafiły, ciężko powiedzieć, bo cała grupa dwusilnikowych messerschmittów 110 zniknęła w potężnym wybuchu. Wszystkie rakiety eksplodowały niemal jednocześnie. Nie było mi dane obserwowanie skutków ataku, bo Wieteska dał cały gaz i czym prędzej oddaliliśmy się z pola walki. Nikt nas nie ścigał.

Mój żołądek nie zdążył się nawet uspokoić, kiedy kapitan zaanonsował rozpoczęcie podejścia do lądowania. Gdy wyjrzałem przez bulaj, myślałem, że się pomylił: las płonął w kilku miejscach, z brzegów polany unosiły się dwa słupy dymu. Gdy podeszliśmy bliżej, zobaczyłem, że o pomyłce nie ma mowy. To była nasza polana, nasza baza i dom. Przez porwane siatki maskujące widziałem nieregularnie rozrzucone pojazdy batalionu, szyłkę z dymiącymi jeszcze lufami i sporo biegających w różne strony żołnierzy. Coś mnie ścisnęło za gardło – jeden ze słupów dymu unosił się nieopodal MDS-a.

Wylądowaliśmy miękko. Jeszcze dobry metr nad ziemią otworzyłem drzwi i zeskoczyłem na lądowisko. Na spotkanie biegli Kurcewicz i Łapicki.

– Co tu się stało?

– Mieliśmy nalot – wysapał Łapicki. Był osmalony od wybuchu, rękaw miał rozdarty i mocno pokrwawiony, czego chyba zresztą nie zauważył.

– Straty?

– Jeszcze nie wiemy. Przed chwilą odlecieli. Paru rannych na pewno.

– MDS? – zapytałem o najważniejsze.

– Jeszcze nie wiemy. Bomba wybuchła tuż obok niego.

– A... kapitan Sanchez? – spytałem o jeszcze ważniejsze.

Popatrzyli na mnie, a ja chciałem, by nie mówili nic więcej.

VII. WIEŚ

1.

Uzbrojony w cztery dwudziestotrzymilimetrowe działka samobieżny zestaw przeciwlotniczy ZSU-23-4 szyłka jest starą, sowiecką konstrukcją, pochodzącą jeszcze z lat sześćdziesiątych. Ponieważ pod koniec dwudziestego wieku nie spełniał już wymogów nowoczesnego pola walki, polscy inżynierowie opracowali program modernizacji tej machiny, która otrzymała swojsko brzmiącą nazwę biała. Różni się od swej poprzedniczki znacznie nowocześniejszym radarem, nowymi urządzeniami celowniczymi pozwalającymi prowadzić ogień zarówno w dzień, jak i w nocy, a także dołożeniem do katalogu uzbrojenia dwóch podwójnych wyrzutni rakiet przeciwlotniczych grom.

O ile się nie mylę, byliśmy pierwszą jednostką polskiego wojska, która otrzymała te zestawy. Polskie dowództwo najwyraźniej uznało, że wstyd wysyłać do Afganistanu sprzęt sprzed czterdziestu lat.

Tak czy inaczej, sześć zmodernizowanych białych-szyłek wczesnym przedpołudniem drugiego września trzydziestego dziewiątego roku uratowało batalion od katastrofy. Grabowski, dowódca baterii, leczył co prawda skołatane nerwy w polowym lazarecie, ale podporucznik Wałecki, którego wyznaczyłem wczoraj na jego następcę, poradził sobie z atakiem w sposób niemal stuprocentowo skuteczny.

Umieścił punkty ogniowe w miejscach, które zapewniały stosunkowo dobrą widoczność i pole ostrzału, spiął je siecią łączności i radarowej obserwacji – największym problemem okazało się skuteczne zamaskowanie dużej anteny radaru – i czekał. Gdy grupa Orzeł 2, wysłana przez Łapickiego, całkiem zresztą słusznie, na pomoc Ukochanemu Dowódcy W Ciężkich Opałach, wyleciała z obozu, niecałych pięć minut później, być może zwabiona intrygującym widokiem startujących pionowo helikopterów, nadleciała formacja kilkunastu sztukasów. Nalot w otwartym terenie nie miałby żadnych szans, bo używany przez naszą stację radiolokacyjną radar posiada zasięg czterdziestu kilometrów i niemieckie nurkowce nie mogły zbliżyć się niepostrzeżenie, ale w tym wypadku pomogło im ukształtowanie terenu i las. Junkersy nadleciały w stylu Johny'ego Wieteski tuż nad koronami drzew, radar zauważył je w momencie, gdy włączyły te swoje cholerne syreny i z marszu przystąpiły do ataku. Czas reakcji naszego systemu przeciwlotniczego od momentu zauważenia nieprzyjaciela na ekranie radaru do momentu otwarcia ognia naprawdę nie jest długi – niecałych dziesięć sekund. Ale to wystarczyło prowadzącemu sztukasowi, aby wpakować dwie bomby mniej więcej w obramowanie obozu. Pierwsza trafiła w swego rodzaju martwe pole między lasem a czołgami i nie wyrządziła większych szkód, bo siła wybuchu, jakkolwiek znaczna, nie poradziła sobie z pancerzami twardych. Druga bomba wybuchła pomiędzy lazaretem a MDS-em.

Lazaret składał się z dwóch płóciennych namiotów. Wybuch porwał je w strzępy i zamienił to miejsce w plątaninę brezentu, potrzaskanych łóżek, wszelkiego rodzaju sprzętu medycznego i poharatanych ciał. MDS z racji solidnego opancerzenia i równie solidnej masy zniósł atak znacznie lepiej, chociaż siła eksplozji zatrzęsła pojazdem i ogłuszyła załogę.

Pierwsza otworzyła ogień szyłka stojąca właśnie tuż za MDS-em. Jakkolwiek nie miała stamtąd najlepszego pola ostrzału, znalazła się w tym miejscu na moje wyraźnie życzenie – stanowiła po prostu bezpośrednią osłonę naszej przepustki w przyszłość. Krótka seria z działek wystrzelona w momencie, kiedy atakujący sztukas znikał za drzewami, połaskotała go w ogon. Statecznik pionowy został całkowicie zniszczony i samolot stracił sterowność. Chwiejnie przeleciał jeszcze kilkaset metrów, po czym wykonał ćwiartkę korkociągu i spadł między drzewa.

Wałecki nie bawił się w subtelności. Dwie kolejne szyłki odpaliły rakiety, które próbowały dokonać karkołomnego zadania, polegającego na wzniesieniu się, nabraniu prędkości przelotowej i znalezieniu celu na dystansie dwustu metrów, mając na dodatek pierwszą połowę trasy zasłoniętą przez drzewa. Ale polscy konstruktorzy wykonali dobrą robotę, bo pomimo tak trudnych warunków z ośmiu rakiet pięć trafiło i posłało pięć junkersów w dół. Pozostałe cztery bombowce straciły animusz – na skraju obozu zawróciły, wyrzucając bomby na chybił trafił i nie wyrządzając nikomu szkody. Odleciały na zachód, dostały jeszcze na pożegnanie długą serię, bardziej dla przestrachu niż z rzeczywistej potrzeby, i nalot tak samo gwałtownie się skończył, jak się zaczął.

Wylądowaliśmy w momencie, kiedy lufy szyłek jeszcze nie ostygły, a z miejsca, w którym znajdował się lazaret, dochodził chór rozdzierających ucho jęków. Dowódcy jeszcze nie zdołali rozeznać się w sytuacji, więc nie czekając na żadne raporty, biegiem puściłem się w stronę pobojowiska. Miałem absurdalną w normalnych warunkach nadzieję, że Nancy zdążyła przed nalotem na dobre wyrwać się spod kurateli lekarzy.

Dobiegłem na miejsce w bardzo dobrym czasie. Swąd palonego mięsa i krwi niemal zgiął mnie wpół. Być może po kilku tygodniach walk przyzwyczaję się do widoku porozrywanych wybuchami zwłok i smrodu, ale na razie miałem niejakie kłopoty z utrzymaniem organizmu w ryzach. W rozgardiaszu uwijało się kilku sanitariuszy, ale nie zauważyłem, żeby z rumowiska wyciągnęli kogokolwiek żywego. W zasięgu wzroku nie było również żadnego lekarza. Obaj zwykle urzędowali w jednym z namiotów, w którym zorganizowali prowizoryczny gabinet opatrunkowy. Uznałem, że nie mam tu na razie nic do roboty.

Obiegłem MDS-a. Jednym susem pokonawszy schody, gwałtownie szarpnąłem za klamkę i wszedłem do środka. Omiotłem spojrzeniem wnętrze, z jednakową obawą spodziewając się ujrzeć ofiary, jak i pogruchotany sprzęt. Komputery nie wyglądały na uszkodzone. Pod ścianą, na końcu rządka obrotowych foteli odrzuconych od pulpitu siłą eksplozji, siedziała Nancy. Była ogłuszona, krew leciała jej z nosa, ale można było zaryzykować twierdzenie, że jest cała i zdrowa. Przed nią klęczał pobladły porucznik pilot Władysław Wilgat. Trzymał ją za ręce i wpatrywał się z taką intensywnością, że pani kapitan doszłaby do siebie, nawet gdyby była nieprzytomna. Świat przestał dla nich istnieć.

Nieco sztywno podszedłem do fotela Nancy, chcąc pomóc jej wstać. Żadne z nich nie zwróciło na mnie uwagi. Poczułem, że zaczyna mi drgać kącik prawego oka i zapewne sprawa miałaby jakiś ciąg dalszy, ale do rzeczywistości przywróciło mnie parę chrząknięć dochodzących od drzwi. Odsunąłem się o krok, przyjrzałem się uważnie Nancy, jakby chcąc dobrze zapamiętać wyraz jej twarzy, i odwróciłem się do chrząkacza.

– Panie pułkowniku, melduję, że na razie znaleźliśmy wśród naszych pięciu zabitych i sześciu ciężko rannych – powiedział Łapicki. – Niestety jeden z lekarzy nie żyje, drugi jest kontuzjowany, ale na chodzie. Wśród rannych Niemców – czterech zabitych, dwóch ocalało, ale marnie z nimi. Jeńcy przeżyli. Pozostali bez szwanku.

A zatem mamy na koncie pierwsze straty bojowe. Żołądek nadal próbował wyjść przez gardło. Z niejaką trudnością przełknąłem ślinę.

– Dziękuję, majorze – powiedziałem i nie obejrzawszy się za siebie, wyszedłem na zewnątrz. – Sanitarki ocalały?

– Tak, wybuch wzięły na siebie czołgi.

– Musimy się jak najszybciej ewakuować. Niech pan powie sanitariuszom, aby przetransportowali rannych do sanitarek. Jeżeli się nie zmieszczą, proszę użyć wozu dowodzenia. Niemców zostawiamy, łącznie z rannymi. Zabitych pochować.

– Oczywiście. Poza tym w zasadzie wszystko jest gotowe. Paliwo i amunicja uzupełnione, przeglądy zrobione, śniadanie wydane…

– W porządku. Kto jest przy wylocie drogi?

– Stańczak ze swoimi ludźmi. Godzinę temu zmienił Sawickiego.

– Dobrze. Zrobimy tak: grupa Jamroza wyruszy natychmiast i dołączy do Stańczaka. Na dany sygnał zablokuje drogę pięćset metrów na lewo od skrzyżowania. Proszę przygotować resztę batalionu do jak najszybszego wymarszu. Uzupełnić paliwo i amunicję w śmigłowcach. Jako awangarda ruszy grupa kapitana Kurcewicza razem ze Stańczakiem i będzie torowała drogę. Sawicki, MDS, artyleria i reszta startuje pięć minut po nich. Kapitan Wieteska asekuruje kolumnę z powietrza. MDS w środku kolumny. Przy nim szyłka i Amerykanie. Do każdego hummera niech pan im wsadzi strzelca z pepekiem – najbardziej boję się nalotu. Jak już będziemy na drodze do Mokrej, grupy bojowe odłączą się, robią zwrot na

Kłobuck i atakują 1 Dywizję Pancerną. Jeszcze jedno: zawartość kontenerów przeładować na ciężarówki, a benzynę ze stacjonarnych cystern przelać do baków. Co się nie zmieści – zniszczyć. Musi pan się upewnić, że na pewno nic nie zostało. Nic, co by Niemcom w jakikolwiek sposób mogło podpowiedzieć, kim jesteśmy i czym dysponujemy. Wykonać.

– Tak jest. Porucznik Sawicki już wcześniej załadował zapasy na wozy bojowe i ciężarówki. Trochę zużyliśmy w nocy, ale i tak każdy star będzie przeciążony o kilka ton. Odmeldowuję się. – Major odwrócił się na pięcie i pobiegł w stronę czołgów.

Stałem na górze schodów MDS-a i patrzyłem na miejsce, które było początkiem mojego nowego życia, a które musiałem teraz opuścić. Słońce świeciło mocno, błękit nieba mieszał się z zielenią sosnowego lasu. Wiele bym dał, żeby to był zwykły piknik.

Nadbiegł Holden.

– Nic się panu nie stało? – bardziej stwierdziłem, niż zapytałem.

– Nic. Byłem w lesie, gdy nadleciały samoloty. Dokładnie po przeciwnej stronie obozu. Co z systemem i urządzeniami? – Miałem wrażenie, że mógłby zaakceptować każde fizyczne cierpienie, aby tylko MDS wychodził z każdej zawieruchy bez szwanku. I byłem w stanie się z nim zgodzić.

– Chyba wszystko w porządku – odparła Nancy, pojawiając się obok mnie – ale oczywiście proszę sprawdzić.

Wbiegł żwawo na schody, przecisnął się obok nas, wybierając stronę, po której stała kapitan Sanchez, i klęknął przed centralnym komputerem. Nie sądzę, abyśmy pierwszy raport od niego otrzymali przed upływem półgodziny.

– Nancy, tym razem pojedziesz ze mną – powiedziałem, ignorując przysłuchującego się nam Wilgata.

– Ale…

– Bez gadania. Do każdego z hummerów dodaję po jednym człowieku z przeciwlotniczą wyrzutnią rakietową. Nie zmieścisz się. A poza tym chcę cię mieć na oku.

– Sprawdzasz mnie? – Uśmiechnęła się krzywo.

– Troszczę się.

– Jestem dużą dziewczynką, umiem sama o siebie zadbać.

– Na pewno. Ale to moja wojna i nikt mi nie będzie mi mówił, co mam robić.

– Tak jest, panie pułkowniku. – Zasalutowała. – W którym samochodzie mam zająć miejsce?

– Pojedziemy tym honkerem. – Wskazałem stojącą nieopodal terenówkę, z chłodną satysfakcją odnotowując rozczarowanie na twarzy Wilgata.

Sanitariusze niemal uporali się z pakowaniem rannych do sanitarek i wozu dowodzenia. Mechanicy kończyli pospieszny przegląd śmigłowców, ładowali dodatkową amunicję i paliwo. Kurcewicz pokrzykiwał na swoich ludzi, Borek roztasowywał uszczuplony stan kompanii po transporterach, a ja nasłuchiwałem, czy nie zbliża się kolejny nalot. Wyścig z czasem się zaczął.

Zacząłem schodzić ze schodków, kiedy usłyszałem krzyk. Część silników już grała, hałas był naprawdę spory, a pomimo to usłyszałem całkiem wyraźnie, że ktoś wzywa pomocy. Gdy dobiegłem do stojącej na przedzie kolumny grupy Jamroza i minąłem czołg Poklewskiego, zobaczyłem porucznika kopiącego leżącą na ziemi skuloną postać, która czyniła ogromne wysiłki, aby osłonić głowę. Poklewski w niemej furii kopnął ostatni raz, po czym klęknął i zaczął okładać wrzeszczącą ofiarę pięściami. Nie wiem dlaczego, ale żaden ze stojących dookoła ludzi nie zareagował. Doskoczyłem więc i uderzyłem zwiniętą pięścią w tył głowy porucznika, aby nieco ostudzić jego bojowe zapędy. Trochę go przygłuszyło, bo stęknął i oparł się nosem o leżącego na ziemi człowieka. Nie na długo – po kilku sekundach zerwał się na równe nogi i opuściwszy głowę, próbował zaatakować. Tych kilka sekund wystarczyło jednak Kurcewiczowi i Jamrozowi, którzy jednocześnie pojawili się w polu widzenia, aby złapać oszalałego porucznika pod pachy i powstrzymać od ataku. W sumie nie byłem zadowolony. Gdyby się spóźnili o pół minuty, kwestię niesubordynacji porucznika Poklewskiego załatwiłbym raz na zawsze. Do tej chwili scena rozgrywała się w całkowitym milczeniu, o ile nie liczyć krzyków i jęków leżącej na ziemi postaci.

– Puśćcie mnie, bo zabiję! – w końcu wydarł się Poklewski. – Puśćcie mnie! Ja tego sukinsyna za niewykonanie rozkazu pod sąd polowy! Niewykonanie rozkazu – bełkotał i szarpał się tak, że obaj oficerowie, nie ułomki przecież, mieli duże kłopoty, by go utrzymać w ryzach. Piana w kącikach ust, rozszerzone źrenice, białka przekrwione. Oczy szaleńca. Mundur porozrywany w kilku miejscach. Wył i miotał się, miałem wrażenie, że skończy grubo po północy.

Bez słowa podszedłem i uderzyłem go mocno w okolice splotu słonecznego.

Stęknął, zwiotczał i zawisł bezwładnie na ramionach podtrzymujących go miłosiernie dowódców. Wrzaski ucichły jak ucięte nożem.

Należało dopilnować, aby porucznik od gwałtownego bezdechu na amen się nie udusił, ale to zadanie zostawiłem otaczającym go samarytanom.

Klęknąłem przy leżącym bez ruchu żołnierzu. Podniosłem mu głowę. Twarz nosiła ślady walki, ale chłopak był przytomny. Poznałem go. Bitym był kierowca czołgu Poklewskiego, starszy szeregowy Pietras.

– Żyjesz? – zapytałem dla formalności.

– Tak jest, panie pułkowniku – wymamrotał. – Jakoś żyję. Dziękuję, że pan tego świra odciągnął.

– Możesz wstać?

– Spróbuję.

Jęknął, ale z moją pomocą podniósł się na nogi. Pomacał się po żebrach, dotknął policzków, spojrzał na oderwaną połę bluzy.

– Mogło być gorzej. – Tylko takie pocieszenie przyszło mi do głowy. – Dasz radę poprowadzić czołg?

– Tak jest. Myślę, że dam. – Zachwiał się nieco.

– Co tu się właściwie stało?

– No, panie pułkowniku, głupio tak mówić… – Potarł czoło, zawahał się. – Dowódca w końcu…

– Mów. Muszę wiedzieć, dlaczego chciał cię zabić.

– Nie wiem, czy zabić. On już, panie pułkowniku, w nocy się dziwnie zachowywał. Podczas natarcia cały czas gadał. Non stop. Czasami nie wyłączał interkomu i obaj z celowniczym żeśmy dokładnie słyszeli. Mówił o pułkowniku Karskim i krytykował kapitana. W ogóle nie chciał brać udziału w natarciu, ale ja po prostu trzymałem się kursu i grzałem naprzód. No to on wrzeszczał na mnie, że go nie słucham. Myślałem, że oszaleję. On: „Stój", kapitan: „Naprzód". Nie wiedziałem, co robić. Porucznik wrzeszczy na mnie, celowniczy wali z działa. W końcu żeśmy w zasadzie we dwóch całą bitwę… Jak wróciliśmy, a pan pułkownik poleciał helikopterem, to porucznik przyszedł do mnie i kazał trzymać język za zębami. Nic nie powiedziałem, bo i po co. No, a teraz, po tym nalocie, jak kapitan przyszedł i mówi, że ewakuujemy bazę, to zaraz porucznik mnie wziął na stronę i gada, że mam go słuchać, bo my tu nie jesteśmy od wykonywania takich głupich rozkazów, i powiedział, że jak nie zrobię tego, co mówi, to mnie zabije. Więc ja odwróciłem się i chcę iść do kapitana, a ten mnie łapie, nogi mi podciął i zaczął kopać...

– Dobrze. Jesteś porządny facet. Na razie pojedziecie we dwóch z celowniczym. Potem damy wam trzeciego członka załogi. Kapitanie – zwróciłem się do Kurcewicza – proszę wyznaczyć tymczasowego dowódcę plutonu. I ruszamy. Porucznika skuć i na ciężarówkę do Sawickiego.

Nie było więcej o czym gadać, więc dwaj żołnierze powlekli półprzytomnego Poklewskiego w stronę kolumny transportowej, a ja porozumiewawczo klepnąłem Pietrasa w ramię i życzyłem mu powodzenia. Będzie mu potrzebne, bo dwuosobowa załoga mogła poradzić sobie z prowadzeniem twardego, sprawa jednak nie będzie tak oczywista, gdy zacznie się walka. A nie mogłem im przecież wsadzić kucharza albo faceta od zaopatrzenia.

Grupa Jamroza ruszyła ostro do przodu. Już byliśmy spóźnieni w stosunku do planu.

2.

Honker trząsł i skrzypiał, ale i tak był bardziej komfortowy i cichszy niż wóz dowodzenia. Poruszaliśmy się z maksymalną prędkością, z jaką po polnych drogach mogły jechać czołgi i haubice – czterdzieści kilometrów na godzinę – bo tylko w szybkości ewakuacji i osłonie z powietrza upatrywałem jakąś szansę. Batalion rozciągnął się w kilkukilometrową kolumnę, której szpicę stanowił pluton Stańczaka, a ariergardę grupa Jamroza pomniejszona o porucznika Poklewskiego. Środek kolumny był najlepiej ochraniany: w bezpośrednim sąsiedztwie MDS-a jechały dwa hummery Amerykanów, szyłka i na wszelki wypadek twardy z grupy Borsuk 2. Bezpośrednio nad nami kręciły się dwa śmigłowce (z Władysławem Wilgatem na pokładzie), pozostała para rozpoznawała teren z boków i z przodu. Przed wyjazdem zarządziłem najwyższą gotowość bojową. Operatorzy wpatrywali się nieustannie w ekrany radarów, a celowniczowie trzymali palce na spustach.

Siedziałem z Nancy na tylnym siedzeniu i dzieliłem uwagę pomiędzy nieustanne zagrożenie nieprzyjacielskim atakiem a moje uczucia do siedzącej obok byłej dziewczyny, obecnie niepocieszonej rozwódki.

– Właściwie to szaleństwo, że ewakuujemy się w dzień – powiedziałem.

– Ale raczej nie mogliśmy czekać – stwierdziła Nancy.

– Nie. W czasie lotu z Warszawy miałem szczerą chęć zmienić nasz plan, to znaczy poczekać do nocy i wtedy jednocześnie ewakuować bazę i uderzyć na Niemców. Teraz to nierealne. Myślę, że Niemcy już zaczęli koncentrację sił. Załogi bombowców, które wróciły po nalocie do bazy, właśnie raportują swoim przełożonym dokładną lokalizację batalionu. I się zacznie. A na polanie nie mieliśmy wielkich szans na skuteczną obronę.

– Miałeś niestety rację. – Westchnęła. – Wojna jest zawsze wojną i nie ogląda się na nic. Po prostu nas dopadła.

– Widzisz? – zapytałem – Mówiłem…

– Mówiłeś, to prawda. Ale zrobiłeś wszystko, żeby nas wciągnąć w tę wojnę, prawda?

– Ale…

– Dżazi, nie chrzań. Nie zaprzeczysz chyba, że wczoraj, po napadzie tego plutonu Wehrmachtu, można było zmienić miejsce postoju batalionu i tak się schować, że Niemcy mieliby duże kłopoty z odnalezieniem nas. Można było?

– Nie bardzo… – broniłem się słabo.

Nancy spojrzała na mnie z politowaniem, mającym świadczyć, że mocno nie doceniam jej żołnierskich umiejętności. Wyglądała przy tym tak, że poczułem gwałtowną potrzebę zmiany tematu na bardziej osobisty. Chciałbym na przykład pogadać o pewnym przedwojennym lotniku.

Wszystko potoczyło się inaczej. W moim uchu zachrobotało i usłyszałem wyraźny głos:

– Panie pułkowniku, melduje się Wojtyński. – W normalnych warunkach bojowych informacje byłyby opatrzone kryptonimami i zaszyfrowane, jednak przepaść techniczna pomiędzy naszymi środkami łączności a niemieckimi możliwościami podsłuchu była tak duża, że nie bawiliśmy się komplikowanie sobie życia. – Słyszy mnie pan?

Niechętnie oderwałem wzrok od Nancy, uspokoiłem oddech (nabrać głęboko powietrza w płuca, przytrzymać, wypuścić przez nos – powtórzyć kilka razy) i mląc w zębach przekleństwo, powiedziałem:

– Słyszę pana, poruczniku.

– Udało mi się dotrzeć do miejsca postoju sztabu 1 Dywizji Pancernej. Jestem w lesie pół kilometra od nich.

– Strasznie długo to trwało.

– Owszem. Musieliśmy kilka godzin siedzieć w krzakach, żeby nie kusić losu.

– Da pan radę ich zaatakować?

– Będę próbował. Cały czas panuje bardzo duży ruch, ale lepszej okazji nie będzie, bo chyba zbierają się do odjazdu.

– W takim razie proszę zaczynać. Gdyby się udało zrobić to w miarę dyskretnie, co by pan powiedział o odrobinie dezinformacji?

– Dobry pomysł. Myślałem o tym już za pierwszym razem, ale niestety budynek zaczął się palić i musieliśmy się wycofać. A jaką konkretnie dezinformację ma pan na myśli?

– Myślę, że coś już o nas wiedzą i zaczęli poszukiwania. Niech pan wyda wszystkim podległym pułkom rozkaz natychmiastowego zaprzestania poszukiwań i zebrania się w okolicach Kłobucka. Mają stać na przedpolu miasta i czekać. Znajdziemy ich. Z kolei do sztabu korpusu niech pan pośle meldunek o pełnym sukcesie. Że Polacy uciekają i takie tam. I że oczekują generała Hoeppnera na przykład w Kłobucku, bo chcą mu pokazać niezwykłą zdobycz wojenną. Zresztą niech pan coś wymyśli. Trzeba narobić maksymalnego bałaganu.

– Zrozumiałem. Zameldują o rezultatach. Odmeldowuję się.

– Kto to? – zapytała Nancy, która w milczeniu przysłuchiwała się rozmowie.

– Wojtyński. Dowódca plutonu komandosów.

– I...?

– Atakuje sztab dywizji pancernej.

Nancy pokręciła głową, ale miałem wrażenie, że mimo niedawnej dyskusji jest znacznie mniej przeciwna moim decyzjom niż kilka godzin temu. Nie ma to jak skuteczne bombardowanie, ten wypróbowany zmieniacz poglądów.

– Ostro gracie – zauważyła.

– Ostro gramy – poprawiłem ją. – Tłumaczę ci, że płyniemy w jednej łódce.

– Przecież Stany Zjednoczone nie brały udziału w tej wojnie. Ani faktycznie, ani formalnie – protestowała słabo.

– Na razie. Za dwa lata się włączą, pamiętasz? A poza tym nie o to chodzi. Wyobraź sobie, że systemu nie uda się naprawić. Co wtedy?

– Uda się…

– A jak nie? Zastanów się, co wtedy zrobisz? Poczekasz, aż twój kraj włączy się do wojny? Zrozum, dziewczyno, że jeżeli stanie się cokolwiek, nie wiem, bomba trafi w ten wasz cudowny wynalazek albo wszyscy informatycy zejdą na grypę, tyfus czy co tam jeszcze chcesz, to co wtedy? Przecież ta rzeczywistość – machnąłem ręką w bliżej nieokreślonym kierunku – stanie się twoją rzeczywistością. Nie będziesz miała żadnej innej do wyboru. A mnie się niespecjalnie uśmiecha życie pod niemiecką okupacją, więc póki mam środki, zamierzam walić ile wlezie.

Oddychała gwałtownie, mocując się z tym, co powiedziałem i co powoli zaczynała sobie uświadamiać. Jej dawny świat, w którym czuła się jak u siebie i którego reguły dobrze rozumiała, majaczył niewyraźnie na horyzoncie, nie dając żadnej gwarancji, że kiedykolwiek się do niego dopłynie. W obecnym miała tylko wojnę i… mnie.

– Może się uda – powiedziała cicho po długiej chwili milczenia.

– Miejmy nadzieję. – Kiwnąłem głową. – Zrobię wszystko, żeby się udało. I chcę, żebyś wiedziała…

Można chcieć dużo rzeczy, ale nie wtedy, gdy na linii człowiek ma krnąbrnych podwładnych, którzy co rusz przerywają zamierzony tok narracji. Bo znowu w słuchawce cicho zatrzeszczało i odezwał się Kurcewicz:

– Właśnie wjechałem do wsi Mokra.

– Jak sytuacja? – Ciekawe, czy było mnie wyraźnie słychać przez zgrzytanie zębów. Uświadomiłem sobie jednak, że odnieśliśmy nielichy sukces: przejechaliśmy dwanaście kilometrów przez terytorium wroga i nikt nas nie zauważył.

– Cisza i spokój. Niemców nie ma. To znaczy żywych. Bo trupów od cholery. W ogóle nie wygląda to najlepiej.

– Dobra. Poczekaj na nas. Za pięć minut tam będziemy i wtedy się rozdzielimy. Z Mokrej mamy niedaleko do Filipowicza.

– Na pewno dacie sobie radę?

– Damy, nie martw się. To tylko parę kilometrów do naszych pozycji. Bardziej martwię się o was, bo na początku nie będziecie mieli wsparcia artylerii.

– Spokojnie. Mamy przecież tego baloniarza Wieteskę. Odmeldowuję się.

Las pomału się kończył, a polna droga, którą jechaliśmy, prowadziła prosto do wsi. Miejsce to zarówno wczoraj, jak i w nocy było terenem zaciekłej bitwy pancernej – wszędzie dookoła widziałem masę szczątków pojazdów i setki ciał. Zabudowania wsi w większości spłonęły. Bombowce i artyleria zamieniły całą okolicę w zryte lejami kretowisko. Wydawało się nieprawdopodobne, że natrafimy we wsi na kogoś żywego. Komu dane było przeżyć walki, z pewnością uciekł do lasu.

Myliłem się.

3.

To nie była wielka wieś. Otoczona lasem, stała na gigantycznej polanie. Kilkanaście chałup, trochę zabudowań gospodarczych, mała przydrożna kapliczka. Część domów ogrodzona płotami. Polna droga wchodziła w sam środek osady, rozdzielając ją prawie równo na pół i wprowadzając nieco porządku do planu zabudowy. Wczorajsza całodzienna bitwa Wołyńskiej Brygady Kawalerii, a także nasze nocne wyczyny spowodowały, że cała wieś nosiła ślady ciężkich walk i była właściwie kompletnie zniszczona.

Zgodnie z planem, grupy Borsuk 2 i 3 wyjechały z kolumny, skręciły w prawo i pognały śladem Kurcewicza. Nad nami przeleciał z rykiem helikopter Wieteski. Kapitan starym lotniczym zwyczajem pomachał skrzydłami – lepszy efekt osiągnąłby, siedząc za sterami spitfire'a lub hurricane'a – i poleciał w ślad za pancerniakami. Kazałem zatrzymać wóz i przez otwartą szybę słuchałem przez chwilę cichnącego warkotu silników. To absurd, ale poczułem się osamotniony. Reszta kolumny również się zatrzymała.

Nancy rozglądała się dookoła i pod warstwą seksownej opalenizny stawała się coraz bledsza. Tuż obok miejsca, w którym stał honker, musiał wybuchnąć ciężki granat. Lej wypełniał prawie całą przestrzeń pomiędzy drogą a zabudowaniami. Siła podmuchu niemal wywróciła stojącą nieopodal chałupę – frontowa ściana poleciała na plecy, dach pochylił się smutno nad ruinami. W miejscu, gdzie kiedyś były drzwi, leżał trup. Ciężko było stwierdzić, kto to, bo widziałem tylko kawałek zmiażdżonej głowy i ramion. Przed domem, skręcone w dzikim piruecie, przytulały się do siebie dwa następne ciała: duże i małe. Matka do ostatniej chwili starała się osłonić dziecko.

Dookoła panowała kompletna cisza. Jakbym oglądał supernowoczesną fotografię o fantastycznej rozdzielczości – oświetlony wesołym słońcem martwy krajobraz, pełen rozpaczliwie powykrzywianych kikutów i leżących wszędzie zwłok. Ostre czarno-czerwono-błękitne kolory. I bezruch.

Do szyb samochodów przyklejone były twarze żołnierzy. Blade, z wytrzeszczonymi oczami, wąskimi paskami ust.

Przełknąłem ślinę. Poczułem gwałtowną potrzebę jak najszybszego oddalenia się z tego miejsca – byle dalej od tego widoku, od ciężkiego, oblepiającego wszystkich i wszystko kwaśnego smrodu, od dymu dopalających się domostw, od setek trupów i pomiażdżonego sprzętu. Po diabła się tu zatrzymaliśmy?

Nie zdążyłem wydać rozkazu, gdy usłyszałem wołanie. Szyba w samochodzie była odkręcona, silniki pracowały na wolnych obrotach, zmysły miałem wyostrzone. Wołanie dochodziło gdzieś od frontu kolumny.

– Słyszysz? – zapytałem.

– Tak – odpowiedziała Nancy. – To chyba kobiecy głos.

– Też mi się tak zdaje. Zjedź z drogi i podjedź w tamtą stronę – poleciłem kierowcy.

Honker zakołysał się na wybojach, przejechał przez przydrożny rynsztok i wolno ruszył do przodu. Minęliśmy kilka ciężarówek, śledzeni przez dziesiątki ciekawskich spojrzeń. Pstryknąłem przełącznikiem radiostacji.

– Majorze – powiedziałem, mając nadzieję, że Łapicki ma mnie na nasłuchu.

– Zgłaszam się.

– Dookoła czysto?

– Tak jest. Na radarach pusto, obserwatorzy nic nie widzą.

– Dobrze. Usłyszałem jakieś wołanie. Sprawdzę, co to jest. Proszę nie wyłączać silników. Zostańcie na miejscach. Nadal pełna gotowość. Zaraz ruszamy dalej.

– Tak jest.

Wołanie powtórzyło się, znacznie wyraźniejsze i bardziej natarczywe niż przed chwilą. Nancy miała rację – wołała kobieta. Samochód pokonał jeszcze kilkadziesiąt metrów. Klepnąłem kierowcę i honker miękko zahamował. Dopiąłem pasek hełmu, złapałem beryla – zachowałem sobie używany podczas wczorajszego zwiadu egzemplarz z podczepionym pod lufą granatnikiem pallad. Biorąc pod uwagę, że miałem jeszcze USP, smith&wessona, nóż i dwa granaty F1, byłem przerażająco dobrze uzbrojoną maszyną do zabijania.

Wysiadłem. Zanim zdążyłem zaprotestować, Nancy wysiadła również. Lewą ręką całkiem pewnie dzierżyła etatowe wyposażenie marines, czyli dziewięciomilimetrową berettę. Uśmiechnęła się do mnie uspokajająco i uważnie rozejrzała po otoczeniu.

Ja również zlustrowałem okolicę. Miałem wrażenie, że gdybym w zasięgu wzroku znalazł kilku Niemców i wpakował im cały magazynek w brzuchy, z miejsca byłoby mi lżej na duszy.

Wołanie dochodziło od strony na wpół spalonej chałupy, stojącej po prawej stronie drogi. Wszystkie rośliny i drzewa, buda dla psa, stodoła i chlew były zgliszczami. Dom tylko częściowo ocalał – nadwątlone pożarem ściany nie zdołały utrzymać resztek dachu i cała lewa strona budowli zawaliła się. Nawet jeszcze trochę dymiło, pożar musiał wygasnąć całkiem niedawno. Na majdanie zwęglony trup oskarżycielskim gestem wyciągał rękę prosto w niebo.

– Ludzieeeee! Ratunku! Ludzie! Tu jestem. Ludzieeeeee! – Tym razem nie było wątpliwości. Pomocy wzywała młoda kobieta, wołanie dochodziło gdzieś ze środka zgliszcz.

– Gdzie pani jest? – krzyknąłem, przewieszając karabin przez plecy. Obszedłem zwłoki i stanąłem tuż przy zawalonej chałupie.

– Ludzieeee! Tu jestem! Tu, w piwnicy! – Głos był desperacki.

Spojrzałem na ruiny, ale to nie była robota dla jednego człowieka. Sam z pewnością nie byłbym w stanie poruszyć ciężkich belek.

– Poruczniku – ponownie pstryknąłem włącznikiem – proszę przysłać do mnie jedną drużynę i wóz z wyciągarką. Mamy tu pogorzelca. Biegiem.

– Wykonuję. – Jestem pewien, że Sawicki już trakcie wydawania przeze mnie rozkazu pokazał na migi swoim ludziom co, gdzie i jak.

– Wałecki – przełączyłem się na dowódcę przeciwlotników. – Zabawimy tu chwilę. Uważaj na niebo.

– Tak jest, panie pułkowniku – odparł – ale nie podoba mi się tu. Jesteśmy jak na widelcu...

– Wiem. Dlatego wzmożona czujność. Wójcik!

– Jestem.

– Ile czasu potrzebujesz na przejście do położenia bojowego?

– W instrukcji jest napisane…

– Pytam, ile ty potrzebujesz?

– Pół minuty.

– Dobra. Niech twoi ludzie siedzą w maszynach i niegdzie nie wyłażą. Pełna gotowość.

– Tak jest.

Po chwili, kolebiąc się na nierównym poboczu i podzwaniając gąsienicami, nadjechał czołgowy wóz remontowy. Przydzieleni przez Sawickiego ludzie pod jego osobistym kierownictwem szybko usunęli pomniejsze belki, a do zwalonego, nadpalonego dachu podczepili grubą na kilka centymetrów stalową linę. Wyciągarka zazgrzytała i bez specjalnego wysiłku odciągnęła całą konstrukcję na bok. Pod spodem walała się masa sprzętów, niektóre w całkiem dobrym stanie.

– Gdzie pani jest? – zawołałem.

– Tutaj, w piwnicy – dobiegło spod ziemi wyraźnie i głośno.

Żołnierze błyskawicznie zlokalizowali ukrytą pod podziurawionym kilimem dużą drewnianą klapę. Jeden szarpnął za żelazną rączkę i ukazała się mroczna czeluść, z której wyłaniała się końcówka drabiny, czy raczej prymitywnie wystruganych drewnianych schodów. Gdzieś na dnie – nie było głęboko – dostrzegłem dwie pary oczu.

– Może pani wyjść. Jest pani wolna.

Na schody niepewnie weszła jakaś postać, pokonała kilka szczebli i ponad poziomem podłogi ukazała się głowa. Była obdarzona kasztanową czupryną ułożoną w dwa grube warkocze, dwojgiem wielkich niebieskich oczu, osłanianych ręką przed promieniami słońca, perkatym noskiem i rumianymi policzkami. Wszystko to, rzecz jasna, ukryte pod stosowną warstwą sadzy i brudu.

Głowa rozejrzała się dookoła, powoli przyzwyczajając wzrok do gwałtownej zmiany natężenia światła i spomiędzy czarno-czerwonych warg padło pytanie:

– Coście za jedni?

– Polskie wojsko – odparłem. Rozmowy z tubylcami przychodziły mi z coraz większą łatwością. – Jest pani sama?

– Jaka ja tam pani. – Łypnęła na mnie. – Jestem Rozalka. A sama nie. Mam tu dzieciaka ze sobą.

– Nic wam nie jest?

– Pić nam się chce. Od wczoraj rano tak siedzimy...

– Damy wam pić. Chodźcie. – Wyciągnąłem rękę.

Wsparła się mocno o podaną dłoń i bez większego trudu wyszła na górę. Nie miałem nawet czasu na dokładniejsze przyjrzenie się dziewczynie, bo natychmiast uklękła nad otworem i prezentując wszystkim swoją bardzo zachęcającą odwrotną stronę, krzyknęła:

– Chodź, Stasiu. Nie bój się.

Sięgnęła w dół i po chwili wyciągnęła stamtąd, niemalże jak królika z cylindra iluzjonisty, małego chłopca, na oko pięcioletniego. Był równie jak ona umorusany i równie jak ona cały i zdrowy. Przytuliła chłopaka i odwróciła się do mnie.

Ubrana była w niegdyś białą, obecnie nieokreślonego koloru spódnicę, mocno sfatygowaną bluzkę i znoszone trzewiki. Wspomniana garderoba aż pękała w szwach od wypełniających ją kształtów – stało przede mną ucieleśnienie stereotypu słowiańskiej urody. Maksimum osiemnastoletnie. Sadza i brud nie były w stanie przesłonić faktu, że dziewczyna obdarzona była fizjonomią, która na moment pozwoliła oderwać myśli od ponurej rzeczywistości dookoła. Otaczający nas żołnierze, stare koszarowe wygi, zamilkli w nabożnym skupieniu.

Rozalka – niezbyt zapewne świadoma wrażenia, jakie na nas uczyniła – błyskawicznie przejęła dowodzenie:

– Tak siedzieliśmy od wczoraj w tej dziurze i już myśleliśmy, że nikt nas nie znajdzie. A to picie to będzie jakieś? A jaki wy oddział, panie oficerze?

– Znaleźliśmy was przez przypadek. – Uśmiechnąłem się. – Nie mieliśmy w planach postoju. Oddział my polski, wojskowy.

Dowodzący drużyną kapral podał dziewczynie manierkę. Upiła łyk i resztę podała małemu. Pił łapczywie, połowę wlewając za koszulę i zerkając na nas ciekawie.

Rozalka odsapnęła i uśmiechnęła się. Już otwierała usta, kiedy w słuchawce znów zachrobotało. Podniosłem rękę.

– Zgłasza się Wojtyński.

– Słucham, poruczniku.

– Załatwione. Wszystko poszło zgodnie z planem.

– Świetnie.

– Mam jeńców. Dowódcę dywizji i szefa sztabu. Pan generał sam wydawał rozkazy pułkom, nakazując zebrać się pod Kłobuckiem.

I osobiście zawiadomił generała Hoeppnera. – Usłyszałem w jego głosie lekkie rozbawienie. – Co z nimi zrobić?

– A co pan uważa?

– Nic. Mogę ich puścić wolno albo zlikwidować.

– Nie będziemy zabijać jeńców. Niech pan wróci z nimi do bazy. Potem się zastanowimy. W sprawie nowej lokalizacji proszę się kontaktować z majorem Łapickim.

– Tak jest. Rozłączam się.

Na razie szło jak z płatka.

– No dobrze. Pogadamy po drodze – powiedziałem do Rozalki, która niecierpliwie czekała na zakończenie nudnej rozmowy. – Teraz musimy już jechać.

– Zaraz, zaraz. Ja muszę wszystkie nasze rzeczy znaleźć. Nie mogę wracać ze Stasiem bez niczego. Państwo będą źli…

– Musimy już jechać. Niech Rozalka zrozumie, nie mamy czasu na poszukiwania. Tu i tak wszystko spalone…

– Ale ja muszę…

– Panie pułkowniku, zmotoryzowana kolumna wyjeżdża z lasu tą drogą, którą przyjechaliśmy – usłyszałem w słuchawce głos jednego z obserwatorów.

– Niemcy? – W jednej chwili przestałem zwracać uwagę na dziewczynę, chłopaka i resztę związanych z tym problemów.

– Niemcy. Rozwijają się. Odprzodkowują jakieś działa. Raz, dwa, trzy, siedem… Dziesięć dział. Duży kaliber. Do tego czołgi i piechota. Co najmniej batalion.

– Majorze! – krzyknąłem w słuchawkę, choć krzyk z punktu widzenia słyszalności komunikatu był najzupełniej zbędny. – Alarm…

– Panie pułkowniku – przerwał mi głos drugiego obserwatora. – Od zachodu i północnego zachodu wyszła przed las piechota. Półtora kilometra stąd. Na skraju lasu ustawia się artyleria. Z przecinki wyjeżdżają czołgi. Dwadzieścia… nie, raczej trzydzieści…

– Sawicki! Chowaj kolumnę za chałupy. Gdzie się da. I rozproszyć się. Już!

– Wykonuję!

– Wójcik! Musisz pokazać, co umiesz. Dawaj haubice na początek wsi, tam robimy pierwszą linię obrony. A AMOS-y niech ostrzeliwują ten oddział na zachodzie. Otworzycie ogień na mój rozkaz.

– Tak jest.

– Uwaga, reszta dowódców. Wszyscy żołnierze, poza załogami wozów artyleryjskich, wysiadać. I zająć stanowiska na skraju wsi. Sawicki, jak najszybciej wydać pozostałe RPG i kaemy. Cysterny jak najdalej, najlepiej zakop je. Utworzyć rubież obrony wzdłuż linii chałup.

Czterdzieści pokoleń wojowników, niezłomnych obrońców polskości tych ziem, zaczęło spoglądać na nas z góry.

4.

Zanim pierwsze nieprzyjacielskie pociski nadleciały nad wieś, złapałem Rozalkę za rękę i stanowczym ruchem pociągnąłem w stronę otwartej ciągle klapy.

– Niech Rozalka bierze chłopca i schowa się do piwnicy.

– A za nic, panie oficerze! Więcej do tej dziury nie wlezę – zaparła się. – Tam jest jak w grobie. Chodź, Stasiu. – Zanim zdołałem zareagować, wyrwała się, chwyciła małego na ręce i pobiegła za chowającymi się po krzakach ciężarówkami. Nancy, która właśnie kończyła wydawać dyspozycje swoim ludziom co do starannego ukrycia MDS-a, uśmiechnęła się ironicznie.

Przez dłuższą chwilę panował nieopisany bałagan. Działa Wójcika i Wałeckiego wyjechały z kolumny, aby znaleźć stanowiska bojowe. Pozostałe pojazdy odwrotnie – starały się maksymalnie zejść Niemcom z oczu. Wszyscy żołnierze, poza kierowcami i obsadą dział, zeskakiwali w biegu z samochodów, próbując się uzbroić i zaopatrzyć w amunicję. Rozalka pokrzykiwała głośno na któregoś z kierowców, z jednej z ciężarówek dochodziły ryki Poklewskiego. A wszystko to pod narastającą groźbą niemieckiego ostrzału.

W biegu zdjąłem z pleców karabin. Klucząc pomiędzy szukającymi osłony wozami, wrzeszczałem w mikrofon, przyprawiając słuchających mnie dowódców o solidny ból uszu. Sapiąc jak zużyty parowóz, dopadłem jakiegoś leżącego na skraju wsi zwalonego pnia i z wielką ulgą założyłem za nim tymczasowy punkt dowodzenia. Znajdował się on w miejscu, z którego bardzo dobrze widziałem zarówno wchodzącą do wsi drogę, jak i półtorakilometrową przestrzeń pomiędzy lasem a chałupami. Rozejrzałem się i z ulgą skonstatowałem, że po moich obu stronach kilka grupek żołnierzy szuka sobie dogodnych stanowisk strzeleckich. Po sąsiedzku – co było rzecz jasna fatalne z punktu widzenia taktyki walki piechoty, bo nie instaluje się kaemu tuż obok dowódcy – trzech ludzi rozstawiało trójnóg karabinu maszynowego. Wyciągnąłem lornetkę. Dzięki ośmiokrotnemu zbliżeniu zobaczyłem bardzo wyraźnie, jak wzdłuż drogi oraz od lasu po prawej suną równe tyraliery niemieckiego natarcia, bardzo gęsto utkane czołgami i transporterami opancerzonymi. Wcale jakoś nie wydawały mi się tak antyczne, jak wynikało z opisu Galasia – część czołgów była całkiem spora i uzbrojona w solidne działa. Pod lasem, rozrzucone na sporej przestrzeni, szykowały się do akcji co najmniej dwa dywizjony ciężkiej artylerii.

Atakowało nas, lekko licząc, trzy tysiące ludzi.

– Johny!

– Zgłaszam się.

– Masz coś konkretnego do roboty?

– No, jestem zaraz umówiony z dwiema fajnymi dupami, ale najpierw musimy z chłopakami skończyć piwo. A co?

– A to nie będę przeszkadzał. Jakbyś jednak miał wolną chwilę, to wpadnij, co?

– Coś pilnego? – spoważniał odrobinę.

– Możliwe. Jesteśmy we wsi i atakuje nas mniej więcej pułk piechoty wsparty batalionem czołgów i artylerią.

– Kurwa, właśnie wystrzelaliśmy wszystkie rakiety. Zebrali się w takiej kupie, że żal było to zmarnować, więc nawet nie czekałem na Wojtka. Załatwiłem pewnie z setkę czołgów.

– Brawo! Czyli nie masz rakiet?

– Nie. Trochę pestek do działek. Już do was lecimy.

– Zostań tam, gdzie jesteś. Samymi działkami nam niewiele pomożesz, a tu nie ma warunków, żeby lądować i uzupełniać rakiety, bo jesteśmy pod ostrzałem. Schowaj się gdzieś i uważaj na myśliwce. Wojtek gdzie jest?

– Goni resztę tych pacjentów w stronę polskich pozycji. O, właśnie rozpieprzył jakiś wóz dowodzenia.

– Dobra, rozłączam się. Wojtek!

Upłynęła dobra chwila, nim usłyszałem Kurcewicza. Ledwo go było słychać, w tle asystowała rozmowie gwałtowna strzelanina.

– Zgłaszam się.

– Zawracaj. Mamy tu gości.

– Robi się. Dużo?

– Dla nas wystarczająco. Przyjechali tą drogą, którą my. Pewnie wracali z poszukiwań. Pospiesz się, dobra?

– Mam do was piętnaście kilometrów. Będę za dwadzieścia minut.

– Bądź za osiemnaście.

– Rozłączam się.

Jak znam Wojtka, będzie za szesnaście.

Prawdą niestety było również to, że szesnaście minut mogło w zupełności wystarczyć Niemcom, by nas załatwić. Właśnie w tym momencie zaczęła strzelać niemiecka artyleria, i to z obu skrzydeł atakujących batalionów.

Pierwsze salwy nie były zbyt celne. Pociski nadleciały od strony lewego skrzydła i zdecydowanie przeniosły nad celem – widać kanonierzy niestarannie odrobili lekcje. Druga salwa była nieco lepsza, ale również nie wyrządziła nam szkód. Z ukrytych w lesie stanowisk zaczęły strzelać lekkie moździerze, i te pociski prawie od razu zaczęły wybuchać pomiędzy naszymi stanowiskami.

Nie zdążyłem nawet porządnie się przestraszyć, gdy za plecami zatrzęsła się ziemia. Podzwaniając gąsienicami, nadjechały cztery kraby. Sześćdziesięciotonowe kolosy z wysuniętymi groźnie do przodu długimi lufami rozjechały się na boki, szukając choćby symbolicznych osłon. Rzecz jasna, w klasycznej sytuacji haubice powinny strzelać ze stanowisk zakrytych, umieszczonych za wsią, jednak miałem tak mało środków przeciwpancernych, że musiałem chociaż jedno skrzydło swojej obrony wspomóc ciężkim sprzętem.

Wysyłając kraby na pierwszą linię, powinienem przynajmniej zadbać o to, aby działa strzelały z okopu ze stosownie umocowanym przedpiersiem. W obliczu nacierających barbarzyńskich zastępów nie było jednak czasu na podstawowe nawet prace inżynieryjne, cała nadzieja spoczywała więc w solidnych pancerzach czołowych, wyprodukowanych w Hucie Stalowa Wola, oraz szybkości i celności ognia.

Nieprzyjacielska artyleria w końcu się wstrzelała. Znowu zapłonęły resztki chałup, do zera redukując i tak marną osłonę dla ciężarówek, cystern i MDS-a. Ciężkie granaty padały coraz bliżej linii obrony. Wspomagana przez liczne kaemy niemiecka piechota także prowadziła gęsty ogień, pociski z broni ręcznej bzykały dookoła niczym gromady rozwścieczonych trzmieli. Oba skrzydła niemieckiego natarcia miały już nie więcej niż dwieście metrów do naszych pozycji. Niemalże dostrzegałem wzory wytłoczone na guzikach mundurów.

– Ognia! – krzyknąłem.

W jednej chwili długa na pięćset metrów linia obrony rozwrzeszczała się jazgotem wydawanym przez kilkaset luf. Nie był to koncert grany unisono: na pierwszym planie dominowały basowe ryki krabów – równo mierzone, nie za częste, w sam raz. Towarzyszyło im ujadanie sfory mniej czy bardziej hałaśliwych kundelków: kaemów, karabinów beryl, granatników i pomniejszych zabawek.

Gdy kraby dały ognia po raz pierwszy, aż wychyliłem się zza osłony, tak ciekaw byłem efektu. Cztery ciężkie pociski przeleciały nad głowami atakującej piechoty i wybuchły tuż przed niemieckim dywizjonem. Nie trafiły bezpośrednio, ale siła poczwórnej eksplozji była wystarczająca, aby dwie niemieckie armaty wywróciły się, a połowa załóg odniosła rany, została ogłuszona lub kontuzjowana. Kraby natychmiast poprawiły – druga salwa ulokowana była nieco dalej i wybuchła dokładnie na niemieckich stanowiskach. Efektów długo nie się dało obejrzeć gołym okiem, bo jeszcze przez dobrych parę minut coś tam eksplodowało i dymiło, ale nieprzyjacielski dywizjon definitywnie przestał strzelać. Wójcik pozbawił nieprzyjacielskie natarcie połowy artyleryjskiego wsparcia.

Czołgi zatrzymały się – już bez lornetki mogłem ocenić, że tylko z tej strony jest ich około trzydziestu – i otworzyły ogień z dział i kaemów. W tym samym momencie, jakby w odpowiedzi, kraby obniżyły lufy i ryknęły ponownie – nie tylko wystrzeliły kolejne granaty, ale zaczęły również używać karabinów maszynowych, które stanowiły ich etatowe wyposażenie. Siła ognia zaporowego wzmogła się znacznie.

Trzy z czerech pocisków trafiły bezpośrednio. Nieczęsto ogląda się ciężkie haubice używane w charakterze strzelającej na wprost broni przeciwpancernej. Efekt był jeszcze atrakcyjniejszy wizualnie niż wczoraj, kiedy kapitan Kurcewicz w naszym obozie rozpylał niemiecki transporter. Jeden z czołgów zginął na dłuższą chwilę w ogniu wybuchu, a kiedy dym opadł, okazało się, że szczątki przykryte są gąsienicami i podwoziem. Po prostu dwudziestotonowa maszyna przewróciła się na dach. Reszta celnych pocisków nie dość, że kompletnie zniszczyła trafione wozy – lżejszego typu, o ile dobrze widziałem – ale poraziła również biegnącą obok piechotę.

Bezpośrednio w moim sąsiedztwie obsługa kaemu, złożona z kucharza i dwóch mechaników od Wieteski, prażyła do nieprzyjaciela długimi, starannie mierzonymi seriami. Na palcach jednej ręki dałoby się policzyć ich doświadczenia z bronią, i to co najwyżej z lekkim berylem. Z pewnością z wielkiej i ciężkiej maszynki kalibru 12,7 milimetra strzelali pierwszy raz w życiu. Ale celowniczy mocno uchwycił tylce i ładował w nadbiegających piechurów serię za serią. Strzelał standardową amunicją – w pośpiechu obsługa wzięła pierwszą lepszą skrzynkę – więc nie mógł śledzić toru lotu pocisków, ale na moje oko tylko połowa pierwszej serii poszła górą, a reszta wybijała całkiem spore przerwy wśród pierwszej niemieckiej tyraliery.

Nie ma potrzeby dodawać, że pragnąc ze wszystkich sił świecić przykładem, ja również prowadziłem celny i niszczycielski ogień, od czasu do czasu okraszając swoje występy strzałem z granatnika. Dokładałem przy tym wszelkich starań, aby panować nad żołądkiem, drżeniem rąk i głosu. Nie ułatwił mi zadania pocisk z moździerza, który wybuchł tuż przed moją osłoną. Wyrwany z korzeniami nadpalony kikut drzewa o mało mnie nie zabił – zbita bryła ziemi i korzeni, pchnięta z ogromną siłą, wzleciała na dwa metry i upadła tuż koło moich kolan. Podmuch rzucił mnie w tył. Uderzyłem plecami o ziemię i zastanawiałem się, czy zdołam jeszcze kiedykolwiek wziąć oddech. Udało się w końcu, choć przez dłuższą, pełną grozy chwilę, nie było to takie pewne. Niemcy leżeli o sto metrów od nas. Nie znaczyło to niestety wcale, że przestali być groźni. Obok mnie szeregowy, jeden z obsługi kaemu, dostał w twarz. Rzucił się gwałtownie w tył, przyciskając ręce do krwawej dziury w miejscu nosa i ust. Nogi kopały ziemię, krew tryskała spomiędzy zaciśniętych kurczowo palców. Próbował krzyczeć, ale słychać było tylko wściekły bulgot – musiał się topić we własnej krwi. Dłuższą chwilę trwało, zanim się uspokoił.

Poczułem silniejszy niż zwykle skurcz żołądka. Sporo wysiłku kosztowało uświadomienie sobie, że nie mogę facetowi pomóc. Naturalnym odruchem jest wyciągnięcie pomocnej dłoni do bliźniego w potrzebie. Na wszelkie, nawet wysoko wyspecjalizowane interwencje, było od pierwszej chwili za późno. Los nie oszczędził mi jednak biernego uczestniczenia w tym ponurym spektaklu, który rozegrał się niemal u mych stóp.

Nieprzyjaciel miał co najmniej dwunastokrotną przewagę w ludziach. Że pierwszą falę udało nam się zatrzymać, należy przypisać Wójcikowi i jego zuchom oraz determinacji reszty żołnierzy, którzy zadziwiająco szybko dostosowali się do dziejącego się wokół pandemonium. Po mniej więcej pięciu minutach potyczki kilkanaście niemieckich pojazdów paliło się jasnym płomieniem, widocznym nawet w pełnym słońcu, a reszta wycofała się pod las. Piechota na całej długości tyraliery leżała przyciśnięta do ziemi. Wyglądało na to, że póki ich dowódca nie wymyśli czegoś nowego, możemy ich trzymać na dystans. Chwilowo był remis. Bardziej bałem się o moje prawe, czyli zachodnie skrzydło, które, dowodzone bezpośrednio przez szefa sztabu batalionu, niezmordowanego majora Łapickiego, swoją sytuację taktyczną powinno określić mianem „złożonej", „skomplikowanej" lub co najmniej „niejasnej". Krótko mówiąc, prawe skrzydło miało przechlapane.

Przede wszystkim pozbawione było wsparcia krabów. Po drugie właśnie na naszym prawym, a swoim lewym skrzydle niemiecki dowódca skoncentrował główną siłę ataku, jasno dając nam do zrozumienia, że prowadzone po osi drogi i odparte przez nas przed chwilą natarcie było tylko działaniem pomocniczym. Słowem, sprawy na naszym prawym skrzydle od początku szły źle.

Linia popalonych chałup, ciągnąca się równolegle do drogi i linii niemieckiego natarcia, została obsadzona przez kilkudziesięciu żołnierzy, ale siła atakujących batalionów była w tym miejscu znacznie większa, więc tyraliery konsekwentnie zdobywały teren. Bardzo celnie wspierała atak ustawiona pod lasem artyleria – co chwila któreś z naszych stanowisk ogniowych milkło, uciszone celnym granatem.

Niemieckie czołgi, pomimo że ponosiły straty od ognia dwóch RPG, których strzelcy po każdym odpaleniu rakiety zmieniali stanowiska, także wstrzelały się w nasze pozycje i na spółkę z artylerią powodowały, że nasz ogień słabł coraz bardziej. Mogłem mieć tylko nadzieję, że głównie wskutek wycofywania się żołnierzy. Cały czas waliły w nas jakieś moździerze.

Ani Wójcik, ani ja nie zamierzaliśmy jednak oddać pola walkowerem. Załogi samobieżnych moździerzy AMOS potrzebowały nieco więcej czasu od krabów, aby po początkowym zamieszaniu zająć dogodne stanowiska po prawej stronie drogi, wypuścić do przodu obserwatorów i otworzyć ogień. Wyrzutnie rakietowe Wójcik starał się na razie schować jak najgłębiej – nie nadają się one do strzelania na wprost, co, jak się niebawem okaże, dla Wójcika było tylko teoretyczną przeszkodą.

Jako się rzekło, głównym wsparciem ogniowym prawego skrzydła były oba dwulufowe AMOS-y. Dowódca baterii po otrzymaniu danych od obserwatorów zamknął oczy, przeżegnał się i dał sygnał do odpalenia pierwszej salwy. Była ona haniebnie niecelna – wszystkie cztery pociski wybuchły głęboko w lesie, płosząc ptaki. Druga seria była nieco lepsza – granaty wylądowały jakieś sto metrów za plecami stojącej na linii drzew artylerii. Zanim dowódca tamtego dywizjonu dał sygnał do zmiany stanowisk, nadleciały kolejne cztery zwiastuny śmierci i eksplodowały dokładnie wśród armat i uwijających się obsług.

Któryś z granatów musiał trafić bezpośrednio w jaszcz amunicyjny, bo eksplozja była zdecydowanie silniejsza, niż podawał to w instrukcji obsługi producent AMOS-a. Sześć wrogich dział zostało wyeliminowanych z walki, a reszta próbowała w najwyższym pośpiechu cofnąć się w las. Dostali jeszcze dwie salwy na pożegnanie i cała nieprzyjacielska artyleria chwilowo umilkła.

Uznałem, że dowodzeni przez Sawickiego obrońcy lewego skrzydła dadzą sobie radę beze mnie. Poderwałem się i skokami, meandrując i kulejąc pod nieprzyjacielskim ogniem, pobiegłem w stronę zagrożonego rejonu. Górą przeleciała, zaciągając śpiewnie, jakaś wyjątkowo nieprzyjemna kula, więc bez zbędnej zwłoki dopadłem pierwszej z brzegu kupy zgliszcz i padłem na ziemię. Ostrożnie wyjrzałem na przedpole. Spore grupy Niemców już niemal osiągnęły linię chałup. Sto metrów za nimi posuwał się do przodu drugorzutowy batalion. AMOS-y pozbawiły natarcie wsparcia artyleryjskiego, a także, dzięki specjalnej amunicji, zniszczyły kilkanaście czołgów, ale wobec słabnącej zapory ognia maszynowego piechocie potrzeba było dwóch, może trzech minut, aby wpaść między zabudowania. Wtedy zacznie się walka na wprost, twarzą w twarz, co przy przewadze liczebnej i lepszym wyszkoleniu Niemców – moi żołnierze to przecież kompania logistyczna, pluton łączności i kucharze – musiało się skończyć tylko w jeden sposób.

Ale nie doceniłem swoich dowódców.

I Nancy.

Kiedy kryzys bitewny osiągnął niemal swoje apogeum, na drugim końcu wsi, pchnięte rozkazem czujnego jak żuraw Łapickiego, przejechały przez drogę dwie szyłki i stanęły na samym końcu naszej podupadającej linii obrony, mając przed sobą niemal całe pole bitwy. Strzelanie z dwudziestotrzymilimetrowych działek do piechoty jest zwykłą rozpustą, ale major, który z uwagą obserwował rozwój wypadków, pewnie uważał to za mniejsze zło niż oddanie Hunom inicjatywy. I szyłki, osłaniane przez kilku strzelców, zaczęły gęsto ostrzeliwać skrzydło atakującego nieprzyjaciela. Oberwało się czołgom, transporterom i piechocie. Po kilku minutach kryzys w tamtym rejonie był zażegnany. Oba skrzydła natarcia zaległy. Ale środek...

Środek niemieckiego ugrupowania wchodził już do wsi, całkiem zresztą niedaleko mojego stanowiska. Wychyliłem się zza osłony i strzeliłem z granatnika. Nie miałem zbyt wiele czasu na dokładne celowanie, więc granat wybuchł nieco za blisko, ale mimo to powstrzymał na chwilę atakującą piechotę. Z flanki rozszczekała się seria – wtuliłem głowę w piach, a nade mną bzyczały kule. Kilka rykoszetów zaśpiewało cienko i poleciało w niebo. Ktoś niedaleko krzyknął rozdzierająco i ogień z naszej strony umilkł.

Upartemu strzelcowi właśnie chodziło o to, abym leżał bez ruchu i bał się nawet podnieść głowę. Jego koledzy w tym czasie posuwali się skokami do przodu. Za chwilę sięgną mnie granatem.

– Panie majorze – wyszeptałem do mikrofonu.

– Tak? – usłyszałem niewyraźny głos. W tle warczała wściekła kanonada.

– Jestem w narożniku wsi. Wygląda na to, że zostałem sam. Niemcy podeszli...

– Widzę. Ale nie mam sił, aby panu pomóc. Mnie też zaraz odepchną...

– Cholera! Wójcik! Zawracaj połowę krabów na prawe skrzydło. Biegiem. Piechota już wchodzi do wsi.

– Tak jest.

To było rozwiązanie, które pewnie i tak się na nic nie zda. Haubice słabo się nadają do walki z piechotą na krótki dystans.

Odpiąłem przytroczony do pasa granat, wyciągnąłem zawleczkę i rzuciłem. Nie czekając, aż opadną odłamki, wychyliłem się zza osłony i krótkimi seriami zagoniłem kilku najbliższych Niemców za zabudowania. Poklepałem się po kieszeniach i zmartwiałem. Miałem tylko dwa magazynki. Sześćdziesiąt naboi.

Niemieccy podoficerowie krzykami poganiali swoich ludzi. Rzuciłem drugi granat i przestawiwszy uprzednio przełącznik w karabinie na ogień pojedynczy, na chybił trafił oddałem kilka strzałów. Za mną wybuchł moździerzowy pocisk i coś mocno uderzyło mnie w czubek hełmu. Od impetu odłamka zaryłem nosem w piasek. Przez moment nic nie widziałem i miałem niejasne wrażenie, że również nie oddychałem.

Usłyszałem za to długą serię z ciężkiego kaemu i podzwanianie gąsienic. Do końca życia z lubością będę wspominał ten dudniący dźwięk. Długolufy krab nadjechał niespiesznie, stanął kilka metrów ode mnie i grzał na całego do piechoty. To niestety była tylko doraźna pomoc. Pozbawiony osłony – kontuzjowanego, ogłuszonego i pozbawionego amunicji, acz szaleńczo odważnego podpułkownika nie liczę – pomimo swoich mamucich rozmiarów i siły, bardzo szybko stanie się ofiarą wiązki przeciwpancernych granatów.

Do osłony wozów bojowych i do walki z piechotą potrzebna jest piechota.

I taki właśnie oddział niemal w ostatniej chwili przybył nam na odsiecz.

Kiedy pomimo mgły przed oczami i monstrualnego bólu głowy wyraźnie już widziałem spocone z wysiłku gęby napastników, usłyszałem za sobą warkot samochodowych silników. Skacząc po wybojach, kilkanaście metrów ode mnie przejechały dwa hummery. Zanim jeszcze zdołały wyhamować, wysypała się z nich drużyna marines. Żołnierze błyskawicznie zajęli stanowiska strzeleckie, obsadzając kilkadziesiąt metrów terenu, na który już wlewała się niemiecka fala.

Ostro zabrały się do roboty sześciolufowe miniguny, czyli młodsi i mniejsi kuzyni armat podwieszonych pod kabinami helikopterów. W jednej chwili położyły pokotem nacierającą kompanię. Nie na wiele zdały się osłony z drzew czy spalonych zgliszcz domostw – lawina stali zamieniała cały rejon w eksplodujące na wszystkie strony panoptikum.

Stukały granatniki, warczały erkaemy, trzaskały karabiny M-4. Taka amerykańska drużyna piechoty morskiej ma siłę ognia, że aż miło. W każdym razie huraganowy ogień, wspomożony kaemem kraba i moimi celnymi strzałami, rzucił Niemców na ziemię i zmusił do zatrzymania się. Mogliśmy ich, tak jak kolegów z zachodniego skrzydła, trzymać w szachu. Ale na kontratak nie mieliśmy sił.

– Wojteczku – przypomniałem sobie o obiecanym wsparciu. Zdjąłem hełm i potarłem bolące miejsce na czubku głowy. Niezły wynalazek ten kevlar. – Długo jeszcze? Trochę tu gorąco.

– Zaraz będziemy. Mieliśmy małe kłopoty.

– Jak małe?

– Bombardowanie. I kontratak jakiegoś zapomnianego batalionu pancernego.

– I?

– Nie widzisz tego w swoim słynnym programie?

– Nie siedzę w wozie. Więc?

– Mamy trochę uszkodzeń. Jeden zabity, kilku rannych. Czołg i dwa transportery ciągniemy na sznurku. Ale szyłki nam się sprawiły...

– A tamci?

– Odprawieni odmownie.

– Za ile możecie tu być?

– Jesteśmy jakieś pięć kilometrów od wsi. Słyszymy was bardzo dobrze. Ale jedziemy wolno i diabli wiedzą, czy nie będzie więcej niespodzianek.

– Wieteska coś mówi?

– Klnie. A poza tym mówi, że czysto. Po nalocie cisza. Stracili sporo maszyn. Może mają dość.

– Nie sądzę.

Rozłączyłem się.

Dwoma skokami dobiegłem do Nancy, która osobiście dowodziła kontratakiem. Ukryta za cembrowiną studni uważnie oglądała przez lornetkę przedpole. Nieprzyjacielska piechota zaległa niemalże u bram wsi. Nie miała wsparcia czołgów – ocalałych kilka maszyn wycofało się do lasu i stamtąd ostrzeliwało nas ogniem nękającym – ale nadal była groźna. I było jej bardzo dużo. Z pewnością dowódca aż czerwieniał ze złości, dlaczego jeszcze nie kręci się nad nami pięć dywizjonów sztukasów. Sam na jego miejscu bym się czerwienił. Wiedziałbym, że gdy piechota zaatakuje razem z bombowcami, w końcu zadziała efekt skali.

– Dziękuję.

Spojrzała na mnie uważnie.

– Proszę – odparła. – Tamci z lewej raczej niegroźni. Za daleko mają i do nas, i do lasu. Ale ci tu...

– Właśnie. Mają spore straty, ale jest ich z pewnością ponad batalion. Sześciuset. Może siedmiuset. Jak przyślą samoloty i skoordynują
działania…

– A co z twoimi czołgami?

– Mieli kłopoty. Powinni tu być niedługo. Ale mogą nie zdążyć.

– Musimy przeczekać. – Nie odrywała oczu od lornetki.

– Panie pułkowniku – usłyszałem w słuchawce głos obserwatora
radaru. – Grupa czterdziestu samolotów, czterdzieści kilometrów na
południowy zachód. Kurs 230. Prosto na nas.

Właśnie. Tylko nalotu nam trzeba do kompletu. Czterdzieści pokoleń wojowników złapało się za głowy.

– Zrozumiałem. Uwaga, szyłki. Uwaga strzelcy pepeków. Gotowość
bojowa. Rozstawić się.

Chcąc nie chcąc, osłabiłem obronę i kazałem wycofać szyłki z linii.
Wałecki musiał je ustawić w takim miejscu, żeby miały jak najlepszą
widoczność i kąty ostrzału. A czasu było tyle, co nic – czterdzieści
kilometrów to dla bombowców sześć minut. Piechota z pewnością
skorzysta z osłabienia siły ognia obrony i znowu ruszy do przodu. Ale
czy miałem inne wyjście?

Spojrzałem na Nancy. Strasznie mi się jakoś zrobiło żal nas obojga.
Pomimo bólu głowy myślałem całkiem jasno.

– Możemy nie dotrwać do przyjazdu czołgów – powiedziałem.
– Właśnie leci na nas cała wataha bombowców. A ja mam tylko trzy
szyłki… Nancy, posłuchaj mnie uważnie. Bierz MDS-a, bierz swoich
ludzi i pryskajcie w las. Tam. – Machnąłem ręką na wschód.

– Ale…

– Bez dyskusji. To jedyna szansa. Tu nie mamy żadnych. Któraś
bomba trafi i będzie nieszczęście. No już – popchnąłem ją lekko.
– Jedźcie dokładnie na wschód. Niedaleko powinny być stanowiska
naszej kawalerii. Za tobą poślę Łapickiego z taborem.

– Ale…

– Jedź już – powtórzyłem niecierpliwie. Bardzo niechętnie podniosła się z ziemi i rzuciła do mikrofonu kilka krótkich komend.

Widziałem, że chce mi jeszcze coś powiedzieć, więc żeby jej ułatwić
zadanie, odwróciłem się i na czworakach, starając się wykorzystać
każde zagłębienie terenu, zacząłem się cofać do środka wsi.

Amerykanie zwinęli się bardzo sprawnie, wsiedli do hummerów
i odjechali. Nancy przyglądała mi się przez szybę, jakby chciała dobrze

zapamiętać ten obraz: płonące zabudowania, wybuchy pocisków moździerzowych i ja, tkwiący tutaj jak Leonidas na czele swoich Spartan. Przez chwilę obserwowałem oddalające się samochody.

– Panie majorze.

– Zgłaszam się. – Łapicki był mocno zdyszany.

– Natychmiast weźmie pan wszystkie wozy, poza bojowymi, i odskoczy w ślad za Amerykanami w las.

– Nie mogę…

– Wykonać. Zaraz tu będą trzy dywizjony Luftwaffe. Na nic mi się nie przydacie. Niech pan nawiąże łączność z kawalerią, oni pana przygarną. I niech pan uważa na naszych Amerykanów.

– Ale dlaczego pan się z nami nie wycofa?

– Myśli pan, że oni nam po prostu pozwolą odjechać? Osłonimy was i w tym czasie odskoczycie. Wezmę nalot na siebie. A większe szanse mam w polu. W lesie będę ślepy i głuchy. No już, szkoda czasu.

– Tak jest.

– Wójcik!

– Zgłaszam się.

– Ognia ze wszystkich luf. Tyłownicy się wycofują. Wprowadź do walki wyrzutnie rakietowe. Dasz radę z nich strzelać na taki dystans?

– Będę próbował. Na razie wymacałem ich moździerze i zagoniłem czołgi do lasu.

– Rzeczywiście. – Dopiero teraz uświadomiłem sobie, że od pewnego czasu jesteśmy ostrzeliwani tylko z broni strzeleckiej. – Zuch chłopak. Uruchom beemki. Musimy ich zniechęcić do życia. I uważaj, zaraz będzie nalot.

Jednak sprawy potoczyły się nieco inaczej, niż to sobie wyobrażałem.

5.

Niemiecki dowódca, jak się okazało, nie czekał tylko na bombowce. Po stracie większości artylerii wycofał ocalałe działony, ukrył je, dołączył jeszcze jeden dywizjon z odwodu i w momencie, kiedy już słyszałem gołym uchem warkot nadlatujących sztukasów, wydał rozkaz do jednoczesnego rozpoczęcia ostrzału artyleryjskiego i natarcia piechoty. Pozornie głupio pomyślane – własna piechota znajdzie się we wsi w momencie, gdy nadlecą bombowce. Ale Szkop wiedział, co robi. Wyciągnął wnioski z faktu, że gdy dał nam chwilę czasu na zajęcie stanowisk, w oka mgnieniu wystrzelaliśmy mu artylerię i czołgi. Więc postanowił nas zmusić do zmiany stanowisk, licząc na to, że właśnie w tym momencie nadlecą sztukasy i zaatakują nas, gdy będziemy nieprzygotowani.

O nie, kochany. Na takich numerach to ja zęby zjadłem.

Gdy huknęła ich artyleria, nasze ciężarówki podążały już śladem Amerykanów i właśnie opuszczały wieś. Pomimo tego, że znowu zostałem sam i znowu dookoła zaczęły wybuchać ciężkie granaty – Niemcy strzelali coraz lepiej – ulżyło mi. Mogłem się skupić tylko na obronie, nie drżąc za każdym razem o Nancy, MDS-a, ciężarówki po brzegi wypchane amunicją czy cysterny z benzyną.

– Wójcik! Kojarzysz tę artylerię?

– Właśnie ją namierzyłem. Zmieniam plan. Rąbnę ich beemkami.

– Miał na myśli potoczną nazwę wyrzutni BM-21.

– Jak chcesz. Byle szybko. Piechota wchodzi do wsi.

– Już.

Zanim jednak kapitan wysłał w stronę stanowisk niemieckiej artylerii swoje rakiety, wroga salwa wylądowała dokładnie na linii stacjonowania krabów. Seria wybuchów zatrzęsła ziemią, rozrzucając dookoła masę rozmaitych szczątków. Jedna z haubic oberwała bezpośrednio. Pancerz co prawda wytrzymał uderzenie odłamkowego pocisku, ale załoga nielicho oberwała od wstrząsu.

W tym momencie sytuacja militarna III Bitwy pod Mokrą przedstawiała się następująco: strzelało do nas kilkanaście dział dużego kalibru. U wrót wsi leżało kilkuset piechurów, podnoszących się właśnie do ataku i dyszących żądzą zemsty za śmierć swoich kolegów. Nad wieś nadlatywało czterdzieści bombowców, wiozących w lukach ładunkowych pewnie koło osiemdziesięciu ton bomb.

My mogliśmy tej nawale przeciwstawić dziurawą jak ser szwajcarski obronę, złożoną z resztek trzymających się na nogach grup Sawickiego, trzech krabów – załoga czwartego wiła się w boleściach, puszczając krew nosem i uszami – dwóch średnio celnie strzelających moździerzy, trzech szyłek z kończącą się amunicją i czterech wyrzutni rakiet, które właśnie zabierały się do roboty.

Nawet bez żadnej zafajdanej odrobiony szczęścia nalot sprzężony z piechotą i artylerią musiał nas zdmuchnąć z powierzchni ziemi.

– Panie pułkowniku – usłyszałem w słuchawce głos Wałeckiego.

– No? Widzisz ich?

– Widzę. Zaraz tu będą. Ale obserwator melduje, że za nami z lasu wyszło jakieś wojsko.

– Gdzie? – krzyknąłem.

– No, z tego lasu, gdzie przed chwilą zniknął major i Amerykanie.

– Jakie wojsko? Ilu?

– Co najmniej dwie kompanie. Raczej trzy. I artyleria.

Przyjdzie mi rzeczywiście wypełnić rolę Leonidasa.

– Wójcik!

– Zgłaszam się.

– Ucisz tę artylerię, a potem obracaj prowadnice. Mamy następnych gości.

– Gdzie? – zdziwił się tak samo jak ja przed chwilą, ale znacznie lepiej ukrył strach.

– Z trzeciej strony. Jesteśmy okrążeni.

– Kurwa!

– Słuszna uwaga. Ognia.

Ustawiona na skraju wsi bateria wystrzeliła kilkadziesiąt rakiet, które po krótkim locie podpaliły ładny kawałek lasu kilka kilometrów stąd. Chłopcy Wójcika w takiej chwili nie zwykli chybiać – ostrzał artyleryjski umilkł gwałtownie.

Jednak naprawdę lżej na duszy zrobiło mi się w momencie, kiedy ponownie usłyszałem głos Wałeckiego.

– Panie pułkowniku, melduję, że te oddziały to chyba nie są Niemcy.

– A kto? – zapytałem z głupia frant.

– Nasi. Mundury mają takie jakby polska kawaleria. I armaty też inne niż szkopskie. Kaliber mniejszy i koła na szprychach.

– Co robią?

– Ruszyli. Na piechotę. Chcą chyba obejść wieś od prawej i z boku uderzyć na Niemców. Wydawało mi się, że kawaleria walczy z konia…

– Porusza się konno, poruczniku. Walczy zawsze pieszo.

– Aha. W każdym razie grzeją, aż się kurzy. O kurna, atakują na bagnety!

To była najpiękniejsza muzyka, jaką usłyszałem od rana.

Przez następnych piętnaście minut przez ongiś spokojną i sielską wieś Mokra po raz kolejny przetoczyło się iście dantejskie piekło.

Polskie oddziały, które istotnie okazały się jednym z pułków Wołyńskiej Brygady Kawalerii, obeszły wieś i z wielkim impetem zaatakowały Niemców. Na tyły – o czym dowiedziałem się już po bitwie, przy jednym z obozowych ognisk – wyszedł następny pułk ułanów i uniemożliwił Niemcom odwrót. Wójcik przechodził samego siebie, mobilizując swoich artylerzystów do stachanowskiego wysiłku i celności godnej Wilhelma Tella. Wałecki tak potraktował rakietami wrogie bombowce – nadleciały z kilku kierunków jednocześnie – że nad celem pojawiło ich się nie więcej niż połowa, a i te zrejterowały odstraszone celnym ogniem z dział. W końcu – widząc, że kawaleria spycha niemieckie oddziały coraz bardziej na południe, pędząc je niejako przed frontem naszej linii obronnej – poderwali się do kontrataku ludzie Sawickiego.

I to już był koniec.

6.

Dlaczego udało się wygrać?

Oczywiście niepozorny Darek Wójcik, artylerzysta urodzony w domu notorycznych artylerzystów, który twardo utrzymywał, że w wojsku mu się podoba, który z zapałem i ciekawością małego chłopca nieustannie studiował procedury i instrukcje, w decydującym momencie odparł niemieckie natarcie, pozbawił je siły ognia i stalowego impetu.

Ale gdyby nie pomoc kawalerii, nawet najtwardsza obrona, najcelniejsze salwy i mój geniusz strategiczny nie pozwoliłyby wyrwać się z matni. Amunicja skończyłaby się w ciągu pięciu minut. Gdy sprawdziłem swoje zapasy, okazało się, że mam pół magazynka naboi – trochę ponad piętnaście sztuk. Swoją drogą to ironia: najnowsze laserowe systemy celowania wspomagane wyszukaną komputerową technologią, wielkie kalibry dział, niszczycielska amunicja, spora ilość bardzo dobrej broni maszynowej nie zdałyby się na wiele, gdyby nie atak na bagnety kilkuset kawalerzystów, wspieranych przez kilka archaicznych armat. Ewidentny przykład zwycięstwa ducha nad materią.

– Panie majorze. – Stałem na pobojowisku i próbowałem ogarnąć wzrokiem rozmiary naszego zwycięstwa.

– Zgłaszam się.

– Daleko ujechaliście?

– Parę kilometrów. Znalazłem świetne miejsce na postój.

– Trochę za blisko linii frontu.

– A gdzie jest teraz linia frontu, panie pułkowniku?

– Dobre pytanie. Niech pan w takim razie rozbija obóz. I proszę mi podesłać obie sanitarki z sanitariuszami, mam tu niezłe jatki. MDS i Amerykanie cali?

– Tak jest. Wzięliście całe uderzenie na siebie. Odmeldowuję się.

Rzeczywiście, wzięliśmy całe uderzenie na siebie. Nie miałem najmniejszej ochoty wysłuchać komunikatu o stratach.

Powoli schodziły do wsi grupki żołnierzy wracające z pościgu za Niemcami. Prowadziły sporo jeńców. Moi ludzie kompletnie wymieszali się z ułanami. Braterstwo broni jednoczy bardzo szybko – gadali żywo, wymieniając uwagi i sławiąc swoje przewagi bitewne.

Z lasu wynurzyła się kolumna czołgów – po brzmieniu silników poznałem, że to grupa Kurcewicza. Przybyła na gaszenie świec.

Johny'emu Wietesce kazałem osłaniać odwrót, a potem lecieć bezpośrednio do nowej bazy.

Patrzyłem na to wszystko, słońce prażyło niemiłosiernie, błękitne niebo przypominało wakacyjną pocztówkę, a ja trząsłem się jak w najgorszym ataku febry.

VIII. LIST

1.

Siedziałem na dachu wieży twardego i na każdym większym wyboju stwierdzałem, że to był głupi sposób na podróż do nowej bazy. Wyboi było sporo – zwykle tak bywa na leśnej polskiej drodze – więc właściwie tuż po starcie uznałem wybór środka transportu za niezbyt fortunny. Nie chciałem jednak stracić okazji, aby z bliska przyjrzeć się morale nieustraszonego dowódcy grupy pancernej i jego ludzi.

Najwyższy rangą i funkcją reprezentant badanego morale siedział obok mnie i dyndał opuszczonymi do środka wieży nogami.

Wieś pożegnałem bez żalu. Patrole brygady, które dotarły prawie pod Kłobuck, meldowały brak ruchu nieprzyjacielskich jednostek, więc bezpośrednie niebezpieczeństwo nieco się oddaliło, ale chwilowo miałem dość chwały bitewnej, wojny i Niemców. Byłem hipokrytą, to prawda – jeszcze dziś nad ranem dążyłem do starcia z uporem i siłą średniowiecznego tarana. Może świst latających dookoła głowy kul i odłamków, może widok umierających żołnierzy, wrzeszczących i wzywających pomocy – przeważnie nadaremnie – może groza nadlatujących z wyciem sztukasów; może to wszystko razem spowodowało, że chwilowo miałem dość. Nie trząsłem się co prawda tak, jak jeszcze piętnaście minut temu, ale i tak skaczący na wybojach twardy był doskonałym kamuflażem dla siedzącego jeszcze we mnie strachu.

Zatęskniłem do Nancy i do mojego wyobrażenia o tym, co mógłbym z nią teraz robić, gdyby nie wojna...

Gdyby nie wojna, pewnie bym jej nie spotkał.

– Słucham? – ocknąłem się. Wojtek pewnie przemawiał do mnie od półgodziny.

– Śpisz? Mówię, że jesteś jakiś nieswój.

– Yhm.

– Nieźle sobie poradziliście. Zrobiliście tu nie gorszy kipisz niż ja z Wieteską pod Kłobuckiem.

– No...

– Kurna, ale rozmowny jesteś.

– Co ty chcesz ode mnie? Faktycznie, daliśmy sobie radę. Trochę nie mieliśmy innego wyjścia, bo Niemcy wyleźli prosto na nas. Ciekawe, skąd o nas wiedzieli.

– Myślisz, że wiedzieli?

– Nie wiem. Ale wiem, że zaatakowały nas oddziały 1 Dywizji Pancernej, tej samej, z którą się zabawiałeś. Tuż przed rozpoczęciem bitwy Wojtyński opanował sztab. Ustaliliśmy, że narobi Niemcom trochę bajzlu, udając więc dowódcę dywizji, zarządził zbiórkę pod Kłobuckiem. Chodziło o to, żebyś ich miał w jednym miejscu. A tu się okazuje, że cały pułk piechoty, razem z czołgami i artylerią, rozkazu nie wykonuje i atakuje nas pod Mokrą, czyli dziesięć kilometrów od miejsca zbiórki. To jest dla ciebie okej?

– Nie jest. Z tego co pamiętam, Niemcy raczej daliby się zabić, a rozkaz by wykonali. Befehl ist Befehl. Czy jakoś tak.

– No właśnie. O tym mówię.

Wojtek zastanowił się przez chwilę. Ja też się zastanawiałem. Robiłem to właściwie od początku bitwy.

– Może jechali na miejsce zbiórki i wyleźli na was przypadkowo?

– Eeeeee...

– Czyli nasz człowiek, nasz artysta wirusolog, dał znać komu trzeba?

– Możliwe. Sporo ryzykował, bo taka bitwa to loteria. Ale mogła to być właśnie dobra okazja do gwizdnięcia MDS-a... Marines walczyli, zamiast go pilnować.

– Kto miał możliwości, żeby dać Niemcom znać?

– No właśnie... kto?

– Galaś – powiedział pewnym tonem Kurcewicz. – Czuję, że to on.

– Też o tym myślałem. Ale chyba nie. Nie jechał wozem dowodzenia, zamieniliśmy go na sanitarkę.

– Mógł skorzystać z innej radiostacji.

– Raczej nie. Wszystkie były na oku.

– No, to znaczy, że nikt tego nie mógł zrobić. Nikt nie miał dostępu…

– Wielu ludzi ma dostęp. Ty, ja, Łapicki, Wieteska, wszyscy dowódcy…

– Nie piernicz. Wyobrażasz sobie Wieteskę, jak zwala nam Niemców na głowę, żeby buchnąć jakiś zafajdany złom?

– Zależy, ile kupiec chciałby za ten złom zapłacić, mój dobry człowieku. Ja jestem poza podejrzeniem, bo mam z czego żyć, ale wy…

– Eh, gadanie. – Machnął ręką niecierpliwie.

Popołudnie nadal było przecudnej urody. Jechaliśmy piaszczystą drogą, a dookoła pysznił się nieco zakurzoną zielenią sosnowy las, mamiąc nas żywicznym aromatem. Przede mną posuwały się żwawo niezgrabne transportery Stańczaka.

Minęliśmy stojącego przy drodze wartownika. Nadszedł czas triumfalnego wjazdu do obozu. Morale dowódcy Borsuków i jego ludzi było bez zarzutu.

– Na razie cisza, dobra? Nie trąb o naszych podejrzeniach na lewo i prawo.

– Może nie będę. A chęć na wojaczkę trochę ci przeszła?

– Trochę. Uważam, że robimy, co do nas należy. Ale na razie leciutko mam dość.

– Widzę, że zacząłeś gadać do rzeczy. Trzymaj tak dalej, a będziemy żyli długo i szczęśliwie.

Wjechaliśmy na leśną polanę, znacznie bardziej kameralną od naszego ostatniego miejsca pobytu, z ulokowanym pośrodku niewielkim, drewnianym budyneczkiem, otoczonym kilkoma zabudowaniami gospodarczymi.

Zobaczyłem stojącą przed budynkiem Rozalkę, która, wziąwszy się pod boki, surowym okiem spoglądała na naszą prowizoryczną defiladę. Włosy miała rozpuszczone i starannie wyszczotkowane, oblicze wypucowane do blasku, a sukienkę wyczyszczoną w najważniejszych miejscach. Kobiety mają zdolność do myślenia o rzeczach podstawowych nawet w obliczu światowego kataklizmu.

– A to kto? – osłupiał mój przyjaciel.

– Zapomniałem ci powiedzieć. Mam dla was prezent. To Rozalka.

– Skąd ją wytrzasnąłeś, na litość boską? – Doszukałem się w jego głosie dyskretnej nutki paniki.

– Zdobyczna. W Mokrej, w piwnicy siedziała. Jak przejeżdżaliśmy, zaczęła się tak drzeć, że konie w całym powiecie się znarowiły. Więc ją zabraliśmy...

– O w mordę. Już przez Nancy chłopaki nie mogą odróżnić wyciora od lufy...

– No, no...

– A ta laska spowoduje, że do szczętu zgłupieją.

– Oni? – Uśmiechnąłem się kpiąco. – Ty jesteś odporny?

– Szkoda gadać. – Machnął ponownie ręką i polecił kierowcy zaparkować na prawo od zabudowań, w miejscu, które staranny major Łapicki wyznaczył na parkingi i lądowisko.

Kierowca zgasił silnik, co było sporą ulgą dla uszu. W tę lukę od razu wszedł dźwięczny jak najczystszy kryształ głos dziewczyny:

– Ale pan oficer to się za bardzo na kolację nie spieszył, co? – Podparta pod boki, z piersią podaną do przodu, patrzyła na nas prawie zaczepnie. Łapicki stał przezornie dwa metry za nią.

– Rozalka, olaboga – mruknął całkiem już przestraszony kapitan.

2.

Okazało się, że myliłem się bardzo, dopuszczając do siebie myśl o zasłużonym odpoczynku czy kubku parującej kawy. Wszyscy mieli do mnie jakieś interesy. Największą determinacją wykazała się nasza nowa znajoma. Jej zdecydowana postawa z pewnością w ekspresowym tempie zawiodłaby mnie za suto zastawiony stół, ale postanowiłem najpierw oddać się pewnym niecierpiącym zwłoki sprawom służbowym i – w znacznie większym stopniu – osobistym. Chwilowo porzuciłem więc biuściastą przedstawicielkę słowiańskiej krzepy i udałem się na poszukiwania reprezentantki nieco chłodnej i pełnej rezerwy urody anglosaskiej.

Nie musiałem długo szukać. Nancy stała przed oliwkowo-kanciastym technologicznym hitem Pentagonu i konferowała z Holdenem. Gdy podszedłem, przerwali rozmowę. Możliwe, że nie zdążyli uzgodnić przeznaczonej dla mnie wersji. Wyprostowałem się dumnie – wracałem w końcu z przedsionka piekła.

Helikoptery – do tej chwili ubezpieczające batalion – właśnie wylądowały. Jako pierwszy wyskoczył na ziemię porucznik Wilgat. Zrobił parę kroków w stronę obozowiska Amerykanów, ale zobaczywszy mnie, płynnie zmienił kierunek i pomaszerował do leśniczówki.

– Z ulgą stwierdzam, że jesteście cali i zdrowi – powiedziałem, starając się nie zwracać uwagi na spojrzenie Nancy, wyraźnie podążające za oddalającym się lotnikiem.

– Jesteśmy. Z ulgą stwierdzam, że ty też.

Nie wiedziałem, co o tym sądzić. Oficjalnie przeszliśmy na formę towarzyską w kontaktach służbowych. Nancy w końcu spojrzała na mnie.

– Więc powitanie mamy z głowy. Jak postępy prac? – zwróciłem się do Holdena. Zobowiązał się co prawda do składania raportów rano i wieczorem, ale, jak pamiętamy, Nancy przejęła ode mnie te kompetencje, więc nie do końca się orientowałem, jak mu idzie.

– Posunęliśmy się nieco do przodu, choć czasu za dużo nie było.

– To znaczy?

– Zlokalizowaliśmy tego cholernego wirusa. I zdefiniowaliśmy go. A przede wszystkim wiemy, za co odpowiada…

– No…?

– Blokuje możliwość utworzenia kopuły pola siłowego. Na amen. Nawet gdy będziemy mieli program powrotny, bez pola nic nie wskóramy. Pracujemy nad odblokowaniem tej funkcji.

– A co z programem powrotnym?

Spojrzał szybko na Nancy. Kiwnęła nieznacznie głową. Musiała dostrzec, że to zauważyłem.

– Mamy pewną koncepcję. Jeden z moich ludzi wpadł na obiecujący pomysł. Właśnie go sprawdzamy.

– Jakieś konkrety?

– A po co one panu? Pan pewnie chciałby wiedzieć, kiedy wrócimy w nasze czasy. I tyle…

W obecności Nancy zrobił się bardzo odważny. Medytowałem chwilę, czy przywołać go do porządku, ale zamiast tego powiedziałem:

– Ile jeszcze czasu pan potrzebuje?

– Teraz już mogę powiedzieć: jak dobrze pójdzie, nie trafi w nas żadna bomba i nikt – na to słowo położył lekki, ale wyraźny nacisk – nie będzie nam przeszkadzał, to myślę, że jutro. Możliwe, że jutro do końca dnia będziemy mieli program, umożliwiający nam powrót w rok dwa tysiące siódmy. Pytanie tylko, co tam zastaniemy po tej całej wojnie...

– Tym niech się pan nie martwi, panie Holden – przywołałem moje poranne brzmienie głosu i informatyk natychmiast się przygarbił.
– Dziękuję panu. Niech pan wraca do pracy.

Odwrócił się na pięcie. Wskoczył na schodki, szarpnął za klamkę znacznie mocniej, niż to było potrzebne i zniknął w przepastnym wnętrzu MDS-a.

Nancy spojrzała na mnie ze złością, ale postanowiła trzymać nerwy na wodzy i tym razem darować sobie lekcję wychowawczą. Uśmiechnąłem się do niej najserdeczniej, jak umiałem.

– Widzisz, jakie zrobił postępy od rana?

– Nie myśl, że to twoja zasługa...

– Nie myślę. To bardzo zdolny i kompetentny facet, naprawdę.

– Jesteś nieznośny.

– Wiem. Za to mnie kiedyś lubiłaś...

Przekrzywiła głowę i przyglądała mi się z uwagą. Spod hełmu wymykały się kosmyki włosów, błękitne oczy patrzyły na mnie badawczo. Mundur miała brudny i poszarpany, temblak też nie był szczytem szpitalnej higieny. Nie zmienia to faktu, że całość była szalenie zachęcająca.

– Dżazi...

– Ćśśśśśś.

– Ale...

– Jak się to wszystko uspokoi.

– Może się nie uspokoić.

– Nie trać nadziei.

– Chcę ci powiedzieć coś ważnego...

– Cieszę się. Ale nie teraz. Teraz mam ważniejsze sprawy na widoku.

– Aha... I nową dziewczynę.

Spojrzałem na nią w zdumieniu. Roześmiała się wesoło.

– Nie bój się. Nie jestem zazdrosna. A tak przy okazji – ładna. Trochę niedzisiejsza, ale ładna.

– Miło mi, że ci się podoba. Nie mam z nią nic wspólnego.

Znowu się roześmiała.

– Więc jednak się tłumaczysz. Może coś masz na sumieniu…

– Panie pułkowniku. – Jeżeli coś mnie dziwiło, to fakt, że natrętny głos w słuchawce dopiero teraz przerwał mi rozmowę z moją byłą dziewczyną. Z doświadczenia wynikało, że powinien to zrobić po trzech zdaniach. – Mamy gości.

– Niemcy? – jęknąłem.

– Nie, nie. Dowódca Wołyńskiej Brygady Kawalerii.

– O Jezu! Już idę. – Ponownie się uśmiechnąłem. – Nancy, przepraszam cię. Przyjechał dowódca brygady kawalerii, która uratowała nam skórę. Muszę go przyjąć z honorami.

– Jasne. Leć.

– Aha… Dziękuję za pomoc. Tam…

– Nie mówmy o tym. Na moim miejscu zrobiłbyś to samo.

– Pewnie tak, ale dziękuję mimo to.

Machnąłem na powitanie Wietesce i jego sokołom, którzy z właściwą sobie nonszalancją dyskutowali obok śmigłowców, po czym poszedłem w stronę leśniczówki. Gdy wyszedłem zza węgła, przed wejściem zobaczyłem bardzo zgrabny, choć niewielki terenowy samochód, z zakurzonym i przejętym szeregowym za kierownicą. Omal mu się szyja nie odkręciła od ramion, tak się rozglądał. Za siedzeniem, przymocowany do obrotowej podstawy, szczerzył zęby lejkowato zwieńczony ryjek erkaemu.

Obok wozu stało dwóch ludzi. Obaj krępi, mocno zbudowani, niewysocy – standard, zdaje się, wśród wyższych oficerów w tamtych czasach. Mundury wygniecione, ale schludne, w wysokich kawaleryjskich butach można się było przeglądać. Ciężkie skórzane pasy obciążone służbową bronią, koalicyjki, mapniki. Wyglądałem przy nich, jakbym wyszedł ze śmietnika.

– Witam panów w imieniu Pierwszego Samodzielnego Batalionu Rozpoznawczego. Jestem dowódcą tej jednostki. Podpułkownik Jerzy Grobicki.

Obaj przyglądali mi się przez moment, po czym starszy, krótko ostrzyżony i z wąsikiem, przemówił:

– Pułkownik Julian Filipowicz, dowódca Wołyńskiej Brygady Kawalerii.

– Podpułkownik Jan Kamiński, dowódca 2 Dywizjonu Artylerii Konnej.

– Ach, to pan… – wymknęło mi się.

– Słucham?

– Nic, nic. Słyszałem, jak pan wspaniale dowodził wczoraj artylerią…

– Słyszał pan? Gdzie?

Czytałem o tym w podręczniku. Ależ się wkopałem.

– Dostałem informację ze Sztabu Naczelnego Wodza. Ale nie stójmy tak. Zapraszam do środka.

Rozejrzeli się dookoła, omietli spojrzeniem zapchany byle jak stojącymi maszynami obóz, starannie ukryli prawdziwe uczucia, pchnęli drzwi i weszliśmy do leśniczówki.

Za obszerną sienią znajdowała się wielka izba ze stojącym pośrodku dębowym stołem. Nie mógłbym powiedzieć, że uginał się od ciężaru jadła i napitków, ale nie dostrzegłem, by czegoś specjalnie brakowało. Po izbie kręciła się Rozalka, wnosząc ostatnie poprawki do aranżacji. Obaj oficerowie, w odróżnieniu ode mnie, nie wyglądali na zaskoczonych.

– Siadajcie, panowie – powiedziałem. – Proszę Rozalki, gdzie gospodarz?

– A poszedł do lasu z żołnierzami. Będzie z godzinę temu.

– Aha. Dziękuję.

Zakręciła spódnicą, furknęło i tyle ją było widać. Pułkownik uśmiechnął się półgębkiem.

– Rezolutna dziewczyna. Wszystko tu panu przygotowała.

– Owszem. Lubi rządzić. Wojsko nie może od niej wzroku oderwać.

Pokiwali głowami. Wiedzieli dokładnie, o czym mówię.

– A więc, panie pułkowniku – Filipowicz podjął zasadniczy temat – w nocy rozbiliście 4 Dywizję Pancerną.

– Tak.

– A dziś 1 Dywizję.

– Z panów wielką pomocą.

Kiwnięciem głowy skwitował komplement.

– Wszystkie moje cztery pułki intensywnie rozpoznają teren. Wzięliśmy ponad dwa tysiące jeńców. Zdobyliśmy dużo sprawnego sprzętu. Patrole meldują, że napór Niemców w całym pasie działania brygady ustał zupełnie. Nawiązałem łączność z sąsiadem, 7 Dywizją Piechoty, która broni Częstochowy. Nacisk na nich też spadł mocno. A wszystko to dzięki natarciu panów.

– Przesada. Bez współdziałania z brygadą niewiele by się udało zrobić.

Nie mogłem dać się prześcignąć w uprzejmości żadnym kawalerzystom.

Filipowicz przyglądał mi się intensywnie, po czym rzekł:

– Przed godziną dostałem rozkaz z dowództwa armii. Mam polecenie ściśle z panem pułkownikiem współdziałać. Mam się dostosować do planów pana pułkownika.

Spojrzałem na stół i dopiero teraz poczułem, jaki jestem głodny. Gestem wskazałem piętrzące się przed nami smakowitości. Głowa nadal bolała mnie wściekle.

– Myślę, że możemy rozmawiać, jedząc. Od rana nic miałem nic w ustach.

– To tak jak my. – Pułkownik uśmiechnął się. – Współdziałanie z oddziałem pana pułkownika jest dość absorbujące...

– Najważniejsze, że udało nam się nie dopuścić do przerwania frontu. Marszałek zyska czas na zmontowanie obrony na Wiśle, o czym z nim rano rozmawiałem...

– Rozmawiał pan z panem marszałkiem?

– Tak.

– Osobiście?

– Tak, dziś rano byłem w Warszawie. Uzgodniłem zadania dla mojego batalionu.

Spojrzeli po sobie.

– Jakie to zadania?

– W nocy chciałbym dokończyć 1 Dywizję Pancerną, choć nie mam pewności, co z niej ocalało. To jest zadanie numer jeden. Przedtem muszę dać ludziom odpocząć, dokonać przeglądów i napraw. Policzyć straty.

– Niewiele zostało z tej dywizji – po raz pierwszy odezwał się Kamiński. – Jako zorganizowana jednostka nie istnieje. Trochę tyłowych pododdziałów, trochę czołgów i piechoty wycofało się na zachód. Nasze oddziały nie mają z nimi styczności.

– Więc robota nie będzie trudna. A jutro, podczas dnia, przegrupuję się na północ i uderzę na korpus zmotoryzowany. To zadanie numer dwa.

– Sam?

– Sam. A właściwie nie sam. Z panami.

Znowu spojrzeli po sobie. Brali w tym udział już prawie dobę, ale nadal nie mogli uwierzyć, że batalion we współpracy z brygadą kawalerii może walczyć i zwyciężać korpusy pancerne.

Drzwi otworzyły się i gadając jak baby w maglu, weszli oficerowie batalionu, bohaterowie ostatnich walk. Nastąpiło małe zamieszanie, ale w końcu Łapicki, jako stary znajomy Filipowicza, przedstawił moich zuchów, ja moim zuchom przedstawiłem obu pułkowników i w końcu siedliśmy. Wszyscy łapczywie rzucili się na jedzenie i kawę.

– Straty? – zwróciłem się do Łapickiego. Uznałem, że nie musimy tego ukrywać przed obcymi.

– Niestety spore. Jedenastu zabitych, osiemnastu rannych, w tym czterech ciężko. Od początku walk, wliczając Gębalę i Wilsona, mamy osiemnastu poległych i trzydziestu dwóch rannych.

Zmartwiałem.

– Dziesięć procent – wyjąkałem przez zaciśnięte gardło.

Filipowicz świdrował mnie wzrokiem. Zapadła dłuższa chwila ciszy.

– My po jednym dniu mieliśmy pięciuset zabitych i rannych – powiedział pułkownik.

– Tak. – Odetchnąłem głęboko i dalej badałem Łapickiego: – A wozy?

– Jeden czołg uszkodzony. Zaciął się mechanizm oporopowrotny, zniszczona została elektronika i dziwnym trafem padło sprzęgło. Dwa transportery, jeden chyba na amen. Krab ma zniszczone systemy celowania. Śmigłowce sprawne, choć postrzelane.

Wieteska chciał coś powiedzieć, ale napotkawszy moje spojrzenie, ostatecznie się nie odezwał.

– Kiedy możemy odzyskać pełną sprawność bojową, majorze?

– Ciężko powiedzieć. Największe straty mamy wśród mechaników. Pozostali starają się, jak mogą. Sawicki próbuje to jakoś oszacować.

– Zapasy?

– Też jeszcze nie wiem. Porucznik złoży panu raport osobiście.

– Rozumiem. Tak więc, panowie – zwróciłem się do gości – nie wiem, kiedy będę gotów. Ale postaram się zrobić wszystko, by dziś w nocy uderzyć.

– Czego pan od nas oczekuje? – zapytał Filipowicz, ocierając usta serwetką.

– Myślę, że patrole powinny zlokalizować nieprzyjaciela. Potem spróbujemy go dopaść. Chciałbym, aby pana pułki osłaniały skrzydła pancernego natarcia. Nie wiem, czy nadążycie…

– My? – Znowu palnąłem gafę. Duma nie pozwoli im dać się wyprzedzić żadnym czołgistom. – Na pewno zdążymy, panie pułkowniku – rzucił chłodno Filipowicz.

– Oczywiście. – Roześmiałem się. – Miałem na myśli las i noc…

– Poradzimy sobie. A teraz, jeśli pan pułkownik pozwoli…

– Panie pułkowniku – w półotwartych drzwiach tkwiła głowa wartownika. – Melduję, że przyjechał porucznik Wojtyński.

Więc nasi goście będą mieli okazję osobiście przyjrzeć się najlepszym wojownikom na świecie.

– Dziękuję, kapralu. Chodźmy, panowie – powiedziałem, wstając od stołu.

Wyszliśmy przed budynek.

Hummery właśnie odjeżdżały na parking. Przed nami prężył się w idealnym dwuszeregu pluton gromiarzy. Nieco z boku, pilnowani przez dwóch żołnierzy, stali dwaj jegomoście bez pasów i broni. Jeden w ewidentnie generalskim mundurze. Nie trzeba było specjalnie się wysilać, aby odczytać strach i szok z ich wyrazu twarzy.

Jeden z żołnierzy wystąpił z szeregu, sprężyście podszedł do mnie i zameldował:

– Panie pułkowniku, porucznik Wojtyński melduje powrót z zadania bojowego. Rezultaty meldowałem przez radio. Jeńców przywiozłem. Są tam…

– Dziękuję, poruczniku. Panowie – zwróciłem się do gości – przedstawiam dowódcę plutonu komandosów, porucznika Wojtyńskiego.

– Komandosów? – Usłyszałem w głosie Filipowicza coś więcej niż zaciekawienie.

– Żołnierzy wykonujących specjalne zadania. Przeważnie na tyłach wroga. Porucznik Wojtyński i jego ludzie dziś nad ranem zlikwidowali sztab 4 Dywizji Pancernej, a po południu 1 Dywizji. O ile się nie mylę, tam stoi jej dowódca.

– I szef sztabu – uzupełnił Wojtyński. W prawie czarnym mundurze, czarnym, baniastym hełmie, noktowizyjnych goglach, z przewieszonym przez pierś automatem wyglądał z pewnością całkiem inaczej niż jakikolwiek znany pułkownikowi żołnierz. Bardziej… przekonywająco. Do tego mówił tonem w zasadzie pozbawionym emocji.

– Pan z tymi ludźmi zlikwidował sztab dywizji? – zapytał pułkownik. Niedowierzanie było słychać całkiem wyraźnie.

– Tak.

– Mogę? – Filipowicz wyciągnął rękę, niemal dotykając piersi porucznika. Wojtyński zawahał się, spojrzał na mnie, po czym zdjął przez głowę pistolet i podał pułkownikowi. Ten ważył go przez chwilę w ręku, przypatrując mu się uważnie. Rozłożył kolbę, chwilę patrzył na zamontowany do łoża celownik optyczny. Przyjrzał się podwieszonej pod lufą latarce, złożył się, celował chwilę, po czym opuścił broń i zapytał: – Co to jest?

Zanim zdążyłem zareagować, Wojtyński odpowiedział:

– Pistolet maszynowy heckler i koch MP-5.

– Heckler i koch? Niemiecki?

– Panie pułkowniku – wtrąciłem się. – Jak pan zapewne zauważył, mamy tu trochę nietypowego sprzętu. Z przyjemnością go panu pokażę i udzielę wszelkich wyjaśnień odnośnie jego zastosowania i walorów bojowych, ale niestety nie mogę nic powiedzieć o jego pochodzeniu i technice, która została użyta do jego produkcji. To są sprawy ściśle tajne.

– Rozumiem.

Wyjaśnienie niczego nie wyjaśniało, poza jednym: że na pewno nie dowie się, z jakiego, u ciężkiego diabła, pudełka wyskoczyliśmy. Musiał wziąć moje gadanie za dobrą monetę, co mogło nie być takie trudne, bo robiliśmy to, co dla niego było najważniejsze: rozbijaliśmy niemieckie dywizje. Zwrócił Wojtyńskiemu pistolet i podszedł do jeńców. Przywołałem gapiącego się na całe to przedstawienie Galasia, także zbliżyłem się do stojących bez ruchu oficerów i zapytałem starszego:

– Nazwisko?

– Rudolf Schmidt.

– Stopień?

– Generał porucznik.

– Funkcja?

– Dowódca 1 Dywizji Pancernej.

Zapadła grobowa cisza. Nie wiem dlaczego, ale wyznanie jeńca zrobiło na wszystkich większe wrażenie niż niedawne walki. Może dlatego, że w czasie nawet najbardziej zażartej bitwy Niemcy byli daleko. Tu mieliśmy ich przed sobą. Żywych, zdrowych i jak najbardziej prawdziwych, żadne tam muzealne eksponaty.

Moi goście również byli poruszeni, choć z nieco innych powodów niż my, jak sądzę. Mieli po prostu namacalny dowód, że z tym potężnym Wehrmachtem da się wygrywać. I to natchnęło ich wielką nadzieją na przyszłość.

– Znajdujecie się w polskiej niewoli. – Nie bardzo wiedziałem, co się mówi w takich okolicznościach, więc ograniczyłem się do podstawowych faktów. – A wasza dywizja jest całkowicie rozbita. Natarcie korpusu zostało zatrzymane i odrzucone, a sam korpus zniszczony. Tak będzie ze wszystkimi waszymi korpusami i armiami.

– Nieprawda! – zaperzył się tamten. – Na wszystkich kierunkach posuwamy się do przodu. Niedługo będziemy w Warszawie. Führer…

– Taaak? – zapytałem, a Galaś skwapliwie tłumaczył, starając się nawet oddać wiernie intonację mojego głosu. – No to chodź pan. – Pociągnąłem go za rękaw kurtki. Poszliśmy w stronę parkingu. Zatrzymałem się przy pierwszym z brzegu czołgu, lekko klepnąłem górującą nad nami lufę i zapytałem: – Widział pan kiedyś takie czołgi?

– Nie…

– A takie kalibry dział?

– Nie…

– Pancerze?

– Nie…

– No właśnie. Dysponuję tylko siłą batalionu, ale mam własną artylerię, to znaczy samobieżne haubice kalibru 155 milimetrów, moździerze i wyrzutnie rakietowe, a także lotnictwo oraz kompanię czołgów takich jak ten, z działami 125 milimetrów. Walczymy z wami drugi dzień i nie straciliśmy ani jednego czołgu. Wy pięćset albo więcej. A takich oddziałów jak nasz jest na froncie kilkanaście. I wszędzie was biją…

Zamurowało go. Nie sądzę, aby generalskie szlify dawali osobnikom nieśmiałym i pozbawionym pewności siebie. Duma i buta były pewnie jednymi z kluczowych atrybutów. Ale tu, w ostatnich blaskach zachodzącego słońca, rozglądał się rozpaczliwie, omiatał wzrokiem obóz, haubice, transportery, śmigłowce, rakiety i po prostu nie mógł wykrztusić z siebie ani słowa. Szef sztabu wyglądał, jakby miał za chwilę zemdleć.

Odwróciłem się do towarzyszących nam gromiarzy:

– Wystarczy na razie. Proszę jeńców nakarmić, napoić, skuć i posadzić tak, żeby nas za bardzo nie widzieli. Jutro ich wypuścimy.

– Wypuści ich pan? – zdumiał się Filipowicz.

– Owszem, panie pułkowniku. Jak pan sądzi, co ten generał zrobi po powrocie?

– No…

– Opowie każdemu o tym, co zobaczył. I niech mi pan wierzy, stanie się naszym największym sprzymierzeńcem. I to na najwyższym szczeblu. A jak będzie za dużo gadał, to go rozstrzelają. Tak czy inaczej, zysk dla nas.

– Może i tak. – Rozejrzał się. – Mówię panu, to zdumiewające. Nigdy bym się takich rzeczy nie spodziewał. Ale oby tylko takie niespodzianki czekały w tej wojnie. No. – Wyciągnął rękę. – Na nas czas. Cieszę się, że pana poznałem. Razem damy Niemcom łupnia. – Uśmiechnął się pod wąsem.

– Naturalnie. Niech mi pan da znać o lokalizacji resztek tej dywizji.

– Oczywiście.

Zasalutowali obaj z Kamińskim, poszli do łazika, wsiedli i odjechali.

Nad obozem zapadła względna cisza.

3.

Zaraz po odjeździe kawalerzystów zwołałem odprawę wszystkich oficerów batalionu, na której wysłuchałem raportów na temat stanu rannych, postępów napraw i tym podobnych szczegółów, których musi wysłuchać dowódca. Ja z kolei poinformowałem ich o kompletnym fiasku prac badawczych nad powrotem do domu – Nancy była nieco zdziwiona takim stawianiem sprawy, ale nie odezwała się – i wyznaczyłem zadania na wieczór i noc. Doszliśmy do wniosku, że damy ludziom parę godzin odpoczynku, zanim pchniemy ich do następnej bitwy. Zresztą i tak musieliśmy poczekać na meldunki od patroli brygady, które intensywnie szukały resztek 1 Dywizji Pancernej. O dziwo, opozycji wobec pomysłu dalszego prowadzenia działań bojowych nie było. Nawet Wojtek, odkąd wziął udział w rozmowie z pułkownikami z brygady i na własne oczy przekonał się, ile dla nich znaczymy, nie oponował.

– A skąd się Rozalka w tej piwnicy wzięła? – zapytałem pół godziny później, kiedy ponad wszelką wątpliwość wyperswadowałem dziewczynie przygotowanie dla mnie miejsca do spania w gościnnej izbie leśniczówki. Przekonałem ją za to, żeby sama razem z chłopcem z tego miejsca skorzystała. W obu tych sprawach musiałem stoczyć nie mniejszą bitwę niż pod Mokrą.

– Ja?

Nie wiem, czemu zapłoniła się aż po koniuszki włosów. Spuściła wzrok i zaczęła bawić się rogiem koszuli.

– No tak. Rozalka.

– Ano, panie oficerze, państwo syna swojego wysłali na wieś na wakacje. Stasia znaczy. Z Warszawy, bo państwo we Warszawie mieszkają. I mieli my wracać już w środę do Warszawy, ale pan zachorował i samochodem po nas przyjechać nie mógł. Miał teraz w niedzielę przyjechać. Czyli jutro. Ale pewnie nie przyjedzie, bo wojna. No i jak się bitwa zaczęła, to gospodarz babę złapał, inwentarza trochę, zawinął się i do lasu uciekł. A ja, zanim Stasia ubrałam, zanim trochę rzeczy pozbierałam, to tak strzelać zaczęli i pociski na podwórko padały, że strach. W ostatniej chwili zobaczyłam to wejście do piwnicy. I my zeszli, a potem pocisk chyba w dom trafił, bo dym było czuć, i mało my się nie udusili. Jak się uspokoiło, to chciałam wyjść, ale nijak klapy nie mogłam odemknąć. I tak my siedzieli, aż pan oficer kochany jechał i nas uwolnił... – Spojrzała na mnie z taką wdzięcznością, że pomimo solidnego zaangażowania uczuciowego w zupełnie inną przedstawicielkę płci pięknej, ciarki przeszły mi po plecach.

– No, miała Rozalka szczęście. Wcale się tam nie mieliśmy zatrzymywać.

– Bóg czuwał nad nami, panie oficerze, i nie pozwolił...

W tym momencie rozległo się energiczne pukanie i do izby wszedł kapitan Jan Wieteska, połyskując opromienionymi niedawnym zwycięstwem epoletami. Motocyklowa kurtka pobrzękiwała skuwkami i sprzączkami. Nie rozglądał się na boki i od razu wszedł w sedno zagadnienia:

– Jureczku, gdzie ty chodzisz, na miłość boską? Flaszka stygnie, chłopcy się niecierpliwią. Szkopów oglądaliśmy, zwłaszcza ten generał bardzo ładny, ranni śpią, twoja narzeczona też już chyba kima, nawet Wilgat się już od niej odczepił, a ty tu... – Dopiero teraz dostrzegł ukrytą za mymi plecami dziewczynę. Zawsze mnie bawiło, jak traci rezon przy kobietach. Powinien się z nimi umawiać wyłącznie na pokładzie swojego helikoptera. – Yyyyy… bardzo panią przepraszam. Ja nie zauważyłem…

Rozalka, o ile to możliwe, zarumieniła się jeszcze bardziej. Intuicyjnie czuła, że najlepszą bronią na facetów w takich sytuacjach jest znaczące milczenie. Wieteska spojrzał na mnie pytająco.

– To Rozalka, kapitanie. Ocalała z Mokrej. Na letnisku z dzieckiem była.

– Aha – powiedział przytomnie Johny.

– No cóż, kapitanie, będziemy lecieć. Rozalka zmęczona. Dziecko też chce spać. – Spojrzałem na skuloną pod pierzyną małą postać.

– Tak jest. Idziemy – wydukał.

– Dobranoc, Rozalko.

– Dobranoc – wyjąkała, wpatrując się w lotnika.

Wyszliśmy z izby. Dopiero po kilkunastu krokach, kiedy już znaleźliśmy się wśród pracowitej krzątaniny mechaników, mój as lotniczy odzyskał głos:

– Kto to, na Boga?

– Kto?

– No jak to kto? Ta dziewczyna…

– Mówiłem ci. Rozalka. Cudem ocalała z rzezi bitewnej.

– Ożenię się z nią.

Spojrzałem na niego uważnie. W ciemności pod postacią oczu jarzyły się dwa trzystuwatowe reflektory.

– Zwariowałeś!

– Skąd. Jestem trzeźwy i zdrów na umyśle. Ożenię się z nią. Urodzi moje dzieci.

– Johny, słowo daję, zgłupiałeś. Przecież jej nie znasz. Widziałeś ją pół minuty.

– To wystarczy. Zakochałem się w pięć sekund.

– Jasne. A ona w drugie pięć.

– No! Mam nadzieję. Zaraz jej to powiem.

W ostatniej chwili złapałem go za śliski rękaw kurtki.

– Daj spokój. Już późno i ona pewnie śpi. Jutro jej to powiesz.

– Jutro może być za późno.

– Na co?

– Kto wie, co się zdarzy jutro. Muszę dzisiaj.

Był jak w gorączce. Ale co mi tam. Akurat ja powinienem go dobrze rozumieć.

– No to idź. Pochwal się jej. Tylko uważaj. To rocznik dziewięćset dwudziesty. Wymaga szacunku.

Równie dobrze mógłbym go przekonywać, że jest kosmitką. Poszedł prosto do leśniczówki. Przeżycia wojenne były wstrząsem dla nas wszystkich, ale żeby aż takie objawy?

Kręcąc głową z niedowierzaniem, poszedłem w stronę wozu dowodzenia, który przestał być sanitarką i zaczął znowu pełnić swe pierwotne funkcje. Lazaret zorganizowano w naprędce rozbitych namiotach. Jedyny ocalały lekarz batalionu uwijał się jak w ukropie, mając do pomocy kilku padających ze zmęczenia sanitariuszy. W sporej odległości od obozu utworzono niewielki cmentarz. Po odjeździe gości z brygady kawalerii odbyła się tam krótka uroczystość pogrzebowa.

Pozostali żołnierze poradzili sobie ze spaniem w ten sposób, że po prostu położyli się w śpiworach na ziemi. Było nadal ciepło.

Liczyłem na to, że prześpię się na składanej pryczy w wozie, ale gdy wszedłem do środka, potrzebowałem tylko sekundy na konstatację, że to fatalny pomysł. W nos uderzyła mnie taka mieszanina zapachów pozostałych po wiezionych z pola bitwy rannych, że zdecydowałem się jednak zanocować, jak reszta wojska, na zewnątrz.

Zresztą okazało się szybko, że ze spaniem to w ogóle były mrzonki.

Mościłem się właśnie w pobliżu rozrzuconej na niewielkiej przestrzeni kompanii porucznika Borka, kiedy usłyszałem:

– Panie pułkowniku. Panie pułkowniku. Gdzie pan jest?

Zawsze mi się wydawało, że wołanie szeptem jest niemożliwe, ale musiałem zmienić zdanie. Wołającym był plutonowy Obara, potężny czołgista z drugiego plutonu.

Świecił małą latarką, potykał się o śpiących żołnierzy i wywoływał coraz większą falę przekleństw. I bardzo się spieszył.

Podniosłem się. Ze spania i tak nici.

– Tu jestem, plutonowy. Co się stało?

– No, jest pan. – Przeskoczył przez ostatnich kilka postaci i stanął przede mną. Dyszał jak po długim biegu. – Niech pan pójdzie ze mną, panie pułkowniku. Coś znalazłem.

Najprawdopodobniej nie zależało mu na powiadomieniu całego obozu o znalezisku, bo nadal mówił szeptem. Dostosowałem się do tego.

– Co takiego znaleźliście?

– Niech pan pójdzie ze mną, panie pułkowniku – powtórzył.

– Nie możecie powiedzieć?

– Wolałbym, żeby pan to zobaczył tak jak jest.

Nie ukrywam, zaintrygował mnie. Spokojny był z niego facet, solidny i sumienny żołnierz, czołgiem dowodził bezbłędnie. Nie zawracałby mi głowy znalezieniem zdechłego kota albo jadowitego gatunku muchomora. Poszedłem za nim bez słowa.

Po krótkiej chwili wyszliśmy poza teren obozu. Las był stary, sosnowo-liściasty, porośnięty gęstym poszyciem. Pod nogami trzaskały suche gałązki, ale nie widziałem powodu, abyśmy się mieli skradać. Obóz był solidnie ubezpieczony przez nasze czujki i liczne patrole brygady. Nie groziło nam zewnętrzne niebezpieczeństwo.

Zewnętrzne, owszem.

4.

Ciało leżało na boku, z podkurczonymi nogami, z przyciśniętymi do klatki piersiowej rękoma. Gdyby nie to, że miało na nogach jasne buty, niełatwo byłoby je zauważyć. Bo tylko one wystawały z gęstego krzaka.

Człowiek ten wyglądał, jakby zasnął i przed uśnięciem bardzo bolał go brzuch.

Pożyczyłem od Obary latarkę i oświetliłem zwłoki. W istocie, przed snem wiecznym mógł go rozboleć brzuch. Cały dół kurtki był jedną wielką krwawą plamą. Sięgała aż do mostka. Z koszuli zostały strzępy.

Lekko zakręciło mi się w głowie. Zjedzona niedawno kolacja podeszła do gardła. Podniosłem się z klęczek i powiedziałem:

– Plutonowy, posłuchajcie mnie bardzo uważnie. Pójdziecie teraz do obozu i najciszej, jak się da, powiecie kapitanom Kurcewiczowi i Wietesce, żeby tu przyszli. Natychmiast. Macie to zrobić cichuteńko, żeby się nikt nie zorientował. Przyprowadzicie ich tu i wrócicie do obozu. I nikomu ani słowa. Zrozumiano?

– Tak jest, panie pułkowniku. Ale…

– Wykonać.

Poszedł do obozu, a ja zacząłem rozglądać się po okolicy. Nie zauważyłem żadnych śladów walki. Nic, co by wskazywało na to, że ofiara zginęła tutaj. Zabito go gdzie indziej i przyniesiono w to miejsce.

Dziesięć minut później nadal się rozglądałem. Jeżeli miałem jakieś obserwacje, to nie były one zbyt zachęcające.

Wieteska z Kurcewiczem nadeszli od obozu ostrożnie, skradając się niczym traperzy podchodzący obóz Indian. Mrugnąłem parę razy latarką. Stanęli przede mną bardzo niezadowoleni, że ich odrywam od wieczornych zajęć. Zwłaszcza Wieteska był niezadowolony.

Bez słowa skierowałem latarkę na leżącego w krzakach trupa.

– O w mordę. – Kurcewicz ochłonął pierwszy. Wieteska zapewne myślał jeszcze o Rozalce. – Kto to?

– Zobacz sam – odpowiedziałem.

Wziął ode mnie latarkę, podszedł bliżej i zaświecił zmarłemu w twarz.

– Holden! – Wojtek wyprostował się gwałtownie. – O kurwa! To Holden! Nasza przepustka w przyszłość.

– To on – potwierdziłem. – Nie żyje. I to chyba od niedawna, bo jeszcze nie nastąpiło stężenie pośmiertne.

– Na pewno nie żyje? – odezwał się Wieteska. Chciał wyeliminować wszelkie wątpliwości.

– Na pewno. Sprawdzałem.

– Jak zginął?

– Nie jestem pewien. Możliwe, że od noża albo bagnetu.

– Nóż jest?

– Nie ma. Przynajmniej ja go nie znalazłem.

Zamilkliśmy na dłuższy moment.

– Kurwa mać! – wybuchnął Kurcewicz. – Co za popieprzona sprawa. Afganistan, manewry, te amerykańskie wynalazki, wojna… A teraz jeszcze trup…

– Ciszej – syknąłem – bo zleci się tu całe wojsko. Nie ma co płakać nad rozlanym mlekiem. Stało się. Trzeba wymyślić, co dalej.

– Nancy wie? – zapytał Wieteska.

Na razie to on był ten bardziej konstruktywny. Musieliśmy Wojtkowi dać czas na dojście do siebie.

– Nie. Nikt nie wie poza wami, mną i Obarą.

– I mordercą.

– I mordercą.

– Gdzie to się stało?

– Nie wiem. Raczej nie tu. Nie znalazłem żadnych śladów walki, krwi, nic…

– Oglądałeś go dokładnie?

– Trochę. Ma przy sobie dokumenty, pieniądze i dwie płytki CD.

– Co na nich jest?

– Skąd mogę wiedzieć? Nie mam przy sobie laptopa.

– Fakt – mruknął przepraszająco. – Znaczy nie rabunek…

– No nie, pewnie, że nie. W taki zbieg okoliczności nie uwierzę, nawet jakby nie miał portfela…

– Taaaa… co dalej?

– Jestem detektywem pierwszy raz w życiu. Wiem tyle co i ty. – Wzruszyłem ramionami. – Chyba powinniśmy się trochę rozejrzeć. Znaleźć miejsce, gdzie go zabito.

– Masz jakiś pomysł, co się stało? – odezwał się Wojtek.

– Nie. Chociaż… Na odprawie powiedziałem wam, że informatycy nie zrobili żadnych postępów w pracach nad programem. To nieprawda. Zrobili, i to spore.

– W mordę. Czemu nam nie powiedziałeś?

– Bo uważam, że morderca znajduje się w gronie ludzi, którzy byli na odprawie.

– Morderca?

– No tak, na odprawie nie był jeszcze mordercą. Zabił później.

– Aha. Czyli my też się łapiemy? Tak pytam, z ciekawości.

– Wy nie. Wam muszę wierzyć. Ale reszta…

– Kurna, to przecież paranoja! Kto by to miał zrobić? Wójcik? Łapicki? Sawicki?

– Wojtyński – mruknąłem. – Galaś. I cała reszta.

– A kto może być takim biegłym informatykiem?

– Każdy. Nie musiał zdradzać się ze swoimi umiejętnościami.

Znowu zamilkliśmy. Odechciało się nam żartów.

– No i co z tymi postępami prac? – drążył Wieteska.

– Mówię ci, zrobili spore. Mieli jutro skończyć.

– Skończyć?

– Napisać program powrotny i odblokować pole siłowe.

– I potem fiuuuuuuuu… Do domciu?

– Tak jakby.

Jakoś tak się składało, że rozmowa co chwila utykała.

– Czyli zabił go... Właściwie po co go zabił? Powiedziałeś na odprawie, że nie robią postępów. Według tej wersji plan był niezagrożony, a Holden niegroźny.

– Dlatego właśnie powiedziałem, że postępów nie ma. Chciałem, żeby nasz człowiek myślał, że jest okej i nie mamy pojęcia, jak wrócić do domu. Że jego plan jest bezpieczny. Wszystko by szło po jego myśli, prowadzilibyśmy sobie dalej wojnę, a w pewnym momencie zebralibyśmy się do kupy, Holden włączyłby pole i pstryk. Bylibyśmy w domu. I nasz człowiek miałby guzik, a nie MDS-a.

– To wszystko prawda pod warunkiem, że jest tak, jak myślimy. To znaczy że on chce ukraść MDS-a, oddalić się nim w siną dal, odblokować system i przenieść się w nasze czasy. Ale wtedy to zabójstwo jest bez sensu.

– No właśnie.

– A może – włączył się Kurcewicz. Był skupiony i skoncentrowany.
– A może... właśnie dokonywał próby kradzieży...

– Aha. – Spojrzałem na niego. – Możliwe. I co?

– No i Holden nakrył go na tym...

Tak mogło być.

– Może... – powiedziałem. – Holden zginął, bo zobaczył coś, czego nie powinien był zobaczyć.

– Albo przeszkodzić czemuś – mruknął Wieteska. – Przeszkodził, zginął, a MDS właśnie odjeżdża...

– O kurwa! – krzyknąłem. – Gazu! Johny, zostań tu! – Wolałem zabezpieczyć się na wypadek, gdyby się okazało się, że źle kombinujemy, a mordercy przyszło do głowy wrócić po zwłoki. Albo coś, czego zapomniał zabrać.

W biegu wyciągnąłem pistolet. Do obozu nie było daleko, więc wpadliśmy do niego po półminucie, zwalniając tuż przed metą. Masywna sylwetka MDS-a górowała nad innymi pojazdami, nawet w ciemności było ją widać. Odetchnąłem z ulgą.

Otocznie sprawiało wrażenie – nomen omen – wymarłego.

Amerykański wóz, w odróżnieniu od naszego, nie miał na swoim pokładzie składanych prycz, toteż cała jankeska ekipa rozlokowała się dookoła małego ogniska, usytuowanego kilkanaście metrów od pojazdu. Przed wejściem siedział wartownik, a przy ognisku wszyscy – mam nadzieję – pozostali Amerykanie spali smacznie.

Nie chowając broni, czując za plecami metr dziewięćdziesiąt solidnego wsparcia, podszedłem do siedzącego na warcie marine i zagaiłem:
– Spokojnie tu u was, co? – Cisza. – Halo, kolego! Śpisz? – Cisza.
Za dużo tej ciszy. Szarpnąłem żołnierza za ramię, a on wywrócił się na bok jak pluszowa zabawka.

5.

– Nancy! – Dwie minuty zajęło mi stwierdzenie stanu, w jakim znajdował się wartownik, i odszukanie mojej byłej dziewczyny. Leżała wśród żołnierzy, wyróżniając się tylko weselszym kolorem śpiwora. – Nancy, obudź się.
– Co się stało? – zapytała, prawie od razu przytomna.
– Ubierz się i chodź. Musimy pogadać.
– Teraz?
– Teraz.
Chociaż takie dictum niczego oczywiście nie tłumaczyło, wstała bez dalszych protestów i zarzuciła kurtkę na ramiona. Spojrzała na moją niedomkniętą kaburę i bez słowa podniosła z ziemi pas z bronią.
Wartownik przed wejściem do MDS-a leżał w takiej samej pozycji, w jakiej go zostawiłem. Pilnował go Kurcewicz. Księżyc to wszystko nie najgorzej oświetlał, więc obyliśmy się bez latarek.
– O Boże! Co mu się stało? – zawołała i przypadła do leżącego na ziemi żołnierza. Przewróciła go na wznak i przytknęła ucho do piersi. – Żyje?
– Żyje – potwierdziłem. – Jest nieprzytomny.
Nasłuchiwała chwilę, a potem nieco uspokojona zapytała:
– Co tu się stało?
– Dostał w łeb. Ktoś chciał wejść do MDS-a i wartownik mu przeszkadzał.
– Ale kto?
– Ten, kto wpuścił wirusa.
– Po co chciałby wchodzić do MDS-a?
Przypomniałem sobie, że gdy snuliśmy hipotezy o przyczynach naszego położenia, Nancy była na mnie obrażona i nie uczestniczyła w odprawie.

– To dłuższa historia. Jest coś gorszego.

– Gorszego? Co może być gorszego od faktu, że ktoś ogłusza moich żołnierzy i buszuje w moim samochodzie?

– Może być. Holden nie żyje. Został zamordowany.

Zatkało ją. W jednej chwili nasze dotychczasowe spory i kłótnie zeszły do poziomu dziecinnych przepychanek w piaskownicy.

– Żartujesz!

– Nie, Nancy. Żarty się skończyły. Ktoś zabił Holdena i ogłuszył wartownika, bo obaj przeszkadzali mu w realizacji jego planu.

– Jakiego planu, do diabła?

– Nie wiemy jakiego. Jego pierwszą częścią był sześćdziesięcioośmioletni skok w czasie i zablokowanie możliwości powrotu. Realizacja planu jest dla tego człowieka tak ważna, że nie cofnął się przed zabójstwem.

– Gdzie to się stało?

– Nie wiem. Zwłoki leżą sto metrów od obozu, ale Holden nie został zabity w tym miejscu…

– Chcę to zobaczyć.

– Nie musisz…

– Muszę. Zaprowadź mnie tam!

– Kapitan cię zaprowadzi. Ja chcę obejrzeć MDS-a w środku.

– Po co?

– Prawdopodobne tam dokonano morderstwa.

– Dobrze. Masz. – Zdjęła przez głowę łańcuszek i podała mi kartę kontroli dostępu. – Kod 4262.

Przypięła pas i poszła do ogniska, aby obudzić zmiennika nieprzytomnego wartownika. Po chwili razem z nią ukazał się sierżant, dowódca drużyny. Bez słowa spojrzał na leżącego na ziemi żołnierza, klęknął i wlał mu kilka kropli wody z manierki do ust. Chłopak zakrztusił się i otworzył oczy. Miałem wrażenie, że dadzą sobie radę beze mnie.

Nancy w towarzystwie Kurcewicza poszła w stronę lasu, a ja pokonałem schody i skorzystawszy z jej karty i wskazówek, wszedłem do środka. Zapaliłem światło i starannie zamknąłem drzwi.

Oczywiście nie miałem pojęcia, jak powinno wyglądać prawidłowe policyjne dochodzenie, ale myśl o prowadzeniu prawidłowego policyjnego dochodzenia nie przyszła mi nawet do głowy. Stałem po prostu przy drzwiach i mając na oku całą obszerną kabinę pojazdu, uważnie rozglądałem się dookoła, próbując sobie wyobrazić, co tu się mogło stać.

Na pierwszy rzut oka wszystko pozostało tak samo, jak podczas mojego ostatniego pobytu, to było... zaraz... dzisiaj rano. Po nalocie, w starej bazie. Stałem mniej więcej w tym samym miejscu i przyglądałem się Nancy. Holden akurat sikał w lesie. Ale wszystkie meble i sprzęt były w tym samym stanie.

Gdzie znajdowało się stanowisko Holdena? Ostatnie po lewej. Podszedłem do wygodnego, obrotowego fotela, solidnie zamocowanego do podłogi. Komputer na tym stanowisku pracował, o czym poinformował mnie wentylator chłodzący procesor. Rozejrzałem się. To był jedyny włączony komputer. Reszta ekranów pozostawała ciemna. Wysunąłem blat z klawiaturą i nacisnąłem enter. Ekran rozbłysł i system poprosił mnie o podanie hasła. Nie miałem upoważnienia do wchodzenia w głąb systemu. Ślepa uliczka. Bez informatyka z autoryzacją nie stwierdzę, czy ktoś przy tym komputerze grzebał. Praca urządzenia w trybie „stand by" o niczym by nie świadczyła. Holden nie przejmował się oszczędzaniem prądu i mógł nie wyłączyć terminala.

Zsunąłem się z fotela i klęknąłem na podłodze. Była wyłożona antypoślizgową, niepalną wykładziną, którą łatwo można umyć. I ktoś to niedawno zrobił.

Pięć minut później stałem przed MDS-em i żałowałem, że nie palę. Niewątpliwie wonny dym papierosowy pomógłby mi w koncentracji. A bez papierosa niewiele wymyśliłem.

Nadeszła Nancy z kapitanami. Szli w milczeniu, pochłonięci niewesołymi myślami. Nancy była znacznie bledsza od świecącego na pogodnym wrześniowym niebie księżyca.

– Holden został zabity w MDS-ie – powiedziałem bez wstępów, kiedy zbliżyli się na tyle, że mogłem mówić szeptem – i zaniesiony do lasu.

– Jesteś pewien? – zapytała Nancy.

– Tak. Zabójca wytarł plamy krwi, ale niezbyt dokładnie. Bez dwóch zdań to odbyło się właśnie tam.

– Coś zginęło?

– Po wierzchu nic, ale bardziej interesuje mnie, co się stało w komputerze Holdena. Jako jedyny jest włączony.

– Poproszę informatyka, żeby to zaraz zbadał. – Zrobiła krok w stronę ogniska. Trudno to sobie wyobrazić, ale dookoła nadal wszyscy spali.

– Poczekaj. Zaraz go zbudzisz. Teraz powiedz mi, co robiliście po przyjeździe.

– Major wyznaczył to miejsce na obóz. Zaparkowaliśmy, zrobiliśmy przegląd strat, rozłożyliśmy rzeczy. Część żołnierzy pomagała przy rannych.

– A Holden?

– Siedział cały czas w wozie. Chyba nawet w czasie bitwy pracował. Bardzo był podniecony rozwiązaniem, na które wpadli.

– Był w wozie sam?

– Nie. Obaj pozostali informatycy siedzieli razem z nim.

– I co dalej?

– No i w końcu zrobiło się późno. Rozpaliliśmy ogień, położyliśmy się. Holden razem z ekipą przyszedł po jakiejś półgodzinie. Zjedliśmy kolację…

– I co?

– I nic. Jak zasypiałam, Holden z pewnością był przy ognisku.

– Spał?

– Nie. Pamiętam, że cały czas czytał i robił notatki.

– Notatki?

– Tak. Parę kartek papieru z modelami i obliczeniami.

– Gdzie są te notatki?

– Nie wiem. Trzeba poszukać przy ognisku. Albo przy zwłokach.

– Przy zwłokach nie ma – powiedział Wieteska, którego znajomość angielskiego nie była wcale tak słaba, jak mi się wydawało.

– Przy ognisku trzeba sprawdzić – mruknął Kurcewicz. – Jeżeli gdzieś są, to tam.

– Mogę się założyć, że tam też ich nie ma. – Pokręciłem głową. – Holden z pewnością notatki miał przy sobie i zabrał je nasz człowiek.

– Dlaczego zabił Holdena? Dla notatek?

– Nie. Zabił go, bo Holden przeszkodził mu w czymś, kiedy siedział w MDS-ie przed komputerem. A notatki zabrał, żeby nam utrudnić zadanie. Albo zamydlić oczy.

– Jak ma notatki, wie, że kłamałeś na naradzie. Że chłopcy zrobili postępy i data powrotu jest blisko – dedukował Kurcewicz.

– Jeżeli zna angielski – powiedziałem.

– Trzeba założyć, że zna. Więc co dla nas z tego wynika?

– Wie, że jesteśmy blisko.

– No właśnie. Więc jeżeli się nie mylimy i on chce naprawdę ukraść MDS-a, to musi się spieszyć.

– Ukraść? – wtrąciła się Nancy. – Po co ukraść? W ten sposób? Jeżeli już, to nie łatwiej byłoby go ukraść na poligonie w roku dwa tysiące siódmym?

– Nie. Jak to sobie wyobrażasz? Że po prostu wsiadłby do takiego wielkiego wozu i odjechał? Do granicy z Rosją albo Białorusią miałby pięćset kilometrów. Tylko tam mógłby próbować wiać. A MDS to nie szpilka.

– Więc ten diabelski plan ma na celu kradzież MDS-a? – Pomimo prób nie zdołała ukryć zaskoczenia naszymi pomysłami.

– Naszym zdaniem tak. Przejechanie MDS-em przez kraj ogarnięty wojną, kiedy wiadomo, że nikt nie będzie go ścigał, jest logicznym pomysłem. Wbrew pozorom znacznie łatwiejszym do realizacji niż kradzież z poligonu.

– I co dalej? Kradnie i gdzie jedzie?

– Na przykład do Rumunii. Jeżeli ma jakieś pieniądze, a zakładam, że jest przygotowany, to przekupuje strażników i zanim się obejrzymy, jest w Turcji. A z Turcji do Iranu rzut kamieniem. Włącza program, przenosi się w nasze czasy, inkasuje na przykład dziesięć milionów dolarów i żyje długo i szczęśliwie.

– Piękny plan. – Pokiwała głową z uznaniem. – Ma tylko jeden feler. Nie macie cienia dowodu, że istnieje.

– Nie mamy – przyznałem – ale to jedyne logiczne wytłumaczenie tego, co się stało. Wirusa przecież ktoś faktycznie wpuścił, prawda? I nie zrobił tego raczej dla zabawy.

– Może… – Nancy zamyśliła się. – Może jest jeszcze jakieś wytłumaczenie. Takie, które żadnemu z nas nie przychodzi do głowy.

Prorocze słowa. Szkoda, że nikt się nad nimi głębiej nie zastanowił.

6.

Stanęło przed nami leninowskie pytanie: co robić? Czy zabójstwo Holdena powinno coś zmienić w naszych planach?

Z punktu widzenia technicznego: nie. Nancy miała w zespole jeszcze dwóch informatyków, którzy powinni skończyć prace nad systemem. Po krótkiej wymianie zdań z tymi młodymi ludźmi okazało się, że nawet termin zakończenia może nie ulec zmianie.

A z punktu widzenia naszych obowiązków względem toczącej się wojny?

Po bitwie miałem dość. Dzwonienie w uszach, siedzący w nozdrzach smród palących się ludzi, pozostały w pamięci huk wybuchów i gwizdanie kul – to były wspomnienia, od których chciałbym się uwolnić, najchętniej nie biorąc więcej udziału w zdarzeniach, które je powodują. Ale gdy spojrzałem głęboko w oczy pułkownika Filipowicza i przyjrzałem się odwadze i determinacji ułanów atakujących na bagnety wielokrotnie silniejszego przeciwnika, moje chcenie jakby zeszło na dalszy plan. Wróciłem do myśli, że jesteśmy jednak komuś coś winni i możemy się temu komuś na coś przydać. Pozostawał nasz człowiek. Zabił, więc był zdeterminowany. Mogliśmy lepiej chronić MDS-a i to właśnie zarządziłem. Przed wozem miało stać dwóch wartowników, w środku również miał ktoś być przez cały czas.

Jednak Nancy miała rację: plan, o którym mówiliśmy, być może istniał wyłącznie w naszych głowach. Jeżeli tak rzeczy się miały w istocie, to trzeba przyznać, że mieliśmy bujną wyobraźnię, bo to był niezły plan.

Zatem co dalej? Ano nic. Robimy swoje i czekamy na odblokowanie systemu.

A potem pan pułkownik zwalnia się do cywila. I nie chce mieć więcej nic do czynienia z wojną, historią najnowszą i przemocą. Wiesza rękawice bokserskie na kołku, sprzedaje pistolet i zapisuje się do kółka różańcowego.

O, to świetny plan.

Ponieważ sen nie nadchodził, wstałem i poszedłem do wozu dowodzenia. Galaś, Cupryś i reszta plutonu łączności chrapała ułożona w równym rządku przy samochodzie. Przyjrzałem im się – po prostu spali.

Wszedłem do środka. Ciężki odór nieco się ulotnił – poprzednim razem zostawiłem drzwi uchylone. Zapaliłem światło i usiadłem w fotelu. W samochodzie, biorąc pod uwagę fakt, że ostatnio pełnił rolę ruchomego szpitala, a właściwie umieralni, panował względny porządek, jako że łącznościowcy zdążyli już posprzątać.

Rozejrzałem się dookoła ze znużeniem. Stalowe ściany kabiny były mniej więcej tak samo rozmowne jak zwykle.

Spojrzałem na grubą kartonową teczkę, stojącą na podłodze, opartą o nogę stołu. Była to teczka, w której trzymałem wszystkie dokumenty batalionu, a także wytyczne otrzymane przed wyjazdem od Dreszera. Podniosłem ją i machinalnie otworzyłem. Papierzyska. Nieodłączny składnik każdej wojny – wykazy, zestawienia, regulaminy, instrukcje…

Spomiędzy porządnie spiętych spinaczami kartek na podłogę spadła biała koperta. Spojrzałem na nią. Nie pasowała do zawartości teczki. Nie wyglądała na urzędową.

Na kopercie był krótki napis: „Podpułkownik Jerzy Grobicki. Otworzyć po rozpoczęciu działań wojennych".

Uśmiechnąłem się ironicznie. Biurokraci z Piątej Brygady Pancernej lubowali się, jak widać, w melodramatycznych tajemnicach. W środku była pewnie garść światłych rad, jak radzić sobie w obliczu wroga i przypomnienie, żeby koniecznie odkażać wodę pitną.

Nie miałem jednak nic lepszego do roboty, otworzyłem więc kopertę i przeczytałem schowany w niej list.

Przez następnych dziesięć minut siedziałem naprawdę bardzo spokojnie. Nie myślałem o niczym szczególnym – wzrok po prostu ślizgał się po dwóch kartkach papieru, gęsto zapisanych równym, czytelnym pismem. Myślę, że w końcu umiałbym z pamięci powtórzyć każde słowo. A każde z nich brzmiało jak memento.

Zmobilizowałem wszystkie siły i podniosłem się z fotela. Nie wyłączając światła – choć może należałoby zacząć oszczędzać prąd – opuściłem wóz i wolnym krokiem poszedłem w poprzek obozu. Chwilę zajęło mi obudzenie Wieteski i Kurcewicza i przekonanie ich, że nie robię sobie jaj oraz że nie znalazłem następnych zwłok. Na moją wyraźną prośbę wyszliśmy spory kawałek za teren obozu.

– Długo tak będziemy szli? – zapytał w końcu Wieteska. Zrobił to całkiem łagodnie, bo zauważył moje inne niż zwykle milczenie.

– Nie. Możemy gadać tutaj.

– Mów!

Spojrzałem na nich. Księżyc oświetlał wszystko bardzo dokładnie. Widziałem dwóch bliskich mi facetów, trochę zaspanych, obszarpanych i brudnych, zmęczonych wydarzeniami ostatniej doby. Musiałem im powiedzieć coś, co tym razem naprawdę zmieni ich życie.

Nie byłem pewien, czy są na to gotowi.

– Co byście zrobili, gdyby się okazało, że to – wskazałem na las, niebo i ziemię pod nogami – jest wasz świat i innego nie będzie?

– Proszę? – zapytał Kurcewicz. – Nasz świat? Co ty chcesz powiedzieć?

Milczałem.

– On chce powiedzieć, że tu zostajemy – powiedział cicho Wieteska.

– Tak?

Skinąłem głową.

– Bez jaj – zgrzytnął zębami Wojtek. – Pół godziny temu było wszystko dobrze, Holdena nie ma, ale prace trwają dalej, jutro system ma działać, wracamy do domu... A tu nagle klaps! i co? Nie wracamy?

– Nie wracamy – powiedziałem cicho. – To, o czym rozmawialiśmy pół godziny temu, jest nieaktualne. Wszystko.

– Jerzy, co ty wiesz? Czego się dowiedziałeś przez te pół godziny? – Wieteska był tak opanowany, jak byśmy byli w powietrzu.

Bez słowa sięgnąłem do kieszeni i podałem mu list. Razem z latarką, której nie oddałem Obarze.

– Czytaj na głos – powiedziałem.

Panie Pułkowniku,

Gdy Pan czyta te słowa, sprawy zaszły już zapewne dość daleko. Batalion pod Pana dowództwem bierze czynny udział – w co głęboko wierzę – w wydarzeniach, które mają ogromne znaczenie dla naszego narodu. Wręcz fundamentalne.

Zapewne zastanawia się Pan, co takiego się stało, że znalazł się Pan w obecnej sytuacji?

Nie jest przypadkiem, że powierzono Batalion Pana dowództwu. W normalnych warunkach, gdyby jednostka miała rzeczywiście uczestniczyć w nowoczesnej wojnie u progu XXI wieku, nigdy by Pan dowództwa nie otrzymał. Nie umie i nie lubi Pan postępować według instrukcji, kierując się wskazaniami i diagnozami, jakie oferują nowe technologie. Nie ma Pan do tego cierpliwości, nawyków ani – obawiam się – umiejętności.

Inną zupełnie jest natomiast wojna, którą ma Pan dookoła siebie. I inną jest sytuacja, w której znalazł się Batalion. Od pewnego czasu skazany jest Pan wyłącznie na siebie i na swoich podwładnych. Musi Pan improwizować, elastycznie dostosowywać się do sytuacji, wykorzystywać okazje, posługiwać się zręcznością, sprytem, a także – a może przede wszystkim – brutalną siłą.

W tym jest Pan najlepszy. Wśród moich podkomendnych, ba, wśród wszystkich oficerów, z którymi miałem okazję służyć, nie ma człowieka, który wymienione cechy miałby lepiej od Pana rozwinięte czy umiejętności lepiej opanowane.

Dobrze się Pan domyśla. To ja jestem powodem, dla których Batalion znalazł się tak daleko od swojego nominalnego miejsca przeznaczenia. I dla którego wykonuje zadania dalece różne od założonych.

Niemniej jestem głęboko przekonany, że jest to właściwe wykorzystanie jednostki. Nie ma nic szczytniejszego niż obrona ojczyzny, niż walka z odwiecznym wrogiem, który depcze niepodległość naszego kraju, przynosząc jego mieszkańcom tylko ból, cierpienie i śmierć.

Jestem zwolennikiem poglądu, że przyczyna wszelkiego zła, jakie tkwi w naszym społeczeństwie w czasach nam współczesnych, leży właśnie w przegranej Kampanii Wrześniowej, w następstwie przegranej wojny jako takiej. Bo czyż nie było przegraniem wojny 50 lat komunistycznego jarzma, które wypaczyło nasz dumny narodowy charakter i cofnęło kraj do epoki jaskiniowej? Wiele razy zastanawiałem się, jak można było obronić się przed agresją obu naszych sąsiadów w 1939 roku. Jakich zmian w przygotowaniach wojennych należałoby dokonać, aby lepiej wykorzystać nasze skromne siły. I czy można było uniknąć tak wielkiej klęski.

Nasz wróg wcale nie olśniewał myślą strategiczną – wygrał, bo miał ogromną przewagę w sprzęcie i sile ognia. Gdyby ten sprzęt mu odebrać i siłę ognia zredukować o połowę, kto wie, jak potoczyłyby się losy Polski i świata?

I nagle zupełnie nieoczekiwanie pojawiła się szansa naprawienia największej klęski w dziejach naszego narodu. Dzięki wynalazkowi obecnych sojuszników, który umożliwiał właśnie korygowanie błędów dowódców na polu walki – bo tak został pomyślany, o czym zapewne już Pan wie – zyskałem praktyczny oręż do takiej właśnie, historycznej korekty. Moje teoretyczne rozważanie mogłem wcielić w czyn.

Reszta była dziecinnie prosta. Zadbałem o to, aby stworzony został program przeprogramowujący system i aby został w dogodnym momencie do tegoż systemu zaaplikowany. Postarałem się, aby Batalion został wyposażony w najnowocześniejsze środki walki, ogromne zaplecze logistyczne i wielki zapas amunicji. Przydzieliłem do jednostki najlepszych ludzi. Takich, którzy w lot podchwycą Pana idee. I którzy nie uchylą się od obowiązku.

Wierzę, że postępuje Pan zgodnie ze swoim sumieniem, że odłożył Pan na bok interes prywatny – wiem o spadku, który tu na Pana czeka – na rzecz walki o wspólne dobro, najważniejsze w życiu nas wszystkich. Jednak aby nie pozwolić niektórym Pana podwładnym posterować Batalionem w stronę, której Pan wcale nie chce, program został tak skonstruowany, że nie można go z systemu usunąć, nawet jeżeli Pana współpracownikom się wydaje, że jest inaczej. Każda poważna próba ingerencji w system funkcjonujący na obecnych zasadach skończy się jego nieodwracalnym zniszczeniem. Nic nie da również instalowanie oryginalnego programu na nowo. Tak więc jest to podróż w jedną stronę.

Batalion ma pod Pana dowództwem do odegrania naprawdę znaczącą rolę. W naszych dziejach wyjątkową.

Na koniec chciałbym, aby Pan wiedział, że z najwyższą niechęcią zaakceptowałem fakt, iż nie będę mógł poprowadzić Batalionu osobiście. Nie było to jednak możliwe.

Życzę powodzenia.

Lucjan Dreszer
Generał Brygady

Wieteska skończył czytać, a ja miałem wrażenie, że jego mecha-niczny głos brzmiał jeszcze długo w letnim, nocnym powietrzu.

IX. DECYZJA

1.

Cisza.

W obozie – poza wartami i dyżurnym radiotelegrafistą – wszyscy spali. Za linią frontu Niemcy lizali rany. W okolicy tylko sowy wykazywały pewną aktywność, ale one również polują raczej bezgłośnie.

Staliśmy bez ruchu na wąskiej leśnej przecince, księżyc świecił łagodnym, żółtawym blaskiem. Wieteska gapił się na trzymaną w ręku kartkę papieru, jakby mogła mu coś jeszcze powiedzieć. Kurcewicz odwrócił się do nas plecami i patrzył na wrześniowe niebo. Ja także nie wykazywałem większej chęci do rozmowy.

Plecy Wojtka zaczęły trząść się gwałtownie, jak w ataku gorączki. Zrobiłem krok w jego stronę, ale Wieteska powstrzymał mnie gestem dłoni. Każdy z nas musiał sam stawić czoło faktom.

Nie wiem, ile to trwało. Może dziesięć minut, może pół godziny. Czas przestał dla nas istnieć. Było w tym coś niesamowitego – staliśmy blisko siebie, ale każdy przebywał tylko w towarzystwie własnych myśli.

– Wiecie, że cały czas się boję? – Początkowo myślałem, że słyszę na głos wypowiadane własne obawy, ale po chwili zorientowałem się, że to Wojtek. Stał tyłem do nas. Z trudem rozróżniałem słowa. – Od pierwszej chwili. Każdy odgłos w tym stalowym pudle wydaje się inny niż zwykle. Wszystko jest inne. Pole widzenia, zakres słyszalności. Oddycha się inaczej. Zresztą wiecie. Ale nie wiecie, jak się jedzie do ataku. Jak zaczyna się słyszeć wybuchy dookoła. Odłamki bębnią po pancerzu. W końcu czołg obrywa i nie wiadomo, czy jeszcze żyjesz. Czy się palisz, czy nie. – Zamilkł. – Na początku myślałem, że to robota jak na manewrach: przyjechać, wycelować, strzelić. Gówno prawda. Teren nowy, nic nie widać, nie wiadomo, gdzie Szkopy. Nie wiadomo, czy naprawdę są tak bezbronni. Więc miałem cykora. Myślałem, że mi przejdzie, przecież znam się na tej robocie jak mało kto. Że nic mi nie będzie. Ale pewnie każdy myśli, że jemu nic się nie stanie, że jak coś, to kolega. I bałem się dalej. Bałem się tak, że momentami nie mogłem dowodzić ani czołgiem, ani ludźmi, ani zgrupowaniem. A wszyscy się na mnie gapią. I boją się tak samo, widzę to po nich. Tylko że mnie nie wolno się bać. Ja mam świecić przykładem. – Cisza. Żaden z nas się nawet nie poruszył. – Naprawdę myślałem, że wrócimy do domu. Że zrobimy, co do nas należy i wrócimy... Jeszcze jeden, może dwa dni i hop, żadnych Niemców i niespodzianek... A teraz...

Zrobiłem krok, odwróciłem Wojtka i spojrzałem prosto w twarz. Oczy miał kompletnie mokre. Po policzkach wielkie krople żłobiły głębokie koleiny. Nie zastanawiając się specjalnie, po prostu objąłem go mocno.

Powoli się uspokajał. Przestał się trząść. Znowu staliśmy bez ruchu jakiś czas.

– Nie chciałbym wam, hm, hm... przeszkadzać w tej intymnej chwili, ale – Wieteska starał się być delikatny i stanowczy zarazem – mamy parę rzeczy do obgadania.

– Jakich? – Wojtek ścisnął mnie lekko za rękę, odsunął się, otarł twarz wierzchem dłoni i spojrzał na Wieteskę.

– No, musimy chyba postanowić, co dalej, nie? Czy puszczamy wszystko na żywioł?

W końcu wydobyłem z siebie głos. W gardle mnie dławiło, ale starałem się mówić jak najwyraźniej:

– Jak coś postanawiamy, przeważnie gówno z tego wychodzi, Johny.

– Pieprzysz – zaperzył się. – Na razie wszystko idzie jak z płatka, człowieku. Jeśli przyjmiemy, że naszym powołaniem jest walka z Niemcami, to lepiej nam nie może iść. Dywizje rozbite? Rozbite.

Sztaby zdjęte? Zdjęte. Połowy Luftwaffe nie ma? Nie ma. Więc o co chodzi?

– Chodzi o to, Johny, że nikt z nas nie traktował uczestnictwa w tej wojnie jako sposobu na życie. Myśleliśmy, że powalczymy trochę, zrobimy co się da i wrócimy...

– No jasne. – Wieteska się uśmiechnął. – Taka trochę bardziej oryginalna wycieczka turystyczna, co? Jedziesz na zamówiony turnus, patrzysz, jak się tubylcy męczą, głodują, umierają na AIDS i w paszczach lwów, współczujesz im, ale za trzy tygodnie i tak wrócisz do swoich porządnych białych dzieci, białej żony, białej bryczki i białego szefa, który da zarobić na to wszystko...

– Coś w tym stylu – mruknął Wojtek. Wyglądał na całkowicie zrezygnowanego. – Nie widzę w tym nic złego.

– Może nie ma nic złego. A może jest. Jak już się zaczyna coś robić, to trzeba to robić do końca i dobrze, no nie? Obiecaliśmy tym facetom z kawalerii, że im pomożemy? Obiecaliśmy. Trzeba dotrzymać słowa? Trzeba. Sam to mówiłeś, Jureczku, czyż nie? Swoją drogą, ten Dreszer... Pojeb jakiś. Misjonarz cholerny. I do tego naszym kosztem...

– No! – Też tak myślałem. – Jaki łaskawy do tego. „Musi Pan improwizować, elastycznie dostosowywać się do sytuacji, wykorzystywać okazje, posługiwać się zręcznością, sprytem, a także – a może przede wszystkim – brutalną siłą. W tym jest Pan najlepszy" – czytałem pełnym pasji głosem. Dopiero teraz do mnie docierało, co ten list naprawdę znaczy.

– Pojeb – zgodził się Wojtek.

Wspólna diagnoza jakoś nas zbliżyła.

– Słuchajcie! – zawołał Wieteska po chwili milczenia. – Jaką możemy mieć pewność, że facio nie kłamie? Tak dobrze się zna na informatyce? Skąd wiadomo, że na pewno nie można wydłubać wirusa i zaaplikować tej maszynce programu powrotnego?

– Nie wiem. – Faktycznie, wszyscy przyjęliśmy za dobrą monetę słowa o zniszczeniu systemu w razie próby ingerencji. – Trzeba pogadać z ludźmi Nancy. Ale... – Zatrzymałem się na chwilę. Jasne. Jacy jesteśmy głupi. Ślepi jak krety.

– No? – ponaglił mnie Johny.

– Przyjmijmy na chwilę, że rację ma Dreszer. Że program został napisany w brygadzie, Dreszer go zaaplikował do systemu – mógł to zrobić, miał wszelkie autoryzacje i nieograniczony dostęp do MDS-a – i zamknął jakąkolwiek drogę powrotu. Logiczne i proste, no nie?

– No… tak!

– Wcale nie! – zawołałem. – Johny, jak zwykle miałeś rację. Dreszer nie jest informatykiem, jego znajomość komputera ogranicza się do umiejętności obsługi podstawowych programów. A więc musiał mieć kogoś, kto mu ten program napisał. I to nie byle kogo. Po pierwsze facet zna się dobrze na rzeczy – naprawdę dobrze, bo taki program to nie żarty – po drugie Dreszer ma do niego stuprocentowe zaufanie, bo ingerencja w tajną broń sojuszników właściwie podpada pod zdradę. I po trzecie wreszcie to gość, który podziela historyczne pasje generała. Taki sam fanatyk jak on.

– Aha – mruknął Wietska, wcale nie tak bardzo podniecony moim wywodem. – No i co? Fanatyk niefanatyk, napisał program, generał go zaaplikował, wyekspediowali nas jak paczkę na święta i szlus. O czym tu więcej gadać?

– Pomyśl, Johny. – Uśmiechnąłem się, bo wszystko nagle stało się jasne i klarowne. – Pomyśl. Jeżeli jest tak, jak pisze generał, sprawa istotnie jest zamknięta. Tylko że to nieprawda. Bo kto zabił Holdena?

Obaj zaczęli się uśmiechać. Dziwne, ale niedawne zabójstwo pobudziło nas niemalże do głośnego śmiechu.

– No jasne. – Wieteska pokręcił z niedowierzaniem głową. – Ale ze mnie dureń. Holdena zabił nasz człowiek. Po prostu jest z nami informatyk, który napisał Dreszerowi program. A jeżeli go napisał, będzie umiał go odinstalować. I pomóc napisać program powrotny.

– No właśnie – powiedziałem. – Oczywiście istnieje szansa, że Holden zginął przez pomyłkę albo z jakiegoś powodu, który nie ma nic wspólnego z naszą sprawą. Ale myślę, że nasz człowiek jest wśród nas. Pytanie tylko, co robił w MDS-ie?

– Na przykład sprawdzał, jak daleko zaszły prace Holdena i jego ludzi. To pies łańcuchowy generała – włączył się Wojtek. Kierunek, w który skręciła nasza rozmowa, jemu także bardzo się spodobał.

Nie chciałem myśleć, co się stanie, jeśli okaże się ślepą uliczką.

– Dokładnie – przytaknąłem. – Krótko mówiąc, musimy wykryć mordercę Holdena, złapać go w stanie nienaruszonym i skłonić do pomocy.

– Ja go skłonię – zadeklarował Wieteska, klepiąc się po mocno obciążonej kieszeni munduru. – Swoją drogą to jeszcze lepszy pojeb od Dreszera. Tamten fanatyk, ale dbały o własną skórę. A ten zabrał się z nami dobrowolnie... Kurwa, jakbyś z własnej woli poszedł do końca życia siedzieć...

– No, mniej więcej – potwierdziłem. – Pilnuje, żebyśmy nie naprawili systemu. Zastanawiam się, co powinniśmy powiedzieć chłopakom Nancy. Waszym zdaniem mają prowadzić dalej prace?

– Mają – powiedział Kurcewicz.

– A jak coś spieprzą? Dojdą do tego punktu, o którym pisał Dreszer, i program tak spierdoli system, że już się go nie da nigdy naprawić? Dreszer pewnie przewidział, że będziemy za wszelką cenę próbowali odblokować to żelastwo i wrócić.

– Niech pracują, tylko ostrożnie. A my we trzech szukamy naszego człowieka. Kto to może być?

– Każdy. Dreszer dał mi gotową listę osobową batalionu. Brakowało tylko kilku kluczowych dowódców: was, Stańczaka, Wójcika, Sawickiego. I tyle. Reszta: Łapicki, Wojtyński, Galaś, sztab, saperzy i tak dalej zostali narzuceni przez generała.

– Wojtyński to dobra kandydatura – mruknął Wieteska. – Niby nic nie mówi, ale swoje wie. I jakby go to wszystko nie zaskoczyło.

– Galaś też niezgorsza – dodał Kurcewicz.

– Wszyscy są nieźli – zgodziłem się. – Tak do niczego nie dojdziemy. Musimy go znaleźć, i to ostrożnie, bo jak się zorientuje, że mu depczemy po piętach, to jeszcze wysadzi MDS-a w powietrze i się ze śmiechu nie pozbieramy. Szukamy go po cichutku.

– Jak? Masz jakiś pomysł?

– Może mam – mruknąłem. – Wracajmy. Musimy pogadać z informatykami. Trzeba im powiedzieć.

Znowu mieliśmy konkretne rzeczy do zrobienia. Otucha po raz kolejny wstąpiła w nasze serca.

2.

Dylemat, czy budzić po raz drugi tej nocy Nancy, tłumaczyć jej zawiłości myślenia niektórych polskich wyższych dowódców i wynikających z nich komplikacji, rozwiązał się sam. Zanim doszliśmy do obozu, pogrążeni w żywej dyskusji co do szczegółowej taktyki postępowania na najbliższe godziny, usłyszałem w słuchawce znajomy chrobot i nieco zaspany łącznościowiec zameldował, że nadszedł meldunek z brygady. Doszliśmy do honkera z zamontowaną radiostacją, przeprosiłem obu kapitanów, wszedłem do środka, wysłuchałem meldunku i wyszedłem na zewnątrz.

– Są wieści od patroli z brygady – powiedziałem i zamilkłem, uważnie im się przyglądając. Po Kurcewiczu nie było już widać niedawnego wybuchu. Wieteska wyglądał jak zwykle – skrzywiona mina i bezczelne spojrzenie.

– No? Chcesz nam to napisać?

– Najpierw chcę się dowiedzieć, jaka jest wasza decyzja. Walczymy dalej czy czekamy na rezultaty zdobycia – obojętnie jakim sposobem – programu powrotnego.

– A co ty nagle taki demokrata? – zdziwił się Johny. – Jeszcze po południu kazałeś nam lecieć z szabelką na czołgi, a teraz się pytasz o zdanie?

– Pytam się. Sytuacja się zmieniła. Jak mnie przegłosujecie, podporządkuję się.

Tego się nie spodziewali. Dałem im do ręki potężny oręż. Mogli podjąć dowolną decyzję. Odpowiedzialność za jej wykonanie i tak spadnie na mnie.

– Wypchaj się. Ty jesteś dowódcą, to myśl. – Johny jakoś się speszył.

– Nie, kochani. Wy mówicie, ja robię. Taka jest moja wola i rozkaz. No więc?

– Myślę… – Wojtek mówił z trudem. Nie wiem, czy mi się dobrze wydawało, ale był przejęty. – Myślę, że powinniśmy skończyć to, co zaczęliśmy. Jak program będzie gotowy i wyczerpiemy amunicję, to możemy wracać. Ale nie wcześniej. Jesteśmy tym ludziom chyba coś winni…

Nie powiedział, jakim ludziom. Nie musiał.

– Jest ryzyko – ostrzegłem jako advocatus diaboli. – Już mamy straty. A będą rosły. Może się coś nie udać.

– Zawsze może. Karski cię może opierdolić, może ci nie stanąć w najważniejszym momencie, twoja partia może przegrać wybory. – Wieteska wyraźnie się zapalił do pomysłu. – A tu przynajmniej robimy coś konkretnego. I nikt nam nie pierdoli za uszami.

– To jaka jest wasza decyzja? – zapytałem dla porządku.

– Zabić ich…

– Wszystkich.

– OK. Stawiamy ludzi na nogi. Są złe wieści. Patrole znalazły Niemców jakieś pięć kilometrów na zachód od Kłobucka. Tam się zebrali. Ale wygląda na to, że trwa ogólna koncentracja. Ułani złowili jeńców z kilku dywizji, między innymi lekkiej i zmotoryzowanej. A to oznacza, że Szwaby przerzuciły XIV Korpus na południe. Galaś to potwierdza – w eterze wzmożony ruch. Więc nie musimy ich szukać, bo sami się znajdą. Jest teraz – spojrzałem na zegarek – dwunasta trzydzieści. Myślę, że za trzy kwadranse powinniście ruszyć. Zastanawiam się, czy nie przydzielić wam Wójcika.

– Nie – pokręcił głową Wojtek. – Musiałbym wydzielić co najmniej pluton piechoty do osłony. A ty zostaniesz goły i wesoły. Nie, nie. Wezmę tylko oba AMOS-y. Johny mnie wesprze.

Wojtek kompletnie się zmienił. Gadał jak dawniej i zachowywał się jak dawniej.

– Dobra. Johny, musisz bardzo szczegółowo to niemieckie zgrupowanie rozpoznać. Spróbujemy wam dać wsparcie artyleryjskie, póki to będzie możliwe, przynajmniej z haubic.

– Dam sobie radę. – Lekceważąco machnął ręką. – Zaczynajmy jak najszybciej, póki ich lotnictwo nie lata.

Wyprostowałem się.

– No, to do roboty.

Po kilku minutach zaczęła się pracowita, acz gęsto przetykana przekleństwami, krzątanina. Żołnierze byli zmęczeni, spali bardzo mało, mieli prawo do odreagowania trudów i stresów z pola walki. Ja nie spałem niemal w ogóle od dwóch dni, więc dziwił mnie fakt, że w zasadzie nie odczuwałem zmęczenia. Zapewne w którymś momencie padnę i będę spał dobę bez przerwy.

Nancy obudziła się wraz z innymi. Przeciągnęła się, wzbudzając we mnie przyspieszenie akcji serca, po czym niespiesznie wstała. Jej ludzie również zaczęli wykazywać aktywność, co zważywszy na fakt, że nie będą brali udziału w ataku, wydało mi się pewną przesadą.

Łapicki konferował z dowódcami poszczególnych pododdziałów. Wojtek pokrzykiwał na swoich ludzi, wydawał rozkazy i dyspozycje, komenderował, rządził. Wszędzie go było pełno. Nie wyglądał już na kogoś, kto nosi na plecach stukilowy kamień.

Przygotowania do wielkich bitew pancernych szły nam coraz lepiej. Już po niespełna dwóch kwadransach Łapicki zameldował, że wszystko gotowe do odjazdu. Uszkodzonego transportera nie dało się niestety uruchomić. Jednego z osieroconych żołnierzy Borek dodał do uszczuplonej załogi porucznika Poklewskiego, reszta miała zostać jako ochrona obozu.

Pułkownik Filipowicz dysponował czterema pułkami kawalerii i dwoma batalionami piechoty. Zarysowujący się plan wielkiej bitwy zakładał uderzenie pancernej pięści Borsuków przez Kłobuck na zachód oraz aktywną osłonę skrzydeł natarcia przez kawalerię. Oba bataliony piechoty wraz z artylerią miały trzymać linię styku z południowym skrzydłem armii „Łódź".

Pomniejszony o dwa AMOS-y dywizjon Wójcika odjechał, aby zająć pozycje ogniowe.

Załogi Borsuków stały koło swoich maszyn, dopalając ostatnie papierosy. Patrzyłem na to z dumą: żadnego wahania, żadnych protestów. Owszem, bali się. Ale byli gotowi.

Strzał. Drugi. I po chwili jeszcze dwa.

Drgnąłem. Za linią opasłych ciężarówek ktoś strzelał z pistoletu. I ktoś – może ta sama osoba – krzyczał. Przeraźliwie. Po prostu wył. Włosy podniosły mi się na głowie.

Kolejny strzał. Wrzask ucichł.

Rzuciłem się biegiem w tamtą stronę, machając ręką, aby żołnierze zostali na swoich miejscach. Wyciąganie broni z biegu miałem opanowane do perfekcji, więc gdy dotarłem na miejsce, dzierżyłem wysoko odbezpieczonego USP.

W miejscu, gdzie ostatnio widziałem siedzącego ze skutymi rękami Poklewskiego, leżał bez ruchu żołnierz. Było ciemno, miałem do niego dziesięć kroków, ale nawet z tej odległości widziałem krwawe plamy na bluzie i spodniach munduru. Gość dostał pięć kul i nie ruszał się.

Za nim z pistoletem w ręku stał we własnej osobie porucznik Stanisław Poklewski. Niestety nie sam. Lewą ręką opasywał szyję stojącego przed nim – a właściwie półklęczącego – żołnierza. O ile mnie wzrok nie mylił, jednego z marines. Lufa pistoletu dotykała jego skroni. Co on tu robił, do cholery?

Obok zastygł w bezruchu następny żołnierz. Od Sawickiego, zdaje się. Blady jak śmierć. Wyciągał przed siebie ręce, jakby w ten sposób chciał zatrzymać kule.

Poklewski stał nieruchomo. Tylko rozbiegane oczy i drgający w nerwowym tiku policzek świadczyły o stanie, w jakim się znajdował.

– Cofnąć się. I rzucić broń. Bo zajebię tego tu...

Patrzyłem na niego, zastanawiając się intensywnie, jak daleko się posunie. Nie doszedłem do żadnych konkretnych wniosków. Opuściłem broń i rzuciłem ją dwa kroki od siebie.

– Samochód – tak sobie właśnie wyobrażałem warczenie wściekłego buldoga. – Podstawić mi samochód. Z pełnym bakiem. Ale już...

Znajdował się tak blisko Amerykanina, że nie była na razie możliwa żadna brutalna ingerencja w rozwój wydarzeń. Opierał się plecami o grube drzewo. Z przodu miał nas. Z boku ciężarówki. Ale żeby dojść do samochodu, który dla niego podstawimy, musi się ruszyć...

– Zrobi się – odezwałem się w końcu – tylko nie rób już głupstw, dobra? Dosyć rozrabiania. Zastrzelisz go, to my ciebie zastrzelimy. Chcesz tego?

– Samochód! – krzyknął. – Chcę wóz. Szybko.

Odwróciłem się. Parę kroków za mną stała spora gromadka ludzi. Kiwnąłem głową Galasiowi.

– Daj mojego honkera – powiedziałem głośno – i sprawdź, czy ma cały bak.

– Tak jest. – Kapral po sekundzie zniknął w ciemności.

Nancy zatrzymała się tuż obok. Patrzyła na rozgrywającą się scenę nieruchomym wzrokiem i z zaciśniętymi ustami. Gdy spojrzałem jej w oczy, przeszedł mnie dreszcz. W odróżnieniu ode mnie, nie upuściła broni.

Poklewski był tak rozedrgany, że nie zwrócił na to uwagi.

Leżący na ziemi człowiek jęknął i lekko się poruszył. Zrobiłem krok w tamtą stronę, ale Poklewski szarpnął zakładnikiem. Jeszcze chwila, a zrobi mu dziurę w skroni lufą pistoletu. Stojący obok żołnierz sprawiał wrażenie, jakby miał zemdleć. Ale rąk nie opuścił.

– Ani kroku – powiedział Poklewski. – Nie ruszać się.

Nie było nic innego do roboty. Minęło całych pięć minut, zanim usłyszałem znajomy warkot i nadjechał Galaś.

– Chciałeś samochód? To masz – powiedziałem głośno. – Kluczyki są w stacyjce.

– Cofnąć się...

Zrobiliśmy to. Stojąca za mną grupa utworzyła coś w rodzaju szpaleru o kilkumetrowym prześwicie.

Poklewski wahał się. Drzewo osłaniało mu plecy, więc nie bardzo chciał opuszczać to miejsce. Ale sprawy zaszły już za daleko.

Ruszył. Powoli, małymi krokami, zmuszając idącego przed nim marine do poruszania się w bardzo niewygodnej, przykurczonej pozycji. Próbował do maksimum wykorzystać żołnierza jako osłonę. Usunąłem się na bok.

Gdy przeszli obok mnie, poczułem wyraźny, ostry zapach. Zapach strachu.

Mając nie więcej niż kilka metrów do samochodu, Poklewski odwrócił się i zaczął iść tyłem, niemal wlokąc Amerykanina przed sobą. Oparł się plecami o wóz.

Dotarło do niego, że nie otworzy drzwi. Obie ręce miał zajęte. Przez twarz przemknął mu szybki jak wicher skurcz. Był na skraju paniki.

W końcu puścił gwałtownie żołnierza, wymacał klamkę, szarpnął… Padł strzał. Niemal równocześnie drugi.

Przez bardzo długą chwilę nie działo się nic. Obaj stali jak skamieniali. Na piersi porucznika szybko powiększała się plama. Próbował podnieść do niej wolną rękę, ale wysiłek był już zbyt duży. Zbladł. Upuścił pistolet. Zrobił jeden niepewny krok i powoli upadł na twarz.

Patrzyłem na to poprzez dymiącą lufę smith&wessona. Kopnięcie rewolweru było potężne, ale prawie go nie poczułem. Myślałem o rannym żołnierzu i o pułkowniku Karskim. Myślałem o człowieku, którego zabiłem.

Za sobą usłyszałem głębokie chrząknięcie, jakby ktoś miał za chwilę się udławić. Nancy oparła się ciężko o maskę najbliższego stara, nie wypuszczając ciepłej jeszcze beretty z rąk. Zakładnik opadł na kolana i kręcił z niedowierzaniem głową. Żył.

– Galaś – powiedziałem przez zaciśnięte zęby. – Lekarza, ale już. Może jeszcze tamten ma szansę.

Tupot nóg na piasku polany świadczył o niezwłocznym wykonaniu rozkazu. Podszedłem do żołnierza stojącego obok rannego. Wszyscy stali bez ruchu, w kompletnej ciszy.

– Jak to się stało?

– O Jezu… panie pułkowniku, myślałem, że się zesram… kapral pilnował porucznika, a ja przyszedłem dać mu coś do picia, bo się upominał. Na to on, że musi się wysikać. No to my, że można, czemu nie. No to on pyta, czy my mu będziemy rozpinać rozporek i wyjmować małego, bo on ręce ma skute z tyłu, wie pan. No to my z kapralem po sobie i tego, głupio, że facet facetowi małego… kapral mówi, że rozkujemy go, ale żeby był grzeczny. I faktycznie poszedł z nami w las,

załatwił co trzeba, wracamy, a on do mnie: „No to gdzie to picie?".
Kapral odwrócił się, żeby mu podać, a on zamachnął się, kaprala
w łeb, wyrwał mu pistolet z ręki – ja miałem automat na pasku, nie
chciał się szarpać – i mówi „wypierdalać". Ale kapral wstał i jak ten
głupi rzucił się na niego. No to porucznik zaczął strzelać. Mnie jakby
wmurowało. Nie wiedziałem, co zrobić. Porucznikowi tak głowa latała
na boki, że strach. A akurat ten Amerykanin przechodził. Jak usłyszał
strzały, to chciał uciec, ale porucznik nogę mu podstawił, złapał za
szyję i potem to już pan pułkownik z resztą przybiegł...

– Taaa. Rozumiem, szeregowy. Zachowaliście się jak dzieci.

– Wiem. Głupio wyszło.

– Powiedzcie to kapralowi.

Przybiegł lekarz i sanitariusze. Bez zbędnych formalności zapakowali rannego na nosze i biegiem odnieśli do lazaretu. Spojrzałem
na zwłoki Poklewskiego, zwalczyłem gwałtownie rosnącą suchość
w gardle i poszedłem w stronę gotowych do drogi czołgów.

Nancy po chwili wahania poszła ze mną.

Żołnierze nie byli do końca świadomi, co się stało i szczerze
mówiąc, tak było lepiej. Nie sądzę, aby zastanawianie się nad
przyczynami fiksacji jednego z dowódców stanowiło bezpośrednio
przed bitwą rzecz dodającą otuchy. Kiwnąłem więc uspokajająco
ręką Kurcewiczowi. Załogi zajęły miejsca w wozach – co nie zabrało
więcej jak trzydzieści sekund – silniki zagrały całą mocą i kolumna
poderwała się do biegu. Po raz kolejny w ciągu ostatnich dwudziestu czterech godzin stałem i patrzyłem na znikające w lesie pojazdy.
Zastanawiałem się, ile z nich zobaczę z powrotem.

Sytuacja zmusiła mnie do wykorzystania plutonu GROM-u jako
zwykłej piechoty. Powiedziałem dokładnie Wojtyńskiemu, o co chodzi
– miał blokować drogę, którą właśnie odjechały Borsuki – i wkrótce
komandosi podążyli śladem Kurcewicza.

3.

Brakowało mi tchu.

Serce waliło jak oszalałe, tętno galopowało zapewne w okolicach
dwukrotnie przekraczających normy. Widziałem wszystko niezwykle

ostro, każdym centymetrem skóry chłonąłem wrażenia dotykowe. Zmysły i hormony grały na najwyższych obrotach.

Zresztą nie tylko mnie.

Nancy była uległa i drapieżna zarazem. Oddana i odpychająca. Pragnęła mnie, ale walczyła. Mięśnie miała napięte jak postronki. Oddychała równie gwałtownie jak ja.

Las łagodnie szumiał, księżyc przyglądał się nam w zadumie. Byliśmy sami, pierwszy raz od tak dawna. Mogliśmy się bez przeszkód wsłuchać w siebie. We własne doznania i myśli.

W końcu Nancy rozluźniła się, westchnęła i zamknęła oczy, do tej pory wpatrujące się we mnie intensywnie. Powoli uspokajała oddech.

Położyłem się na wznak, czując pod plecami sosnowe szpilki i szyszki. Nie przeszkadzało mi to. Zadowolenia nie byłoby w stanie zmącić nawet przypalanie gorącym żelazem.

Kątem oka widziałem jej delikatny profil. Światło księżyca odbijało się łagodnie od jej twarzy. Odwróciła głowę i popatrzyła na mnie tak, jak kiedyś. Czas jakby stanął w miejscu.

– Przeziębimy się – powiedziała w końcu.

– No. Będziemy leżeć pod pierzyną i pić herbatę z sokiem malinowym.

– Fajnie.

Uśmiechnąłem się do niej. Ona również się uśmiechnęła.

W końcu wstaliśmy.

Jesteśmy zawodowymi żołnierzami. Doprowadzenie się do stanu zgodnego z regulaminem zajęło nam nie więcej niż pół minuty.

Szliśmy w stronę obozu i trzymaliśmy się za ręce. Dawno już umilkły silniki kolumny pancernej i helikopterów. Stanowiska zajęła artyleria.

Na zachodzie jeszcze było cicho.

Nancy zatrzymała się. Przez drzewa majaczyły namioty lazaretu.

– Muszę ci coś powiedzieć – odezwałem się.

– Ja tobie też – odparła. – Kocham cię.

Kto by pomyślał? Po tym wszystkim?

– Ja również. Bardzo. I nie chcę, żebyśmy się rozstawali.

– Nigdy. Obiecuję.

Zwalczyłem w sobie pokusę natychmiastowego wzięcia jej na ręce i zaniesienia w miejsce, z którego wracaliśmy. Ale cóż, musieliśmy pogadać o sprawach zawodowych.

Dotknąłem delikatnie jej dłoni. Była ciepła i miękka. Reszta też była ciepła i miękka.

– Muszę ci niestety powiedzieć coś jeszcze, choć Bóg mi świadkiem, wcale nie chcę.

– Mów. Miejmy to już za sobą.

Wyjąłem z kieszeni list Dreszera.

– Na tych kartkach wyjaśniona jest przyczyna naszych kłopotów. Autor pisze o tym bardzo przekonywająco. Ale mam nadzieję, że kłamie. Albo przynajmniej nie mówi całej prawdy.

Obszernie streściłem list. Opowiedziałem o wnioskach z dyskusji z kapitanami. I przedstawiłem plan.

Słuchała w napięciu. Dawno już minął okres, kiedy uważała MDS-a za wielkie osiągnięcie i uznawała konieczność otaczania go ścisłą tajemnicą. Ostatnie wydarzenia udowodniły, że bardzo łatwo zboczyć z kursu, który przyśnił się konstruktorom urządzenia.

Gadałem dość długo, a na jej twarzy przewijała się cała gama różnych barw: oburzenie, gniew, strach…

– No więc tak to wygląda.

– Historia jak z powieści sensacyjnej…

– Chciałbym. Ale jest niestety prawdziwa.

– Więc naszym następnym krokiem jest dokładne sprawdzenie, czy generał mówi prawdę, że wirus jest nieusuwalny.

– Tak.

– Problem w tym, że ta wiedza może być osiągnięta kosztem wywołania tej nieodwracalności.

– Może. Ale nie musi. Pogadajmy z twoimi ludźmi. Z tego, co mówił Holden, nie wynikało, aby mieli takie obawy.

– Nie. Ale nie wiedzieli tego, co my teraz.

– Dlatego musimy uprzedzić ich, żeby byli maksymalnie ostrożni. Poza tym, a właściwie przede wszystkim, chcę złapać złodzieja. To najpewniejsza gwarancja powodzenia.

W tym momencie niebo na zachodzie zajaśniało. Po chwili doszły do nas odgłosy odległej kanonady. Wzmagające się basowe pomruki będą nam nieustannie towarzyszyć.

Z bardzo bliska, może kilometr od nas, zagrzmiały haubice – znowu cztery. Kontuzjowaną załogę udało się postawić na nogi, a systemy celowania wymienić na nowe. Nieprzyjaciel był za daleko dla wyrzutni rakietowych.

– Zaczęło się. Musimy się pospieszyć – mruknąłem, gdy spojrzała na mnie pytająco. – Będziesz się śmiała – dodałem z pewnym zawstydzeniem – ale dręczy mnie przeczucie, że nie mamy zbyt wiele czasu.

– Nigdy nie śmieję się z przeczuć – powiedziała poważnym tonem. – Chodźmy.

Następny kwadrans spędziliśmy w towarzystwie dwóch młodych ludzi, którym wytłumaczyliśmy, że histeria i wybuchy złości nie pomogą nam w osiągnięciu celu. Dali się przekonać. Starannie omówiliśmy temat, kilkakrotnie upewniając się, czy dobrze się nawzajem rozumiemy.

Po następnym kwadransie przygotowania były ukończone. Nancy została w MDS-ie. Przestroiłem krótkofalówkę, aby mieć z nią bezpośrednią łączność.

Poszedłem do wozu dowodzenia. Minąłem uszkodzony transporter, przy którym dłubała grupa mechaników. Z zachodu dochodziły odgłosy wściekłej bitwy.

Trzej żołnierze z plutonu łączności – w tym Galaś – siedzieli w wozie ze słuchawkami na uszach i nanosili meldunki na mapy widniejące na ekranach komputerów. Nie zwrócili uwagi na moje wejście. Przyjrzałem im się uważnie.

– Jak sytuacja?– zapytałem.

– Znaleźli Niemców. – Galaś zdjął z ucha jedną ze słuchawek i mówił do mnie, gapiąc się w ekran. – Osiem kilometrów na południowy zachód od Kłobucka. Kapitan Wieteska zaminował im drogi odwrotu i cały pas na południe, więc nie mają gdzie wiać. Ale kapitan Kurcewicz meldował, że jeden z pułków ułanów, który ich osłania od północy, nawiązał styczność z jakimś dużym oddziałem zmotoryzowanym i jest spychany w stronę kapitana. Kapitan Wieteska wysłał tam śmigłowiec na rozpoznanie.

– Aha – mruknąłem. To by się zgadzało. Patrole brygady meldowały koncentrację Niemców. Zarówno my, jak i Niemcy zaczęliśmy równocześnie realizację swoich planów. Pstryknąłem włącznikiem i zapytałem: – Johny! Słyszysz mnie?

– Jasne. Zawsze cię słyszę.

– To dobrze. Co porabiasz?

– A latam sobie, gazdo, nad perciami nasymi piknymi, tam bucek, tu potocek...

– Johny – upomniałem go – jest wojna. Poważna sprawa.

– A jak poważna, to ja bardzo przepraszam. Ale trochę mi się nudzi i to dlatego. – Całe szczęście zgromadzeni w wozie podoficerowie nie mieli możliwości wysłuchiwania demoralizujących gadek kapitana.

– Posłałem Kuligowskiego na północ. Mówi, że mu się bardzo nie podoba, co widzi.

– A co widzi?

– Mało, bo walą do niego ze wszystkiego, co ma lufę i zamek. Ale z tego, co zauważył, wynika, że z północy na południe, dokładnie w skrzydło Wojtka, posuwa się kilka pułków. Przeważnie zmotoryzowanych. Jak tak dalej pójdzie, ułanów osłaniających skrzydło rozwalą w cholerę. I to niedługo…

– Niedobrze. Co wypstrykałeś?

– Tylko miny. Mamy rakiety i pestki do działek.

– Okej. Wojtek sobie radzi?

– Owszem. On sobie zawsze radzi. Te pierdoły, co nam niedawno opowiadał, można między bajki włożyć. I Wójcik dobrze strzela.

– Dobra. Zostaw jeden śmigłowiec z obserwatorem artyleryjskim przy Wojtku, a sam poleć na północ rozejrzeć się w sytuacji. Przystopuj trochę te oddziały. Potem wróć po zaopatrzenie. Wracając, rozpoznaj sytuację na północnym wschodzie i wschodzie.

– Coś podejrzewasz?

– Coś podejrzewam. Wykonać, kapitanie!

– Ku chwale ojczyzny, towarzyszu pułkowniku.

Był jak zwykle nieznośny.

– Galaś, połącz mnie ze sztabem brygady i poproś, żeby podszedł dowódca.

– Tak jest, panie pułkowniku.

Obserwowałem na ekranie kurczące się zapasy walczących oddziałów, kiedy w słuchawce zachrobotało i usłyszałem:

– Tu Filipowicz.

– Melduje się podpułkownik Grobicki, panie pułkowniku.

– Czołem.

– Mam nadzieję, że moi ludzie powiedzieli panu, że możemy rozmawiać swobodnie? Ta radiostacja jest całkowicie zabezpieczona przed podsłuchem.

– Tak. Mówili mi.

– W porządku. Moje oddziały pancerne atakują zgrupowanie niemieckie na południe i zachód od Kłobucka. Na prawe skrzydło, osłaniane przez pułk ułanów, wyszło duże ugrupowanie Niemców i spycha ułanów w kierunku moich ludzi. Wysłałem śmigłowce na pomoc, więc może się nieprzyjaciela uda nieco powstrzymać. Jednak nie na długo. Jakie pan ma meldunki?

– Bardzo złe. Prawoskrzydłowy pułk został zepchnięty i prawie rozbity. Wycofują się w moją stronę. Utworzyłem rubież obrony na linii rzeki Biała Oksza. Ale ze sztabu armii meldowali, że front jest przerwany także na północ od nas, na styku z 30 Dywizją Piechoty. Wlewa się duży zmotoryzowany oddział z czołgami. Mam tam dwa bataliony piechoty, ale to na długo nie wystarczy. Chyba będę musiał ewakuować sztab.

– Fatalne wieści, panie pułkowniku. A gdzie ten wyłom, tak dokładnie?

– W rejonie Miedźna i Kołaczkowic.

– Każę moim śmigłowcom zlokalizować niemieckie jednostki. To niedaleko od nas. Sięgnę ich artylerią.

– Samą artylerią ich nie powstrzymamy.

– Pana ludzie muszą się trzymać za wszelką cenę, bo inaczej grozi nam okrążenie. Proszę mi podać ich dokładną lokalizację, żeby nie oberwali.

– Przekażę. Na wszelki wypadek w rejon miejscowości Ostrowy posłałem ostatni, odwodowy pułk. Może to wystarczy na jakiś czas.

– Dobrze.

– Chyba musimy odwołać natarcie, panie pułkowniku. Musimy pomyśleć o obronie.

– Zdążymy. Chciałbym, żeby mój oddział pancerny skończył to, co zaczął. I tak musi niebawem wrócić, bo skończy się amunicja do dział czołgowych. Mamy jeszcze wolną drogę odwrotu na południe.

– Rozumiem. Czołem panie pułkowniku.

– Czołem.

IVIS pokazał mi, że stan amunicji w wozach wynosił przeciętnie jedną trzecią jednostki ognia. Znowu pstryknąłem przełącznikiem.

– Wojtek!

– Zgłaszam się.

– Zawracaj.

– Teraz? Zaraz ich skończymy, to zawrócę.

– Zawracaj teraz. Robi się cienko. Od północy wali na was co najmniej dywizja zmotoryzowana. Zaraz pęknie obrona brygady i te czołgi wyjdą prosto na ciebie. Będziesz miał odciętą drogę odwrotu. Inne ugrupowanie przerwało front trochę dalej na północ i próbuje nas obejść.

– Rozumiem. To dlatego tam tak strzelają. – Nie usłyszałem, żeby się jakoś specjalnie przejął. – Zawracam.

– I zabierz ze sobą tych ułanów.

– Postaram się.

Wydałem parę rozkazów Wójcikowi i Wietesce i spojrzałem na mapę. Tkwiliśmy w samym środku wielkiego worka, wypełnionego prawie w całości lasem. Na jego skrajach formowała się słaba i rzadka obrona. Od wschodu osłaniała nas mała rzeczka. Strumyk właściwie. Na północy rozpaczliwie broniły się resztki roztrzaskanego pułku ułanów i dwóch batalionów piechoty. Na zachodzie Kurcewicz panował jeszcze nad sytuacją, ale miał się właśnie wycofać. Niemcy dążyli do zamknięcia okrążenia. Jeszcze tylko na południu ich nie było.

Z pobliskich stanowisk rozszczekały się wyrzutnie rakietowe. Obrócone prawie dokładnie na północ, słały salwę za salwą, próbując powstrzymać natarcie niemieckiego zgrupowania rakietami z głowicami odłamkowo-burzącymi.

– Wiecie, panowie – powiedziałem ni stąd, ni zowąd – że najprawdopodobniej dziś wrócimy do domu?

Wszyscy natychmiast poderwali głowy i zaczęli się bacznie we mnie wpatrywać.

– Jak to? – spytał jeden z kaprali. Ciekawe, czemu nie Galaś.

– No, zwyczajnie. Informatykom udało się naprawić system. Kończymy tutaj i wracamy.

Nie wykazywali jakiegoś specjalnego entuzjazmu. Ot, zwykła wiadomość, jakich wiele każdego dnia.

– Kiedy? – zapytał Galaś.

– Przed południem. Może trochę wcześniej.

– I zostawimy tych ludzi? Samych?

– No, kapralu, przecież pomogliśmy im, prawda? Pomogliśmy im bardziej niż Francja i Anglia razem wzięte.

– No tak, ale…

– Przecież chyba nie oczekujesz, że zostaniemy tu na stałe?

– Możemy jeszcze im pomóc.

– Zrobiliśmy dość. Chciałbyś tu zostać, Galaś?

– No, nie…

– No właśnie. Następnej okazji do odjazdu może nie być.

Kiwnął głową. Nie dawał do zrozumienia, że zgadza się ze mną. Raczej to, że wyczerpały mu się argumenty.

Zajęliśmy się mapą i dowodzeniem. Borsuki powoli, ale konsekwentnie wycofywały się w naszym kierunku, ścigane przez coraz liczniejsze oddziały zmotoryzowane i pancerne. Meldunki były złe – wyrwa we froncie powiększała się, na naszych tyłach odwodowy pułk ułanów zwarł się z silnymi oddziałami zwiadowczymi. Wieteska co prawda zadał straty Niemcom na północy i odrobinę zmiękczył ich napór, ale sak zaciskał się wyraźnie.

Tylko południe jeszcze było wolne.

Wszedł Łapicki. Był poruszony i zmartwiony – a przecież nie miał na głowie morderstwa Holdena i naszego powrotu do przyszłości.

– Myślę o wycofaniu się – powiedziałem, śledząc ruch oddziałów na mapach. – Możemy jeszcze odskoczyć.

– Nie za bardzo mamy gdzie. Teoretycznie na południu na razie nie ma nieprzyjaciela, ale tylko w promieniu jakichś dziesięciu kilometrów. Dalej już jest i prze na wschód. Z meldunków Filipowicza, który ma łączność ze sztabem armii „Łódź”, wynika, że nieprzyjaciel skoncentrował na naszym odcinku znaczne siły, odciął nas od sił głównych armii i dąży do okrążenia.

– Za ile grupy bojowe mogą u nas być?

– Może za jakieś półtorej godziny. Cały czas odpierają wściekłe ataki czołówek pancernych.

– Przecież ich rozbiliśmy…

– Jednych rozbiliśmy, pojawili się następni. Zdaje się, że Niemcy ściągnęli nie jeden, a dwa korpusy zmotoryzowane. I parę odwodowych dywizji piechoty…

– Znakomicie. Odciążymy w ten sposób front w innych miejscach, prawda? – powiedziałem, a Łapicki spojrzał na mnie i nie bardzo wiedział, co sądzić o moim entuzjazmie. Skrzywił się sceptycznie.

Na zewnątrz lądowały śmigłowce.

Błyskawicznie podjechała cysterna z benzyną, mechanicy, w uszczuplonej przez straty liczbie, uzupełniali amunicję i podwieszali rakiety. Wieteska i jego ludzie nawet nie wysiedli z kabin.

Spojrzałem na zegarek. Jeszcze godzina do świtu. Wciąż mieliśmy szanse.

– Panie pułkowniku – zaanonsował jeden z kaprali. – Pułkownik Filipowicz do pana.

– Zgłaszam się, panie pułkowniku.

W tle słyszałem gwałtowną strzelaninę.

– Muszę ewakuować sztab brygady. Wyparli nas z Górek. Obrona na rubieży Białej Okszy nie wytrzyma długo. Okrążają nas. I was.

– Rozumiem. Wycofujcie się w naszą stronę. Jakie oddziały atakują?

– Co najmniej pułk z czołgami. Czołgów około setki. Mnie zostały tylko dwa przeciwpancerne boforsy i pięć armat 75 milimetrów. Długo nie wytrzymam.

– Rozumiem. Niedługo wróci mój oddział pancerny. Wesprę pana pułkownika. Na razie poślę wam dwa śmigłowce.

– Dziękuję. Do zobaczenia.

Rozłączyłem się.

– Wie pan – zwróciłem się do Łapickiego – że za trzy, może dwie godziny będziemy mieli możliwość powrotu do domu?

– Do domu? – z roztargnieniem powtórzył major.

– Do naszych czasów.

Teraz do niego dotarło.

– Taak? To realne?

– Jak najbardziej. Wirus jest w zasadzie usunięty. Trwają ostatnie próby programu powrotnego.

Major przez chwilę nie podejmował tematu.

– Wie pan, zastanawiam się… Czy powinniśmy w tym momencie się ewakuować…

– A na co mamy czekać, panie majorze?

– No, trochę byłaby to ucieczka, nie sądzi pan?

– Ucieczka?

– Może nie w dosłownym tego słowa znaczeniu. Ale jednak mamy jakieś obowiązki.

– Wypełniliśmy je. Niedługo skończy nam się amunicja. Co więcej możemy zrobić?

– Amunicji mamy jeszcze na kilkanaście dni intensywnych walk. Benzyny też na trochę starczy.

– Z batalionu może nie być co zbierać, panie majorze.

– Wiem, ale…

Świetnie cię rozumiem, majorze. Jestem podobnego zdania.

Nie ciągnąłem dyskusji. Pocieszyłem go ogólnym stwierdzeniem, że „się zobaczy", i wyszedłem.

Ponieważ zbliżał się świt, ludzie Sawickiego usunęli ciężarówki z polany, poutykali je między drzewami i zamaskowali. Nie podjąłem jeszcze decyzji o ewakuacji bazy. Polana jako miejsce obrony była beznadziejna, ale otaczający ją obszerny las, okolony z dwóch stron rzeczką, stwarzał znacznie lepsze szanse. Oczywiście pod warunkiem, że wróci Wojtek i kawalerzyści.

Droga na południe była nadal otwarta, ale czasu zostawało coraz mniej. Niemcy rozlewali się po okolicy jak wezbrana rzeka.

Kanonada na zachodzie przybliżała się. Wójcik zmieniał co kilka salw stanowiska i dokonywał karkołomnych prób wsparcia coraz bardziej kurczącego się frontu obrony. Od północy Niemcy nie byli dalej jak pięć kilometrów i spychali oddziały brygady prosto na nas.

Na polanę, z drogi prowadzącej prosto na wschód, wyjechał honker. Jeszcze nie zdążył się zatrzymać, gdy wysiadł, a właściwie wypadł z niego jeden z ludzi Sawickiego ze składu czujki ubezpieczającej nas z tej strony.

– Panie pułkowniku, panie pułkowniku… – Był zdyszany jak po długim biegu. – Niemcy! Rozbili patrole ułanów i walą na nas…

– Ilu? Gdzie? Dokładny meldunek!

– Tak jest! Niemiecki oddział zmotoryzowany w sile kompanii wspartej wozami pancernymi i kilkoma czołgami przebił się przez obronę kawalerii w Nowej Wsi i doszedł do rzeczki, na której mamy posterunek. Odparliśmy ich ogniem broni maszynowej i RPG. Część ułanów zdołała się przeprawić na nasz brzeg. Może czterdziestu z dwoma erkaemami. Niemcy naciskają i zaraz się przerwą.

Spojrzałem na mapę. Niemcy byli o trzy kilometry stąd. Mój misterny plan mógł wziąć w łeb z powodu uporu tych sukinsynów agresorów.

– Nancy – pstryknąłem radiostacją. – Muszę cię prosić o pomoc.

– Jaką? – Była czujna i skoncentrowana. Wypełniała rolę, jaką jej wyznaczyłem.

– Na wschód od nas obronę przerwała niemiecka szpica pancerna. Potrzebuję twoich ludzi do wsparcia obrony.

– Ale…

– Jeżeli Niemcy pójdą dalej, zaraz będą w obozie, więc nici z planu tak czy inaczej. A ja już nie mam ludzi w odwodzie. Zaraz tu powinien być Wojtek, to się ich zluzuje.

– Dobrze. – Zawsze mi się w niej podobała umiejętność szybkiego podejmowania decyzji. – Gdzie to jest?

– Mój żołnierz was zaprowadzi. Tylko pospieszcie się i weźcie dużo amunicji. Zwłaszcza przeciwpancernej.

– Damy sobie radę.

– Nie wątpię.

Amerykańskiej drużynie przygotowania do odjazdu nie zajęły więcej niż dwie minuty.

Ściągnęli z ciężarówki kilkanaście skrzynek z amunicją, zapakowali do hummerów, wrzucili do bagażnika ciężką rurę wyrzutni przeciwpancernej Karl Gustaf i poprzedzeni honkerem pojechali. W pośpiechu i zamieszaniu zabrał się z nimi również wartownik sprzed MDS-a.

W obozie zostały smutne resztki Pierwszego Samodzielnego Batalionu Rozpoznawczego.

Przez chwilę wahałem się, czy na zagrożony odcinek nie posłać jednego z helikopterów, ale uznałem, że bardziej potrzebny będzie na północy. Nie zmieniłem więc Wietesce rozkazów i po chwili trzy sokoły – czwarty nadal wisiał nad Kurcewiczem i jego pancernymi zuchami, podając cele AMOS-om i krabom – poleciały ratować skórę Filipowiczowi.

– Jerzy! – Kurcewicz nadal był energiczny i przebojowy jak za dawnych czasów, ale w głosie usłyszałem wyraźne zaniepokojenie.

– Słucham.

– Mam odciętą drogę odwrotu.

– Gdzie jesteś?

– Osiem kilometrów od was. Jedyną drogę, którą się mogę wycofać, obsadzili Niemcy. I, o ile się nie mylę, właśnie ją zaminowali.

– I pozwoliłeś na to?

– Kurna, jestem odwrócony na zachód, bo strasznie napierają. Kończy mi się amunicja, więc nie mogę strzelać tak gęsto, jak bym chciał. Od tyłu mam tylko Stańczaka.

– Skąd tam się wzięli, u licha?

– Niemcy? Nie wiem. Sporo artylerii do nas strzela.

– Masz straty?

– W wozach na razie nie. Sporo uszkodzeń, ale nic konkretnego, paru następnych rannych.

– Cholera. Jak z amunicją i paliwem?

– Paliwa jeszcze mam na jakieś sto kilometrów. A z amunicją krucho. Do AMOS-ów po dwadzieścia sztuk, w czołgach po dziesięć albo mniej. Transportery mają więcej, bo na razie mało się udzielały.

– Musisz się przebić. Nie mogę ci podesłać Wieteski, bo próbuje zatkać wyłom na północy. Wójcik obdziela cały front i nie wie, w którą stronę się obrócić.

– Będę próbował ich przegonić. Ale coraz ich więcej i mam jeszcze na głowie ten pułk kawalerii.

– Co z nimi?

– Wpadli na nas. Osłaniają skrzydło. Biją się jak wariaci, ale nie wiem, jak długo jeszcze…

– Pchnij pluton twardych, niech złamie tę blokadę. Podaj Wójcikowi namiary, to pośle parę salw. A na miny masz saperów…

– Tak jest.

– Na południu miał cię osłaniać jeszcze jeden pułk.

– Miał. Ale straciłem z nim kontakt. Nie wiem, gdzie jest.

– Zdaje się, że Filipowicz też nie wie, bo nic o nim nie wspominał. Posłuchaj. MDS-a nikt nie pilnuje, bo musiałem wysłać marines na jeden z zagrożonych odcinków. Ludzie Sawickiego latają jak kot z pęcherzem. Wszystko jest na łasce Pana Boga. Nancy ma co prawda oko, ale to może być za mało. Musisz do nas jak najszybciej dołączyć i wtedy się ewakuujemy.

– Co masz na myśli?

– Powrót…

Cisza.

– No, nie wiem… jakoś to słabo wygląda. A bez nas będzie wyglądało jeszcze gorzej.

Partia wojenna liczyła coraz więcej zwolenników.

– Strasznie się wszyscy bojowi zrobiliście ostatnio.

– A co, spieszy ci się do kasy? – odciął się.

– Spieszy mi się do życia, wiesz?

– Odmeldowuję się.

Na moment zostałem sam z myślami.

Kanonada zlała się w jeden wielki huk. Nocne jeszcze niebo jarzyło się żółtym blaskiem – na zachodzie, północy i wschodzie – a także pobliskimi błyskawicami spowodowanymi przez moich artylerzystów. Ciekawe, dlaczego jeszcze się nie wstrzelała nieprzyjacielska artyleria. Możliwe, że Wójcik na spółkę z Wieteską nie dali jej szans, aby się wstrzelała.

Tandem panów W. po raz kolejny ratował nam skórę.

Wróciłem do wozu dowodzenia. Kogoś brakowało.

– Gdzie Galaś? – zapytałem.

Kaprale spojrzeli na mnie, jakbym pytał o latające talerze.

– Wyszedł na chwilę, panie pułkowniku. Powiedział, że pić mu się chce.

– Przecież macie tu wodę.

– A rzeczywiście. No to może poszedł siku…

– Może – przytaknąłem bez przekonania.

– Dżazi – usłyszałem w słuchawce głos Nancy. – Mamy naszego człowieka.

4.

Wyskoczyłem z wozu jak na sprężynie. Gdybym o tym wszystkim zaczął myśleć, stawka gry pewnie by mnie sparaliżowała. Ale nie myślałem. Wyćwiczonym ruchem wyciągnąłem USP, wybiegłem zza wozu i całym rozpędem i niemałą przecież masą wpadłem na podążającego w przeciwnym kierunku człowieka. Człowiek ów, zaskoczony napadem, stęknął i z nieprzyjemnym odgłosem wylądował na ziemi. Ja również byłem nieco oszołomiony spotkaniem, ale pistoletu z ręki nie wypuściłem. Klęknąłem nad ciemną postacią, oparłem rękę na mostku, przytknąłem lufę prawie do nosa…

– Pan oficer zawsze tak obce dziewczyny traktuje? – Dopiero teraz uświadomiłem sobie, że lewą rękę opieram na czymś cudownie miękkim, niemal żyjącym własnym życiem. Gdyby to zobaczył Wieteska, pewnie urwałby mi łeb.

– Rozalka! Na miłość boską, co Rozalka tu robi?

– Ja? – powiedziała, gdy już wstałem i pomagałem jej się podnieść. – Szłam się zapytać, co dalej będzie, a pan oficer tak gwałtownie wyleciał…

– Rozalce widać nic nie jest – powiedziałem pospiesznie. – Potem pogadamy. Ja muszę…

– Ale…

– Później! – krzyknąłem już w biegu – i niech Rozalka tu zostanie…

W parę sekund wbiegłem między drzewa i odnalazłem ciężarówkę należącą do Amerykanów. Stuknąłem trzy razy w burtę. Spod plandeki ukazała się lufa pistoletu.

– To ja.

– Wchodź.

Podciągnąłem się i wskoczyłem na skrzynię. Nancy siedziała wciśnięta w kąt, trzymając na kolanach zasilanego z baterii laptopa. Podłączony był do cyfrowej krótkofalówki. Druga taka sama krótkofalówka znajdowała się w MDS-ie. Podłączona do małej, sprytnie ukrytej kamery. Została tak umieszczona, żeby obejmować swym polem widzenia całe wnętrze pojazdu.

– Dawno?

– Pięć minut temu. Nie spieszyłeś się za bardzo.

– Nie mogłem się uwolnić od niechcianego towarzystwa.

Spojrzała na mnie pytająco, ale nie wprowadzałem jej w szczegóły. Zerknąłem na ekran komputera. Zakapturzona postać siedziała na stanowisku nieboszczyka Holdena i stukała w klawiaturę.

– Nie schrzani czegoś?

– Nie. Komputer jest odłączony od sieci. Chociaż za Boga na to nie wpadnie. Dla niego wszystko gra...

– Mamy dwie opcje. Albo sprawdza, czy to prawda, że wirus jest usunięty i program gotowy, po to, żeby jeszcze raz zablokować, albo wręcz zniszczyć system. Albo odwrotnie – wpuści antywirusa, odblokuje system i...

– I co?

– Nie wiem. Jeżeli nie chce wracać z nami w nasze czasy i nie chce go popsuć, to znaczy, że jednak chce go ukraść. Ale po cholerę?

– Tego się nie dowiemy, jeśli go nie zapytamy. – Spojrzałem na nią. – Jesteś gotowa?

– Tak. O ile można być gotowym na takie rzeczy.

Nadal miała rękę na temblaku, jednak prawą dłonią w ograniczonym zakresie mogła się posługiwać. Razem mieliśmy trzy i pół ręki do dyspozycji. Było to więcej niż nic.

Położyła laptopa na podłodze, wzięła pistolet i powiedziała:

– Chodźmy. Miejmy to już za sobą.

Zeskoczyła lekko ze skrzyni i nie czekając na mnie, pobiegła w stronę masywnej, skrytej wśród drzew sylwetki. Ciemność rozjaśniana była coraz bliższymi eksplozjami. A także pierwszym, bladym światłem przedświtu.

Bezszelestnie wbiegliśmy na schodki. Rozejrzałem się, ale nie zauważyłem niczego podejrzanego. Powinienem był rozejrzeć się jeszcze raz. I jeszcze.

Nancy wyjęła kartę, machnęła nią przy czytniku, wstukała kod – musiała to zrobić naprawdę szybko, bo automat odblokowując drzwi wydawał z siebie przeciągły pisk – i wpadliśmy do środka.

Lewą ręką trzymałem USP – w pewnych okolicznościach lewą ręką posługuję się tak samo dobrze jak prawą – a prawą silną latarkę, którą oświetlałem siedzącego w fotelu, odzianego w długi płaszcz z kapturem człowieka.

Nancy natychmiast po wejściu odsunęła się w bok, pilnując, by nie wejść mi pod lufę.

– Siedź spokojnie, przyjacielu – powiedziałem, wychodząc z założenia, że nasz człowiek jest Polakiem, więc to na mnie spoczywa główny obowiązek konwersacyjny. – Nie ruszaj się i nie dawaj mi żadnego pretekstu, żebym musiał strzelać.

Postać siedziała bez ruchu. Widać rozsądnie gadałem, bo nie dawał mi naprawdę żadnego pretekstu.

– Zapal światło, dobrze? – poprosiłem Nancy. – Niewygodnie mi z tą latarką, a pewnie sobie trochę pogadamy.

Musiałem zmrużyć oczy – pewnie nie tylko ja – kiedy ostre światło z umieszczonych na suficie lamp zalało kabinę. Człowiek w fotelu cały czas siedział bez ruchu, pozostając tyłem do nas.

– Ręce na bok – powiedziałem. – Powoli.

Nie spiesząc się, wyciągnął ręce w bok, pokazując dłonie. Nie miał w nich żadnych śmiercionośnych zabawek. Demonstrował poważną chęć współpracy.

– A teraz pomału się odwróć.

Chwilę jeszcze siedział bez ruchu, po czym łagodnym ruchem odbił się od połogi i fotel wykonał pół obrotu. Nasz człowiek siedział przodem do nas, ale nadal skrywał swoją twarz pod obszernym kapturem. Uznał, że zabawa skończona, bo wolno zgiął jedną rękę, podniósł ją do twarzy i kaptur opadł na ramiona. Nancy westchnęła głęboko.

– Nie jest pan zaskoczony, panie pułkowniku – powiedział major Ryszard Łapicki, szef sztabu batalionu.

– Nie jestem. – Pokręciłem głową. – Jeszcze wczoraj byłbym. Ale nie dziś.

– Jak pan na to wpadł? – zaciekawił się. Nie bał się i to mnie powinno zastanowić. Robiłem głupstwo za głupstwem.

– Wie pan co? Nie powiem panu. Za to pan odpowie na parę pytań...

– Może później, panie pułkowniku – powiedział znajomy głos. Odwróciłem się wolno – teraz ja miałem na tyle oleju w głowie, żeby nie wykonywać gwałtownych ruchów – i z dużym niepokojem stwierdziłem, że patrzę prosto w dziewięciomilimetrowy otwór lufy pistoletu maszynowego glauberyt.

5.

Przede mną stał niewysoki człowiek w czarnym uniformie. Nie znam się na tym zbyt dobrze, ale byłbym gotów się założyć, że to mundur wysokiego oficera SS. Wyglansowane do połysku oficerki, grafitowa czerń materiału, srebrne wyłogi z charakterystycznymi kwadracikami, ciężki pas z kaburą pistoletu.

Nie wiem, czy bardziej byłem zaskoczony mundurem, czy osobą, która go nosiła. Kątem oka zauważyłem, że Nancy szeroko otwiera oczy. Bardzo szeroko.

– Pogadamy później, panie pułkowniku. Będziemy mieli dużo czasu. Teraz nie mamy go wcale – powiedział ten człowiek.

Minęła jeszcze dłuższa chwila, zanim odzyskałem głos.

– Co to za maskarada, Cupryś?

– No, no, panie pułkowniku, niech pan nie będzie taki zły. Nic pan nie rozumie, prawda? – odezwał się major, więc odwróciłem się w jego kierunku. Także trzymał w ręku glauberyta. Musiał mieć go ukrytego pod płaszczem. Uśmiechał się, ale było w tym coś dziwnego. Potem dopiero wpadłem na to, że po prostu śmiał się wyłącznie ustami. Oczy były zimne. Chyba w ogóle nie znałem tego faceta. – Władziu, zabierz panu pułkownikowi pistolet i nóż. I nie zapomnij o pięknej pani… – Spojrzał na Nancy w taki sposób, że byłem gotów rzucić się na niego pomimo ewidentnej nierównowagi sił. – Panie pułkowniku, niech pan tego nie robi – powiedział, jakby słyszał moje myśli. Podniósł lufę milimetr wyżej. – Jak będziecie współpracować, nikomu nic się nie stanie.

– Tak jak Holdenowi, co? – Na obecnym etapie rozwoju sytuacji z pewnością nie było to zbyt rozsądne pytanie, ale nie mogłem się powstrzymać.

– Głupi dupek. Wtykał nos w nie swoje sprawy.

– Więc to pan? – zapytałem dla formalności.

– Albo ja, albo nie ja. Wszystko jedno. Teraz mamy parę rzeczy do zrobienia.

Cupryś podszedł ostrożnie, wyjął mi z ręki USP – cały czas uważał, aby major miał mnie na muszce – zabrał nóż z pochwy przy pasie i smith&wessona z kieszeni. Zrobił krok w lewo, wyciągnął rękę i odebrał od Nancy berettę. Zerknął na panią kapitan łakomym wzrokiem, zerknął na mnie i uznał, że daruje sobie rewizję osobistą. Podszedł do stanowisk komputerowych.

– Dobrze. Państwo będą łaskawi oprzeć się o ścianę. I ręce w górze, proszę. Zdążę strzelić szybciej, niż wam się wydaje.

– Z pewnością. – Kiwnąłem głową. Musiałem go uspokoić. Dziwne, ale do tej pory nie za bardzo się bałem. Może dlatego, że obaj, tak przecież dobrze znani, nie wyglądali na groźnych złoczyńców.

Łapicki zsunął z ramion płaszcz. Jego mundur był tak samo starannie odprasowany, w cholewkach można się było przeglądać. Na oko był wyższy stopniem od Cuprysia.

– No, wujek, do roboty. Odpalajmy system – powiedział Cupryś.

– Już odpalam. Wiesz, że oni – spojrzał na nas wesoło – odłączyli komputer Holdena od sieci? Myśleli, że się w niczym nie zorientuję. Ale się zorientowałem, sieć podłączona, ustawienia przywrócone i możemy działać.

– Wujek? – zdziwiłem się.

Na to rzeczywiście nie wpadłem. Łapicki spojrzał na mnie promiennie.

– No. To siostrzeniec mój. Bardzo zdolny chłopak.

– Dżazi, co oni mówią?

– Oni mówią, kochanie, że mają nas w ręku i wszystko skończone.

– Ale co oni chcą zrobić?

– Jeszcze nie wiem…

– Panie pułkowniku. – Łapicki mówił bardzo cicho, ale zdecydowałem się uważnie go wysłuchać. – Niech pan nie rozmawia z nią, dobrze? Żadnego angielskiego. Żeby jakiegoś nieszczęścia nie było, wie pan…

– Nie strasz, majorze.

– Nie straszę. Informuję. Mnie nie zależy…

Kiwnąłem głową. To był argument nie do odparcia.

W słuchawce chrobotnęło i usłyszałem Wojtka:

– Jerzy!

– Nie mogę…

– Zabierz mu to! – krzyknął Łapicki. – Natychmiast!

Cupryś skoczył, jednym ruchem wyrwał wtyczkę z gniazda radiostacji i zerwał mi słuchawkę z ucha.

– I więcej, kurwa, o takich rzeczach nie zapominaj – warknął Łapicki. Maska dobrego wychowania spadła z niego całkowicie. – Bo wszystko spieprzysz.

– Przepraszam, wujeczku, naprawdę sorry – usprawiedliwiał się kapral.

– Bierz klamoty z zewnątrz.

– Już.

Przeszedł przez kabinę, ostrożnie uchylił drzwi, rozejrzał się i wyszedł. Po chwili wrócił, uginając się pod ciężarem turystycznej torby i plecaka. Tę samą torbę miał wczoraj w Warszawie. Pod stanowiskiem Holdena leżała jeszcze jedna torba.

Cupryś położył bagaże na podłodze, cofnął się o krok i starannie zamknął drzwi. Trzask mechanicznej zapadki poinformował mnie, że nikt, nawet za pomocą karty, nie wejdzie do środka. Na pomoc nie przybędzie żadna kawaleria.

Major usiadł przy stanowisku Holdena – nasz plan, w miejscu, w którym zakładał bezpieczne dla systemu zwabienie sprawcy do MDS-a, był, delikatnie mówiąc, niestarannie przemyślany – i kontynuował robotę. Po chwili wyjął z kieszeni płytkę CD i włożył do kieszeni komputera. Aktywował ją, parę razy kliknął myszką, po czym spojrzał na nas triumfalnie.

– Melduję posłusznie, że system działa, panie pułkowniku. Potrwa z dziesięć minut, zanim antywirus przywróci wszystkie poprzednie ustawienia, ale program powrotny właśnie został zamontowany... – Satysfakcję w jego głosie można było wziąć w rękę.

– Kto to wszystko wymyślił? Dreszer? – zapytałem, licząc na to, że mając wszystko pod kontrolą, o mały krok od sukcesu, będą chcieli się pochwalić swoimi pomysłami. I nie pomyliłem się.

– No, generał wymyślił swoją część. – Łapicki roześmiał się. Jeszcze moment, a poczęstuje mnie cygarem. – Kiedyś się zgadało. Przypadkiem, jechaliśmy służbowo do Warszawy. Rozgadałem się na temat tej wojny. – Machnął ręką w stronę przybliżającej się strzelaniny. – Zawsze mnie ona interesowała. Ja gadałem, a on mnie badał, wyciągał na spytki. Potem gadaliśmy jeszcze wiele razy. Pół roku to trwało. W końcu zapytał mnie, co bym zrobił, gdybym miał możliwość poprawić to i owo.

To znaczy inaczej tę wojnę rozegrać. A ja o tym wiele myślałem, więc mu dokładnie powiedziałem: to tak, tamto śmak, inaczej rozstawić siły, inni generałowie. Kiedyś wziął mnie na przejażdżkę i mówi, że jest taka możliwość. W praktyce. Że można napisać historię na nowo. Zdziwiłem się, no bo jak to? Jakaś nowa gra komputerowa? A on, że Amerykanie mają maszynkę do cofania się w czasie, że można przenieść całkiem sporo wojska, tylko trzeba w programie pozmieniać to i owo. Nie wiedział pan pewnie, że jestem kwalifikowanym informatykiem? No więc jestem. Generał po jakimś czasie dał mi parametry systemu – nie wiem, skąd je wziął, słowo daję – i zapytał, czy dałbym radę napisać taki program. A ja już wtedy sporo z Władkiem gadałem na ten temat – spojrzał na Cuprysia – wciągnąłem go w sprawę i obaj taki programik w dwa tygodnie napisaliśmy. Bo Władek to pomysły takie ma, panie pułkowniku, że aż dziw, że generałem nie został...

Cupryś spuścił skromnie oczy.

– System już gotów?

Łapicki zerknął na monitor.

– Jeszcze kilka minut.

Na zewnątrz eksplodował pocisk artyleryjski. Duży kaliber. I głowę daję, że nie dalej jak sto metrów od nas. Cuprysia to najwyraźniej zaniepokoiło, Łapicki był odprężony.

– No i co? – Chciałem jak najszybciej dowiedzieć się, o co w tym wszystkim chodzi. To była być może ostatnia okazja.

– No i nic. Napisaliśmy program, daliśmy go generałowi i tyle. Od początku zastrzegał, że to musi być program bez powrotu. Taki był warunek. Zgodziłem się i zaproponowałem, że w imię wyższej sprawy, patriotyzmu i tak dalej zgłaszam chęć udziału w tej misji, w celu służenia panu radą i dopilnowania, żeby nikt nie dłubał przy systemie, chcąc wrócić... No i głupi Dreszer się zgodził, nawet nie podejrzewając, że mam wspólnika i zupełnie o co innego mi chodzi...

– A po co ci ten wspólnik, majorze? – zapytałem. – Do napisania programu?

Obaj roześmieli się gromko. Najwyraźniej bardzo ich ubawiłem.

– Widzi pan, panie pułkowniku... – Cupryś wyraźnie dał się ponieść nastrojowi chwili i postanowił włączyć się do pogawędki. – Sprawy często mają się inaczej, niż się sądzi. Ta smutna pierdoła też uważała, że sobie znalazła frajera, co napisze program, przeniesie się w czasie z całym wojskiem i będzie pilnował, żeby broń

Boże ktoś nie próbował wrócić. Takie rzeczy są dobre w czytankach dla grzecznych dzieci. – Skrzywił się, żeby dać do zrozumienia, co o tym naprawdę sądzi.

– Nie rozumiem – stwierdziłem. – To po co wam ten pasztet? Po cholerę się w to pchaliście?

– Po cholerę? – Cupryś znowu się uśmiechnął. Wolałbym chyba, żeby tego nie robił. – Dla kasy, panie pułkowniku. Dla kasy. Dużej.

– A więc jednak – wymknęło mi się. – Dla kogo pracujecie? FSB? Al-Kaida?

– Co za głupoty pan opowiada, panie pułkowniku. Jakie FSB? Jaka Al-Kaida? Przecież ja tych Arabusów tak samo nie znoszę jak wszyscy…

– A więc…?

– Dla nikogo nie pracujemy, panie pułkowniku. Prywatna inicjatywa. Cały plan, od początku do końca, to nasz pomysł. A właściwie wujka…

– Jaki plan? Powiecie mi w końcu? Warszawa?

– Nieźle pan kombinuje, ale niech się pan tak nie denerwuje. Wujek, jak tam?

– Gotowe – zatarł ręce Łapicki. Znowu klikał zapamiętale, na ekranie przewijały się dziesiątki kolorowych plansz, major włączał jedne funkcje, a wyłączał inne. Po chwili zakomunikował: – Możemy ruszać.

– Gdzie wy chcecie ruszać, na litość boską? Z powrotem w nasze czasy?

– Nie bezpośrednio, panie pułkowniku. Na razie do Szwajcarii.

– Słucham…?

– Dobrze pan słyszał. Bierzemy MDS-a, was jako polisę ubezpieczeniową i jedziemy do Szwajcarii.

– Przecież to kawał drogi stąd. Na dodatek głównie przez Niemcy.

– A pan myśli, że te mundury to po co? Władeczku, powiedz panu pułkownikowi, jak się nazywasz.

– Sturmbannführer Klaus Munk. Czyli major SS. To – wskazał ręką na Łapickiego – Obergruppenführer Otto Schrimmel. Generał SS. Wujek może wszystkich szkopów postawić na baczność. A tu – klepnął się po kieszeni z wyraźnym zadowoleniem – oryginalne papiery i glejt z podpisem samego Reichsführera SS, że wieziemy specjalną przesyłkę do Szwajcarii i wszelkie władze zobowiązane są do udzielenia każdej możliwej pomocy. Miesiąc nad tym pracowaliśmy. Wszystkie papiery oryginalne albo tak podrobione, że mucha nie siada. Wszystko gra, panie pułkowniku.

– Po co to wszystko? – powtórzyłem. – Jestem pełen podziwu, ale po co?

– Mówiłem już. Dla kasy.

Na zewnątrz znowu huknęło. MDS zatrząsł się. Drgnąłem.

– Niech pan tego nie robi, panie pułkowniku. – Łapicki zmrużył oczy. – Niech pan o tym nie myśli. Władziu, zwijamy się.

– Robi się.

Kliknął jeszcze parę razy, wyłączył komputer i wstał z fotela.

– Bierz pana pułkownika, niech siada z kierownicę i jedziemy.

– A my po co? – zdziwiłem się niewinnie.

– Ma nas pan za idiotów? W dziesięć minut po odjeździe mielibyśmy na głowie kapitana Wieteskę i komandosów. Nie, panie pułkowniku. – Pokręcił głową. – Pojedziecie z nami jako polisa na życie. Później was wypuścimy.

– Gdzie później?

– W Niemczech. Jakoś sobie poradzicie.

– Ale…

– Dość gadania. Jedziemy.

Cupryś skinął na mnie i ruszył w stronę szoferki. Na zewnątrz znowu rozległa się eksplozja. Jakoś w nas na razie nie trafili.

A jednak.

Sekundę później wybuchł następny ciężki granat. MDS przechylił się gwałtownie i przez chwilę walczył z własnym środkiem ciężkości. Hałas był tak ogłuszający, że niemal pękły mi bębenki.

Major spodziewał się czegoś takiego, ale i on nie mógł nic poradzić na gwałtowny przechył samochodu. Poleciał na ścianę, a ja odbiłem się z obu nóg i poleciałem za nim. Chwyciłem za lufę glauberyta – żeby złapać równowagę, machnął rękami, więc już we mnie nie celował – i skręciłem automat w bok. Łapicki walczył, ale w końcu puścił. Gdyby upierał się dalej przy silnym chwycie broni, złamałbym mu palce. MDS zaczął się prostować i teraz z kolei ja poleciałem w tył, trzymając glauberyta za łoże. Major skoczył i choć ważył sporo mniej ode mnie, polecieliśmy między stoły. Nie przypuszczałem, że jest taki szybki.

Nancy nie rozumiała wiele z rozmowy – prawdę mówiąc, nic nie rozumiała – ale domyśliła się, że bliska eksplozja to nasza jedyna szansa.

Gdy samochód zachwiał się, oparła się plecami o ścianę i korzystając z ruchu powrotnego, doskoczyła do przechodzącego obok Cuprysia i mocno, z półobrotu, kopnęła go kolanem w brzuch. Kapral nie spodziewał się napadu – zwłaszcza ze strony kobiety o urodzie hollywoodzkiej aktorki – toteż zgięło go jak po zgniłym korniszonie. Nancy poprawiła kolanem w twarz, uderzyła pięścią w odsłoniętą potylicę i zamroczony Cupryś runął na ziemię, wypuszczając broń.

Mnie szło znacznie gorzej. Leżeliśmy z majorem pod pogruchotanymi stołami, taplając się w szczątkach jakiegoś komputera. Nadal trzymałem gnata, ale Łapicki nie pozwalał mi uchwycić go prawidłowo. Uderzyłem go w skroń, ale tylko się skrzywił, sięgnął do pasa i wyciągnął sporych rozmiarów nóż. Próbowałem złapać za uzbrojoną rękę, ale zręcznie ominął blokadę, zamachnął się…

Patrzył na mnie z bliska, więc wyraźnie widziałem, jak rozszerzają mu się źrenice – nigdy bym nie przypuścił, że jest to możliwe aż do takich rozmiarów – usta ułożyły mu się w wielkie „o" i krzyknął. Raz. Przeraźliwie.

Ręka z nożem opadła. Ciało szarpało się chwilę, po czym zwiotczało. Zepchnąłem je z siebie.

Nancy stała nad nami, dysząc ciężko. Spomiędzy łopatek majora sterczała rękojeść noża bojowego marines.

Cupryś nie dość starannie ją przeszukał. Uznał widać, że jedną, i to lewą ręką niewiele zdziała.

Nancy od urodzenia była mańkutem.

6.

Pięć minut później kabina MDS-a była jako tako posprzątana. Wezwani na pomoc informatycy – bladzi jak ściana – doprowadzili komputery do porządku. Uszkodzony podczas walki egzemplarz po prostu wyrzuciliśmy. Po namyśle kazałem go zakopać.

Owiniętego w płaszcz majora pochowano w pośpiechu obok Poklewskiego.

Cupryś po jakimś czasie doszedł do siebie. Nie było mu zbyt wygodnie z rękoma skutymi na plecach, ale chwilowo miałem to gdzieś.

Wkrótce nadjechał Wojtek, Wójcik namierzył macającą nas artylerię i zlikwidował ją, a ja zacząłem dysponować sprawnym systemem mogącym zawieźć nas do domu oraz częściowym rozwiązaniem zagadki.

Czołgi i reszta wozów bojowych stanęła na polanie byle jak. Załogi właściwie nie wyszły, tylko wypadły na zewnątrz. W porównaniu do ciasnych wnętrz, polana, choć wypełniona hukiem pobliskiej bitwy, stanowiła oazę spokoju.

Wojtek zeskoczył z pancerza i niemal rzucił się na podaną manierkę z wodą. Wypił wszystko i miałem wrażenie, że chętnie wypiłby drugie tyle.

– Piekło – powiedział, gdy doszedł nieco do siebie.

– Jeden transporter mniej – stwierdziłem.

– No. Dostał parę razy z dużego kalibru. Nie było go jak odholować.

– Załoga?

– Dwóch zostało. Reszta lekko ranna, ale na chodzie…

– Gdzie są?

– Niemcy? Wszędzie. Ten zagubiony pułk ułanów się znalazł. Właściwie niedobitki. Niemcy na południu też się znaleźli. Zamknęli okrążenie. Zajęli Kłobuck i walą prosto na nas. Trochę im Wieteska zadał bobu.

– Dobra. Możemy wracać.

– Słucham? – zająknął się. Myślami był jeszcze na polu walki. – Wracać?

– No. W nasze czasy. MDS jest sprawny, system też. Nie zgadniesz, kto był naszym człowiekiem.

– Nie zgadnę.

– Łapicki. On zabił Holdena. Miał Cuprysia do pomocy.

Wojtek skrzywił się, jakby niewiele go to obeszło.

– Musimy załadować amunicję i paliwo…

– Musimy wracać.

– Nie teraz…

– Panie pułkowniku – nadbiegł Galaś. – Niemcy przełamali obronę na północy. Weszli do lasu i przenikają do nas na piechotę. Ułani i piechota się wycofują.

Tego właśnie się obawiałem. Niemiecki dowódca wyczuł, że jego pancerne tarany rozbijane są z morderczą skutecznością, dlatego próbuje zniwelować różnice, atakując na piechotę pod osłoną lasu. Przy takiej przewadze liczebnej – ile dywizji nas atakowało? Sześć? Siedem? Sto tysięcy ludzi? – zgniotą nas w dwie godziny, i to nawet bez wsparcia lotnictwa. Lasu podpalić nie możemy, bo sami się usmażymy.

Na polanę wjechała mała samochodowa kawalkada, poprzedzona konnym patrolem. Kilka łazików – jeden z nich widziałem wczoraj po południu – dwie ciężarówki. Motocykl. Może ze dwudziestu konnych. Z łazika wysiadł Filipowicz, podszedł do mnie zmęczonym krokiem, zasalutował i powiedział:

– Czołem, panie pułkowniku. Zdaje się, że to już koniec. Dwa moje pułki rozbite, bataliony piechoty trzymają się resztkami sił. Reszta w odwrocie.

– Wiem – powiedziałem. – Właśnie zastanawiamy się, co zrobić.

– No, pan ma tu jeszcze siłę. – Rozejrzał się dookoła. Było już zupełnie jasno. – Tylko miejsce na obronę fatalne.

– Zgadzam się. Uzupełniamy paliwo i amunicję i odskakujemy. Będziemy się przebijać.

– To chyba jedyne wyjście.

Kiwnąłem głową. Wojtek przysłuchiwał się naszej rozmowie. Był brudny i zmęczony.

– Ile mamy czasu? – zwróciłem się do Galasia, który samorzutnie przejął rolę szefa sztabu.

– Z meldunków wynika, że Amerykanie jeszcze mogą trzymać linię rzeki przez jakiś czas. Odparli dwa natarcia i Niemcy na razie dali spokój. Najbliżej jest ta przenikająca piechota. Walczą z nią ułani. Jakbyśmy ją powstrzymali, moglibyśmy odskoczyć. Znalazłem na mapie drogę, którą można by spróbować się wymknąć.

Kiwnąłem głową. Miałem podobny plan. W nasze czasy mogliśmy przecież również wrócić z innego miejsca.

– Dobrze. Zrobimy tak…

Przez dziesięć minut wyłuszczałem moje pomysły. Filipowicz, Nancy, Wojtek, Galaś, Borek, Stańczak i Wójcik – Wojtyński i Johny zajmowali się Niemcami – pokiwali głowami. Plan był karkołomny, zakładał spełnienie szeregu niewiadomych, ale wszyscy zaakceptowali go jako jedyne realne wyjście z sytuacji.

Musieliśmy się bardzo spieszyć. Helikoptery wylądowały, przezbroiły się w możliwie największą ilość środków przeciwlotniczych – Sawicki wydał ostatni komplet sidewinderów – i odleciały, mając za zadanie zapewnić nam coś w rodzaju dziurawego parasola lotniczego. Zdziwiłbym się, gdyby Niemcy nie ściągnęli na ten odcinek frontu wszystkiego, co lata.

Borek zebrał swoich ludzi i poszedł osłonić obóz od północy. W lesie transportery nie na wiele się zdają. Już po paru minutach nadleciały stamtąd odgłosy gwałtownej strzelaniny, przeplatanej wybuchami granatów.

Kawalerzystów przybyło na polanę około pięciuset, wszyscy nieludzko zmęczeni, często ranni lub kontuzjowani. To były resztki osłaniających Kurcewicza pułków. Ale oficerowie świecili przykładem, toteż nie zauważyłem żadnych kapitulanckich nastrojów. Filipowicz natychmiast pchnął dwa, mające najmniejsze straty, szwadrony na pomoc Borkowi.

W wielkim pośpiechu załadowaliśmy wszystkie nasze zapasy i zwinęliśmy lazaret. Grupa Jamroza pojechała drogą na zachód. Razem z komandosami Wojtyńskiego miała tworzyć ariergardę ugrupowania. Od sprytu obu poruczników będzie zależało, czy Niemcy nas dogonią, czy nie.

Awangardę tradycyjnie stanowili ludzie Stańczaka i Kurcewicza. Ryzyko planu polegało między innymi na tym, że grupa Wojtka miała słabe wsparcie piechoty – po drodze zabiorą ze sobą tylko marines i resztę ubezpieczeń brygady – więc dobrze schowani w lesie piechurzy, wyposażeni w wiązki przeciwpancernych granatów, mogli narobić więcej szkody niż cała niemiecka artyleria razem wzięta.

Kurcewicz ruszył do przodu, a Jamróz w kierunku nieprzyjaciela, na zachód.

Wieteska zameldował o zestrzeleniu samolotu zwiadowczego. Nie minie wiele czasu do przybycia bombowców. Kiwnąłem ręką i cała ta dziwna kolumna – MDS ze swoją cybernetyczną technologią otoczony ułanami, haubice Wójcika w towarzystwie dział z końca XIX wieku ciągnionych przez konie, ciężarówki star przy łaziku Filipowicza – ruszyła, można rzec, z kopyta. Na polanie pozostały transportery piechoty. Miały poczekać na wycofujących się powoli ludzi Borka, zabrać ich i podążyć naszym śladem. Za nimi pójdzie odgryzająca się Niemcom grupa Jamroza.

Jechałem honkerem, mając po prawej Nancy, a przed sobą, obok prowadzącego samochód Galasia, Rozalkę z chłopcem. Chciała co prawda koniecznie lecieć z Wieteską helikopterem – nawet był skłonny na to przystać – ale gwałtownie się sprzeciwiłem. Z nami jeszcze miała jakieś szanse.

Z tyłu, w przedziale z radiostacją, jechał przytomny, acz markotny Cupryś. Ręce miał nadal skute na plecach. Wyglądał bardzo poważnie w czarnym, SS-mańskim mundurze.

Obok niego leżały plecak i sportowe torby. Odwróciłem się i półgłosem zagadnąłem:

– Jak to było z tym waszym planem, kapralu? Dowiem się w końcu?

– A, teraz to już całkiem nieaktualne – stęknął. – Było, minęło…

– A w tych torbach…?

– Nie zaglądał pan? – zdziwił się.

– Nie miałem czasu. Wojna jest, wiesz? Co w nich jest?

– No, RPG, rakiety, amunicja do glauberytów, granaty. A oprócz tego… – Zastanowił się, ale doszedł do wniosku, że i tak nie ma żadnego znaczenia, czy mi powie, czy nie. A dobry numer to jest coś, czym zawsze warto się pochwalić. – Wujek wyczytał kiedyś, w jednej książce historycznej, że była taka ekipa pracowników urzędu skarbowego na Lindleya w Warszawie, co przez całą wojnę wielki depozyt ze złota i kosztowności przechowała i potem po wojnie komunistycznemu ministrowi zwróciła. Aż głowa boli na takie marnotrawstwo, że przed wojną zgromadzili, przez wojnę trzymali, ryzykując życie, a potem komunie oddali. Po co komunie złoto i klejnoty? A na początku wojny w tym urzędzie był taki burdel, że hej, naczelnika powołali do wojska, a reszta nie bardzo wiedziała, co robić. Wujek mi kiedyś o tym opowiedział i obaj żeśmy się mocno dziwili na takie cuda. No i jak się generał pojawił ze swoim planem poprawiania historii, to w jednej chwili stwierdziliśmy, że to szansa jest, jakiej nikt nigdy nie miał. Taki napad, że potem nikt sprawcy nie znajdzie, no bo jak? Za sześćdziesiąt osiem lat? Stwierdziliśmy, że łatwo można ten depozyt przejąć, jak się wie z tej książki to, co my wiemy. I tak powstał nasz plan. Wewnątrz planu generała, że tak powiem. Wobec generała graliśmy oczywiście idealistów, co to chcą dzieje ojczyzny prostować. I wszystko się udało, MDS zadziałał jak trzeba, major pana pułkownika ładnie w wojnę wmontował, bo Galasia cały czas nakręcał i mu wskazówki dawał, a Galaś panu za alfę i omegę robił. Najcieńszy punkt był, żeby pan mnie do tej Warszawy zabrał, bo wiadomo było, że wujek w obozie będzie musiał zostać. Tu mieliśmy parę wariantów zapasowych, łącznie z gwizdnięciem honkera i wyjazdem do Warszawy na własną ręką, albo jakąś misję ratowniczą czy coś. Ale Galaś wszystko pięknie panu wytłumaczył i jeszcze poparł mnie, że niby tej mojej rodzinie coś się od życia należy. Jak żeśmy do Warszawy polecieli, a pan pułkownik poszedł z marszałkiem gadać, przebrałem się w cywilne ciuchy, buch, biegiem na Lindleya, wpadam do tego budynku – on do dzisiaj stoi, więc łatwo się było zorientować, co i jak – łaps Burgrafa, zastępcę naczelnika znaczy się, za kark, pod nos papier z Ministerstwa Skarbu, że zgodnie z wolą pana ministra przejmuję depozyt. Kręcił nosem, że nic nie wie, ale papiery miałem tak zrobione, że mucha nie siada. Nazwiskami sypię, tajemnicami służbowymi, no i się w końcu dał przekonać. Jakby się nie dał, w łeb by dostał i tak czy siak bym depozyt wziął. Schodzimy do piwnicy, tam w sejfie porządnym, w skrzynkach wszystko leży. A on mówi, że skatalogować musi, spisać sztuka po sztuce, bo inaczej nie będzie wiadomo, co wzięte i jak potem rozliczyć. To ja, że samochód czeka, czasu nie mam, więc protokół spiszemy i tyle. W końcu się zgodził. Skrzynki rozbiliśmy, do toreb przepakowuję. A on protokół pisze i pisze i tak gada śmiesznie, jak nie po naszemu. Patrzę na zegarek, godzina się późna zrobiła, myślę, że jak pan pułkownik odleci, to zostanę ze skarbem, ale za przeproszeniem, w dupie u panny Helenki. No więc łapię za torbę, na niedokończonym protokole podpis mu machnąłem i biegnę. Biegnę i biegnę, ale widać, że nie zdążę. Całe szczęście taryfiarz patriota się napatoczył i za Bóg zapłać przywiózł, bo kasy tamtejszej nie miałem. Tu plan nie był dopracowany, przedwojenne złotówki powinienem mieć. Udało się wrócić. I mieliśmy zaraz po powrocie MDS-a gwizdnąć i do Szwajcarii spierniczać. Zanim by się wojsko zorientowało, bylibyśmy już w połowie drogi. No i niestety był ten cholerny nalot na bazę, pan pułkownik zarządził ewakuację, potem bitwa, no i się trochę zaczęło pieprzyć. Ale i tak byśmy dali radę, gdyby nie ten niefartowny ostrzał... Ot, i cała historia.

Miał rację Wieteska. Chodziło o postmodernistyczny napad na bank. Biedny generał. Zamartwia się pewnie w swoim gabinecie.

– Przecież ten cały plan to idiotyzm – powiedziałem. – Mieliście tyle niewiadomych, że się nie miał prawa udać. Mogłem się nie zgodzić na twój przelot do Warszawy, mogła bomba trafić w MDS-a. Tysiąc rzeczy mogło się wydarzyć. Łatwiej byłoby po prostu napaść na bank w naszych czasach...

– Ale się udało, panie pułkowniku, no nie? – Smutno pokiwał głową. Rozmawialiśmy bardzo cicho. Miałem nadzieję, że do Galasia i Rozalki nie docierają nasze ponure tajemnice. – Plan był dobry. I kasa warta ryzyka.

– A po co mieliście zwiewać do Szwajcarii? Nie prościej było po prostu wrócić z łupem razem z batalionem? Nikt by się nie zorientował.

– Ja byłem przeciwny. To był pomysł wujka. Chciał jechać do Szwajcarii, zostawić MDS-a gdzieś w ustronnym miejscu, dostać się do Zurychu, elegancko zamienić depozyt na dolary, dolary wpakować do banku na lokatę, po czym krótko i węzłowato przenieść się w nasze czasy. Ta kasa byłaby warta ze dwadzieścia razy więcej niż w trzydziestym dziewiątym. A świadków żadnych, bo batalion zostałby na tej wojnie…

– Dużo tej kasy? – zapytałem, licząc, że przynajmniej nie przehandlowali życia pięciuset ludzi za garść drobnych.

– O Jezu, panie pułkowniku. – Oczy mu się zaszkliły. Doszliśmy do najsmutniejszego punktu opowieści. Prawnicy mówią na to lucrum cessans. Korzyści utracone. – Przeszło osiem kilo kosztowności. Zabytkowe cacka, gęsto przetykane brylantami. Warte prawie dwa i pół miliona dolarów. Przedwojennych dolarów.

Nie zdążyłem ustosunkować się do tej wiadomości. Pełen uzasadnionego smutku głos kaprala nie wybrzmiał jeszcze w blaszanym pudle honkera, gdy ze słuchawki wrzasnęło:

– Kuligowski dostał! Pali się! – Po raz pierwszy słyszałem zdenerwowanego w powietrzu Wieteskę. – Wali na nas cała Luftwaffe!

– Ilu? I skąd?! – krzyknąłem.

– Zewsząd. Samolotów pewnie ze dwieście. Albo więcej… Trochę zwaliłem na dół. Reszta zaraz będzie u was! Poza tym masz gości na gąsienicach – dwa kilometry na północ jedzie na was pułk. A za nim następne…

Nawet nie miałem czasu wysłuchać komunikatu do końca. Pokonywaliśmy akurat długi, niezalesiony odcinek drogi, gdzie pole ostrzału było daleko lepsze niż w lesie, ale nie było się niestety gdzie schować. Teraz naprawdę zaczęły liczyć się sekundy.

– Nancy! – krzyknąłem, chociaż siedziała obok mnie. – Odpalajcie tarczę MDS-a! Natychmiast!

– Nie ma połowy żołnierzy…

– Trudno. Musimy przetrwać nalot. – Chociaż nie rozumiała treści wiadomości podanej przez Wieteskę, bez zwłoki zaczęła przekazywać przez radio niezbędne rozkazy. Komenderowałem dalej: – Uwaga, wszyscy dowódcy. Skupić się koło MDS-a! Przekazać ułanom. Johny! Zdążysz wylądować, zanim nadlecą?

– Nie ma mowy. Mamy na ogonie ze dwadzieścia myśliwców. Nie pozwolą nam.

– Przyczaj się gdzieś.

W odpowiedzi zaśmiał się ironicznie, ale widać było, że zaczął się bać.

– Jamróz! Borek! Wojtyński! Gdzie jesteście?

– Próbujemy oderwać się od nieprzyjaciela. Wsiedliśmy do transporterów, opuściliśmy rejon obozu i podążamy za wami. – Konwersacyjny ton porucznika Wojtyńskiego w normalnych warunkach działałby uspokajająco.

– Dobrze. Odpalamy tarczę, żeby przetrzymać nalot. Bez rozkazu nie opuszczajcie lasu.

– Tak jest.

Kolumna, pchnięta rozkazem, skupiła się dookoła MDS-a. Obserwując wysuwający się teleskopowy maszt zakończony emiterem pola, pomyślałem sobie, że życie wielu z nas zależy od tego, czy – nieżyjący już niestety – major Łapicki przyłożył się do wykonania antywirusa i czy program sterujący, a także mechanizm tarczy został skutecznie odblokowany. Szczerze mówiąc, była to nasza jedyna szansa, bo na pewno nie zdążylibyśmy zająć pozycji, aby obronić się przed powietrzno-ziemnym atakiem.

Usłyszałem huk zbliżających się motorów. Szyłki zaczęły szperać po niebie krótkimi lufami. Dwóch strzelców z pepekami padło w kurz koło drogi. Czołgi, posiadające na swym wyposażeniu przeciwlotnicze kaemy zamontowane na wieżach, również szykowały się do walki. Dowódcy najwyraźniej nie dowierzali amerykańskiemu wynalazkowi.

Po chwili całe niebo, dosłownie od horyzontu do horyzontu, zaczerniło się od wrogich maszyn. Równocześnie z emitera pola siłowego strzeliły niebieskie wiązki laserów wyznaczające obwód tarczy. Szyłki zdążyły odpalić rakiety – Wałecki podzielił niebo na sektory – i kilkanaście rozbłysków zakomunikowało nam, że nie spudłowały. Prawie równocześnie rozgadała się wściekła palba ognia przeciwlotniczego. Strzelaliśmy ze wszystkiego, co było pod ręką. Coraz więcej samolotów z czarnymi krzyżami obrywało i waliło się na ziemię.

– Stop! – wrzasnąłem w mikrofon, widząc podniesioną rękę Nancy.

– Przerwać ogień!

Jeszcze kilka chwil i palba umilkła zupełnie. Przez pełną grozy sekundę powietrze rozdzierał tylko skowyt pikujących sztukasów.

– Power on! – powiedziała Nancy do mikrofonu i moim ciałem wstrząsnął znany, króciutki dreszcz. Obraz przed oczami rozmazał się, by po chwili wrócić do pełnej ostrości.

Sztukasy wypuściły bomby. Ich powolne opadanie bez trudu dało się zauważyć gołym okiem. Muszę powiedzieć, że nie był to zbyt przyjemny moment – obserwowałem śmierć niespiesznie spadającą prosto na nas i niewiele więcej mogłem zrobić.

Bomby doleciały do niewidocznej tarczy i wybuchły z głośnym hukiem – pole siłowe nie zatrzymywało fal dźwiękowych. Eksplozje obserwowane od dołu – tarcza opasywała nas jajowatą półkulą, której szczyt sięgał piątego piętra – były niezwykłym zjawiskiem. Pełznące, rozlewające się kaskady szaroburego dymu, płomienie odbijające się od kopuły i zjeżdżające w dół. Ale skutków nie odczuliśmy żadnych.

Klepnąłem Nancy w ramię, a ona uśmiechnęła się z ulgą.

– Jeden kłopot z głowy – powiedziałem głośno. – Teraz musimy tylko bezpiecznie sprowadzić Wieteskę i Jamroza z Borkiem i komandosami.

Skinęła głową i energicznie wysiadła z samochodu. Nie zważając na zdumione spojrzenia ułanów, którzy z zapartym tchem obserwowali dziejące się na ich oczach cuda, poszła w stronę MDS-a.

Również wysiadłem z honkera. Tak się złożyło, że w momencie rozpoczęcia nalotu stanął on obok łazika Filipowicza. Pułkownik sprawiał wrażenie zatroskanego i chyba nie docierała do niego rzeczywistość dziejąca się dookoła. Po prostu martwił się o losy bitwy i swoich ludzi.

Nalot pomału się kończył. Pancerny pułk, o którym mówił Wieteska, jeszcze nie zdążył zjawić się na polu bitwy.

– Johny – rzuciłem w mikrofon. – Poruczniku Jamróz. Ruszajcie! Wyłączymy na chwilę osłonę, abyście mogli wjechać bezpiecznie w obszar oddziaływania tarczy.

– Chętnie – pierwszy odezwał się kapitan Wieteska – ale ze mną może ci wlecieć do środka pół Luftwaffe...

– Zaryzykuję. Zaczynaj. Jamróz!

– Zgłaszam się. Już jedziemy. Powstrzymaliśmy atak, położyliśmy miny i mamy chwilę spokoju.

– Dżazi – usłyszałem w słuchawce głos Nancy pełen nieskrywanego strachu. – Tracimy kontrolę nad tarczą...

– Co to znaczy? – zawołałem.

– Reaktor traci moc. Jeszcze chwila, a zejdzie poniżej poziomu potrzebnego...

Stało się.

Coś głośno, basowo zachrypiało. Emiter pola zadrżał wyraźnie na końcu długiego masztu. Znikły niebieskie wiązki laserów.

Całkiem niedaleko pojawił się klucz śmigłowców, chyżo zmierzających w naszą stronę.

Od zachodu dostrzegłem też tuman kurzu zwiastujący zbliżanie się grupy Jamroza.

Nie wiem, skąd nadleciał samotny bombowiec. Może przyczaił się po prostu albo z jakiegoś innego powodu dotarł do nas grubo po swoich kolegach. Dość, że zaaferowani rozgrywającymi się z szybkością błyskawicy zdarzeniami nie zwróciliśmy na niego uwagi.

Zrobiliśmy to w momencie, kiedy było już za późno.

Bomby zaczęły padać między rozproszoną w polu kolumną. Wybuchy, następujące niemal równocześnie, zmiatały wszystko, co spotkały na swej drodze.

Upadłem na ziemię i zanim wtuliłem głowę w ziemię najgłębiej jak się dało, zobaczyłem niemal w zwolnionym tempie, jak jedna z bomb trafia prosto w MDS-a. Eksplozja była tak potężna, że rozłupała opancerzoną kabinę na pół. Jeszcze przez dobrą minutę na ziemię opadały szczątki samochodu i wyposażenia. Z wielkiego wozu pozostało trochę poskręcanych blach, fragmenty szoferki i parę rozrzuconych, nadpalonych kół. Emiter ciężko upadł na bok, a fragmenty wyposażenia można było znaleźć kilkadziesiąt metrów od epicentrum wybuchu.

Leżałem zdecydowanie za blisko.

Poczułem, jakby do uda ktoś przytknął mi rozpalony do białości pręt. Szarpnięcie okręciło mnie o ćwierć obrotu – miałem dziwne wrażenie, że noga nie okręcała się razem ze mną – ból eksplodował w całym ciele z siłą stu milionów woltów i straciłem przytomność.

X. ODWRÓT

1.

Kapitan Wojciech Kurcewicz zeskoczył z pancerza twardego i rozejrzał się dookoła. Bombowiec – zestrzelony spóźnioną serią – dopalał się na skraju pola, razem z kilkudziesięcioma innymi wrakami. Bomby oprócz MDS-a nie trafiły bezpośrednio w żaden pojazd, ale odłamki zadały sporo strat i uszkodzeń.

Kapitan poszedł w stronę przewróconego honkera. Martwym wzrokiem obserwował, jak sanitariusze podnoszą z ziemi bezwładne ciało dowódcy. Obok klęczała kapitan Snachez, a Galaś drapał się po głowie nerwowymi ruchami.

– Żyje? – zapytał przechodzących.

– Żyje. Jest nieprzytomny. Stracił masę krwi…

Na skraju pola wylądowały trzy śmigłowce Wieteski. Za nimi, o dziwo, nadleciała niepewnie maszyna Kuligowskiego i bardzo ostrożnie usiadła na ziemi.

Niemal równocześnie do kolumny dojechała grupa Jamroza z Borkiem i komandosami Wojtyńskiego.

Kapitan nie zastanawiał się długo.

– Galaś! Zorganizuj dla mnie system łączności.

Kapral potoczył dokoła niezbyt przytomnym wzrokiem.

– Słyszysz? Obudź się. Ja tu teraz dowodzę…

– Tak jest – wydukał kapral. – Muszę sprawdzić, co zostało ze sprzętu…

– To już. Na co czekasz?

Utykając, Galaś powlókł się w stronę stara dowodzenia.

– Zaraz będziemy tu mieli na karku ten pułk pancerny z północy – powiedział kapitan do podchodzącego Filipowicza. – I nie będziemy na nich czekać. Zmontujemy kontratak.

Pułkownik nie zwykł tracić czasu. Natychmiast przywołał do siebie najbliższego oficera, polecając mu zorganizowanie z pozostałych szwadronów osłony ataku pancernego.

Podszedł Wieteska. Bez specjalnego zainteresowania omiótł wzrokiem wrak MDS-a.

– To co, Wojteczku? Nasz powrót szlag trafił?

– Ano – mruknął Kurcewicz. – Mało mnie to teraz interesuje. Muszę zorganizować natarcie… Zaplecze powinno odskoczyć gdzieś w bezpieczniejsze miejsce. Wójcik też nie powinien tu stać na widoku.

Kapitan rozłożył na ziemi mapę i zaczął analizować położenie.

– A ja panu oficerowi pokażę dobre miejsce – odezwała się zza pleców Kurcewicza Rozalka. – My ze Stasiem sporo przed wojną po okolicy jeździli, wszędzie zaglądali. Tu zaraz jest droga w las – machała ręką w nieokreślonym kierunku – a potem bagno. Kto nie wie, którędy, na pewno nie przejedzie. Las gęsty, dobrze osłoni. Ja pokażę drogę…

Kapitan spojrzał na nią ze zdumieniem. Zerknął na Wieteskę, jakby szukając pomocy, ale lotnik wpatrywał się w dziewczynę z takim natężeniem, że Kurcewicz błyskawicznie stwierdził, iż na żadne poparcie liczyć nie może.

– Na pewno Rozalka trafi? – spytał dla formalności, bo dziewczyna w gruncie rzeczy zdejmowała mu poważny kłopot z głowy, a jakoś nie chciało mu się z nią walczyć. – Daleko ten las?

– Trafić trafię. Z pięć kilometrów będzie. Albo z osiem – odparła pewnym tonem. – Tam można pięć razy tyle ludzi schować i żadni Niemcy ich nie znajdą.

– Dobra. – Kapitan nieoczekiwanie łatwo się zgodził. – Porucznik Sawicki poprowadzi kolumnę.

Przygotowania nie zajęły wiele czasu. Galaś uparł się, aby na jedną z ciężarówek zabrać ocalałe szczątki MDS-a. Kurcewiczowi wydało się to kompletną stratą czasu, ale determinacja kaprala była tak wielka, że nie protestował.

– Kapitanie. – Kurcewicz usłyszał za sobą głos Nancy. Odwrócił się. Stała przed nim, bardzo blada, ale jeżeli nalot, strata MDS-a i dowódcy batalionu wstrząsnęły nią, nie dało się raczej tego dostrzec. – Co pan dalej zamierza?

– Mamy na karku pułk pancerny. Za nim, według informacji rozpoznania, posuwa się kilka dalszych jednostek zmotoryzowanych. Chcę szybko zmontować kontratak, rozbić ten oddział pancerny i jak najszybciej zatkać wyłom we froncie. Mam na chodzie trzy helikoptery...

– I osłonę myśliwców – wtrącił Wieteska, odrywając na moment wzrok od Rozalki.

– Myśliwców? Skąd? – zdziwił się Kurcewicz.

– Melduję, że nasz dzielny porucznik, jeszcze przed nalotem, ubłagał mnie, abyśmy zboczyli na chwilę z kursu i poszukali jego macierzystej eskadry. Zgodziłem się, bo wyglądało na to, że jak odmówię, wyrwie mi stery i sam poleci. – Kapitan uśmiechnął się ironicznie. – No więc dałem w bok, okazało się, że ta jego eskadra nie zmieniła miejsca postoju, wylądowałem niedaleczko i Wilgat poleciał gadać z dowódcą. Nie minęło pięć minut, jak osiem myśliwców poderwało się do lotu. Poleciałem i ja, i wtedy się zaczęło. Niemców było strasznie dużo, ale po nalocie tylko dzięki naszym asom dało się bezpiecznie wylądować. Pogonili tę resztę na cztery wiatry, sam Wilgat zestrzelił ze dwa samoloty. O patrzcie, tam lecą. – Pokazał kilka odległych punkcików na horyzoncie.

Punkciki szybko się zbliżyły, przeobraziły się w sześć zgrabnych sylwetek P-11 c, pomachały nad kolumną skrzydłami i poleciały do bazy, zapewne w celu uzupełnienia paliwa.

– Czyli Wilgat na coś się w końcu przydał – stwierdził Kurcewicz sucho, patrząc na Nancy.

Zarumieniła się nieznacznie, ale szybko wróciła do zasadniczego tematu:

– Spodziewamy się zatem ataku. Pan zamierza przeprowadzić kontratak, dobrze pana zrozumiałam?

– Tak. Utworzę jedną grupę bojową złożoną z czołgów i transporterów. Artyleria oraz kapitan Wieteska wesprą natarcie ogniem.

– A pan zamierza dowodzić całością sił, jadąc w pierwszym szeregu do ataku?

Kurcewicz spojrzał na nią uważnie, ale nie dopatrzył się w jej głosie zaczepki. Po prostu ustalała fakty.

– No, w obliczu utraty dowódcy oraz szefa sztabu...

– Rozumiem. I mam inny pomysł. Proponuję, aby grupą pancerną dowodził pan, tak jak do tej pory. Dowództwo nad całością sił obejmę ja.

– Mowy nie ma. To jest nasza wojna, Stany Zjednoczone nie mają tu nic do rzeczy...

– To jest również moja wojna, kapitanie. – Nancy spojrzała na Kurcewicza, a jemu nagle się wydało, że w ogóle nie zna tej kobiety. – Już od pewnego czasu ja i moi ludzie uczestniczymy w walkach, nawet wnosimy dość istotny wkład we wspólny wysiłek. Zauważył pan może?

– Zauważyłem – odparł Kurcewicz, jakoś dziwnie speszony. I zły na siebie, bo rozmowa szła kompletnie nie w tę stronę, w którą zamierzał. Wieteska ironicznie się uśmiechał. Obok stał pułkownik Filipowicz, któremu przybyły niedawno Wojtyński streścił zarys rozmowy. Pułkownik, jako najstarszy stopniem w tym towarzystwie, powinien automatycznie przejąć dowodzenie nad całością sił, jednak nikt mu tego nie zaproponował. Niezręczność sytuacji umknęła uwadze wszystkich zgromadzonych.

Pułkownik nieoczekiwanie poparł punkt widzenia kapitan Sanchez:

– Pani kapitan ma niewątpliwie ogromne zadanie przed sobą. Powstrzymanie tego pułku pancernego to jest zadanie trudne. Proponuję, aby pani dowodziła całością sił. Ja nie znam się na technicznych aspektach uzbrojenia batalionu. Wszystkie siły brygady, jakie mam, stoją do dyspozycji. I myślę, że musimy się pospieszyć.

Nancy spojrzała z wdzięcznością na pułkownika. Nawet się nie domyślała, jak wielki uczynił wyłom w swoich poglądach na wojsko, dowodzenie i rolę kobiet w życiu. Był przecież człowiekiem ukształtowanym przez obyczajowość i zwyczaje wczesnych lat wieku dwudziestego.

Filipowicz uśmiechnął się i zasalutował. Nancy oddała honor i spojrzała pytająco na Kurcewicza.

– Niech będzie – machnął ręką, bo zdawał sobie sprawę, że już nie ma czasu na dalsze spory. – Jadę.

2.

Okazało się, że nalot był niemal ostatnim akordem niemieckiego wysiłku. Luftwaffe poniosła duże straty i jej aktywność bardzo spadła.

Również siły pancerne, poszczerbione we wcześniejszych starciach, atakowały bez dawnego animuszu.

Kapitan Wojciech Kurcewicz uderzył na niemiecki pułk z dziką, niepohamowaną furią, nie dając nieprzyjacielowi najmniejszych szans odwrotu czy nawet poddania się. Czołgi twardy, wsparte transporterami rosomak i BRDM, bezwzględnie wykorzystały przewagę technologiczną, nie dopuszczając Niemców na odległość strzału i niszcząc wszystko na swej drodze. Ułani Filipowicza zaatakowali boki niemieckiego oddziału, Wieteska zrzucił kilka bomb kasetowych i pułk przestał istnieć.

Kapitan Sanchez zdawała sobie sprawę z tego, że to nie koniec. Przy pełniej aprobacie Kurcewicza i Filipowicza – który niezwykle energicznie, korzystając z systemu konnych i zmotoryzowanych łączników, odtwarzał jednolitą linię frontu – czołgi pojechały dalej. Artyleria Wójcika przeniosła ogień na następne niemieckie ugrupowania.

Oddział, złożony z komandosów Wojtyńskiego i plutonu rozpoznania Stańczaka, wdarł się głęboko na tyły nieprzyjaciela. Obaj porucznicy bezwzględnie wykorzystali całą swoją wiedzę, nabytą przez lata szkoleń. Kilka niemieckich wyższych sztabów przekonało się boleśnie, jak bardzo groźni potrafią być polscy żołnierze. Wszędzie postarano się, aby zachował się świadek klęski – głosząc wszem i wobec przewagę polskiego oręża.

O świcie następnego dnia zaczął się zwrot zaczepny armii „Poznań" i „Łódź", sprężyście dowodzony przez nowo wyznaczonego dowódcę Frontu Środkowego. Marsz Niemców na wschód został zahamowany.

XI. EPILOG

Rumunia, 1939

Stałem na stalowych płytach pokładu i wpatrywałem się w brzeg. Port w Konstancy późną jesienią zdecydowanie nie nadawał się na okładkę turystycznego folderu. Brudny, mały i ciasny, pełen niedomytych i rozwrzeszczanych ludzi. Miałem nadzieję, że wydostanę się z niego najszybciej, jak się da, i nie będę musiał więcej oglądać szarych, betonowych nabrzeży i zardzewiałych dźwigów.

Czekałem na pewnego człowieka. Nie czułem na razie niepokoju, mężczyzna przyzwyczaił mnie do swojej niepunktualności. Nawet groźba odpłynięcia statku nie skłoniła go do przybycia o czasie.

Syrena gwizdnęła donośnie. Przechadzający się po nabrzeżu marynarze bez widocznego pośpiechu zaczęli zdejmować grube cumy z pachołków. Dwóch z nich podeszło do trapu.

Ktoś klepnął mnie w ramię. Mój towarzysz również opuścił kabinę – nie mógł sobie odmówić ostatniego spojrzenia na port. Mieliśmy obaj nadzieję, że nieprędko go z powrotem zobaczymy – najchętniej nigdy.

– Nie przyszedł? – zapytał.

– Przyjdzie. Ma czas.

– On zawsze ma.

Spojrzałem na faceta z sympatią. Cywilne łachy, choć dobrane od Sasa do Lasa, leżały na nim z jakąś niewytłumaczalną elegancją.

– Słuchałem radia – powiedział. – Nadal broni się Śląsk i Poznań, w rejonie Warszawy nasi odparli kolejne natarcie i przeszli do lokalnych kontrataków. W kilku miejscach udało się zatkać wyłomy na Wiśle. Niemcy atakują głównie przy pomocy piechoty, a w niej już nie mają nad nami takiej przewagi. Wygląda na to, że na coś się przydaliśmy...

Roześmialiśmy się.

– Postąpiliśmy tak, jak uważaliśmy za słuszne. I mieliśmy rację.

– Rację? – Uśmiechnął się gorzko. – Zobacz, gdzie wylądowaliśmy z naszą racją. Mimo wszystko cały czas mam wrażenie, że jestem uczestnikiem jakiejś interaktywnej gry komputerowej... – Zamyślił się. – Wchodzisz do internetu, jakaś fajna strona stworzona przez miłośników sieciowych gier strategicznych, klikasz i...

– Nadal nie wierzysz? – zapytałem.

Nie odpowiedział.

W zamyśleniu wpatrywał się w nabrzeże, ale raczej nie dostrzegał betonowej kei i odrapanych baraków. Widział czołgowe szarże, wściekłe ataki lotnictwa, potężne eksplozje rozrywające wszystko na strzępy. Słyszał wrzaski palonych żywcem ludzi, uwięzionych w stalowych pudłach. Piękną, pocztówkową pogodę i sielski krajobraz z wmontowanym przedsionkiem piekła. I krwawy, naznaczony stratami odwrót.

Wiedział równie dobrze jak ja, że to nie była wirtualna rzeczywistość. Żadne www.1939.com.pl. I nie istnieje hasło, które pozwoli nam wrócić do realu.

Syrena gwizdnęła ponownie. Marynarze skończyli zdejmować cumy. W tym samym momencie na nabrzeże wpadł motocykl z dwoma ludźmi na pokładzie, po czym w szalonym pędzie podjechał do składanego trapu. Z motocykla zeskoczył niewielki facecik i wrzasnął przeraźliwie na pracujących w pocie czoła marynarzy. Tak ich zastraszył, że na chwilę przerwali robotę, a on wskoczył na trap, zachwiał się, ale w końcu utrzymał równowagę, raźno wbiegł na górę i zeskoczył na pokład.

Uśmiechnął się triumfalnie. Sięgnął do kieszeni i niedbale machnął grubym plikiem książeczek z charakterystycznym orłem na okładkach.

– Czołem, panowie oficerowie – zawołał wesoło. – Piękna pogoda, nieprawdaż? Chętnie wypiłbym filiżankę herbaty w panów towarzystwie, o ile panowie nie mają nic przeciwko temu.

– Co tak długo? – zapytałem zrzędliwie. Noga mnie bardzo bolała, zbierało się na deszcz, a kapitan statku w ostatniej chwili zażądał od nas podwójnej stawki za przejazd. Nic dziwnego, że wszystko mnie denerwowało. – Spóźniłeś się.

– Spóźniłbym się wtedy, gdyby statek odpłynął beze mnie – odciął się. – Myślałeś, że załatwienie oryginalnych amerykańskich paszportów to kaszka z mleczkiem?

– Miały być wczoraj.

– Ciesz się, że są w ogóle. Gość chciał więcej kasy, niż byłbyś w stanie zarobić przez pół życia...

– No i co? – zapytałem dla formalności.

– I nic. Po namowach opuścił cenę.

– Po namowach?

– No, przecież mówię.

– A gnata mu nie pokazywałeś?

– A kto mówi, że nie...? Ot, chciałem zobaczyć, czy zamek lekko chodzi, bo coś mi się wydawało, że mógł się piasek dostać do środka. To sprawdziłem.

– Przy nim?

– Pewnie. – Spojrzał na mnie z wyrzutem. – Takie sprawy nie mogą czekać, no nie?

Machnąłem ze zniecierpliwieniem ręką.

Statek był mały i brudny, śmierdziało na nim krowim łajnem. Miałem niejasne podejrzenia, że służył do wszystkiego, tylko nie do transportu węgla, który przeważnie był wymieniany w manifeście okrętowym. Zakrawało na cud, że udało się skłonić kapitana, aby odstąpił nam jedyną kabinę, która z grubsza przypominała cywilizację. Dwóch marynarzy przez pół dnia doprowadzało ją do stanu używalności, a i tak komfort i czystość pozostawiały wiele do życzenia. W kabinie z trudem mieściły się trzy piętrowe koje i rzucone w kąt bagaże: trochę rzeczy osobistych, starannie przemycona przez granicę broń, spory zapas amunicji, dwie latarki, żywność. Ważne, że przez kilkanaście dni podróży do Marsylii – przez Bliski Wschód – mieliśmy dach nad głową. Stamtąd obiecywaliśmy sobie popłynąć do Nowego Jorku już w znacznie lepszych warunkach.

Rozejrzałem się po towarzyszach podróży, którzy w ślad za Kurcewiczem wyszli na pokład. Nancy uśmiechała się do mnie, Rozalka trzymała co prawda Stasia za rękę – pomimo wielu prób nie udało się skontaktować z jego rodzicami – ale wpatrzona była w Wieteskę jak w obraz, a Kurcewicz kłócił się z Galasiem o najdogodniejszy rozdział miejsc do spania. Tylko Wilgat zachowywał olimpijski spokój. Obmyślał zapewne sposoby wypchnięcia mnie za burtę w czasie rejsu.

Nasza mała grupka była jedną z wielu, na jakie podzielił się batalion po wyczerpaniu swoich możliwości zaczepnych. Część, tak jak my, postanowiła przebijać się na Węgry lub do Rumunii, a potem w świat. Inna część, większa, solidnie zaczerpnąwszy z zapasów Sawickiego, postanowiła kontynuować walkę ramię w ramię z wrześniowymi żołnierzami. Reszta ocalałego wyposażenia, broni i amunicji pozostałych po Pierwszym Samodzielnym Batalionie Rozpoznawczym została podobno ukryta w górach podczas przechodzenia na Węgry.

Syrena zabuczała po raz ostatni.

– Co nas czeka w tej Ameryce? – mruknął Wieteska tak, aby pytanie doszło tylko do Wojtka i moich uszu.

– Nic dobrego – pokiwałem głową, żeby potwierdzić jego najgorsze obawy. – Tylko firma, kasa, kobieta i kupa dzieciaków.

– I wojna w Korei, Wietnam, Jimi Hendrix, Elvis Presley… – wtrącił Wojtek.

– Będziemy już starzy – powiedziałem.

– Może ty będziesz – obruszył się Wieteska. – Ja zamierzam się dobrze bawić przez najbliższych pięćdziesiąt lat. Ludzie, nigdy bym nie przypuścił, że będę się cieszył, że nie wróciliśmy w nasze czasy. Ameryka daje takie możliwości – westchnął.

– Wiadomo – wydął wargi Wojtek. – Sam mam kilka pomysłów.

– O pomysły trudno nie będzie – przytaknąłem. – Akcje, nieruchomości, biznes lotniczy…

Zamilkliśmy, myśląc o starannie ukrytej w kabinie torbie, która niegdyś należała do kaprala Cuprysia.

Milczeliśmy przez jakiś czas.

– Na wojnę się nie wybieramy? – zapytał w końcu Wojtek.

– Na wojnę? – zdziwiłem się.

– No, w czterdziestym czwartym. Do Maczka…

– Kto wie – mruknąłem. – Kto wie…

Poczułem w swojej dłoni ciepłe palce Nancy.

Statek drgnął i zaczął powoli odbijać od nabrzeża.

SPIS TREŚCI